Las Hermosas Enseñanzas de la BIBLIA

"Yo soy el camino, y la verdad, y la vida"

Reproducción del cuadro original de Peter V. Bianchi

Las Hermosas Enseñanzas
de la
BIBLIA

Un estudio de 169 temas fundamentales
de la Biblia en forma de preguntas y respuestas,
preparado por un número considerable
de especialistas en las Sagradas Escrituras.

Tomo 1

PUBLICACIONES INTERAMERICANAS
PACIFIC PRESS® PUBLISHING ASSOCIATION
Nampa, Idaho
Oshawa, Ontario, Canadá

Titulo de este libro en inglés:
Bible Readings for the Home

Traducido por el Licenciado en Teología
Héctor J. Peverini

Editado e impreso por
PUBLICACIONES INTERAMERICANAS
División Hispana de la Pacific Press® Publishing Association:
PO Box 5353, Nampa, ID 83653-5353, EE. UU. de N.A.

Offset in U.S.A.

ISBN 0-8163-9889-5

Indice

SECCION 4 — LA VIDA Y LAS ENSEÑANZAS DE CRISTO

SECCION 5 — EL ESPIRITU SANTO

SECCION 6 — LA SEGURA PALABRA PROFETICA

SECCION 7 — ACONTECIMIENTOS VENIDEROS Y SEÑALES DE LOS TIEMPOS

Lista de Ilustraciones en Colores

La Biblia, su origen, historia y lugar en el mundo

LA BIBLIA es un libro extraordinario. Es EL LIBRO por excelencia, como lo consideraba el célebre escritor Walter Scott (1771-1832), quien afirmó en su lecho de muerte: "No hay más que un libro", refiriéndose a las Sagradas Escrituras. Su origen, su historia, su contenido y su influencia en la vida de los individuos y de los pueblos que lo han leído con actitud receptiva no conocen nada semejante.

La Biblia contiene en sí misma pruebas de su origen divino. Ningún otro libro puede contestar las preguntas de la mente o satisfacer los anhelos del corazón como lo hace la Biblia. Se adapta a todas las edades y condiciones de la vida, y está llena del conocimiento que ilumina la mente y santifica el alma.

En la Biblia tenemos una revelación del Dios viviente. Si se la recibe con fe, tiene poder para transformar la vida. Durante toda su historia una mano divina la ha cuidado y preservado para el mundo.

COMO, CUANDO Y POR QUE FUE ESCRITA

Siglos después del diluvio, cuando los hombres se multiplicaron y las tinieblas se asentaron de nuevo sobre el mundo, hombres santos escribieron movidos por el Espíritu de Dios. Así Dios habló a su pueblo, y por medio de él al mundo, para que el conocimiento de Dios y de su voluntad no se desvaneciera de la tierra.

Durante centurias esta obra prosiguió, hasta que vino Cristo, la Simiente prometida. Con él, y el bendito mensaje de luz y salvación proclamado por él y por sus apóstoles, finalizó el registro de las Escrituras, y se completó la Palabra de Dios.

ESCRITOS ORIGINALES Y TRADUCCIONES

La mayor parte del Antiguo Testamento fue escrita originalmente en hebreo, en rollos de pergamino, lienzo o papiro. Estos fueron más tarde traducidos al griego. La traducción más antigua se conoce como la Septuaginta, o Versión de los Setenta, hecha en Alejandría para la famosa biblioteca de esa ciudad. La traducción fue comenzada bajo el patrocinio de Tolomeo Filadelfo, alrededor del año 285 AC. Se dice que la orden original de esta traducción fue dada por Alejandro Magno, quien se había enterado previamente, al visitar Jerusalén en 332 AC, de la profecía de Daniel de que Grecia vencería al reino persa. (Véase Josefo, *Antigüedades judaicas*, libro II, cap. 8, par. 5.) Esta era la versión de uso corriente en el tiempo de Cristo.

Los eruditos consideran que el Nuevo Testamento fue escrito originalmente en griego (aunque algunos piensan que San Mateo fue escrito primero en hebreo, y traducido más tarde al griego).

En una fecha temprana distintos individuos tradujeron al latín la Septuaginta y el Nuevo Testamento que existía en Griego. Una versión de toda la Biblia preparada más cuidadosamente, la Vulgata de Jerónimo, fue hecha de 383 a 405 DC. Se la llamó Vulgata, o versión "común", porque era de uso corriente entre la gente que hablaba el latín.

LA IMPRENTA Y LA BIBLIA

Como no se conocía la imprenta, las copias de la Biblia podían producirse solamente por el

Los hallazgos e investigaciones del arqueólogo moderno han acumulado evidencias abrumadoras sobre la exactitud y el carácter fidedigno de la Biblia.

lento, arduo y costoso proceso de la escritura a mano. Esto, por fuerza, limitaba grandemente su circulación. Peor aún: sus verdades iluminadoras y salvadoras fueron ocultadas en gran medida por los errores, las supersticiones y la apostasía de la Edad Media. Durante ese tiempo el pueblo común poco conocía de su contenido.

Pero con la invención del arte de imprimir, alrededor de mediados del siglo XV, y con el amanecer de la gran Reforma del siguiente siglo, la Biblia entró en una nueva era, preparatoria de la proclamación final del Evangelio en todo el mundo.

No es poco significativo el hecho de que el primer libro importante que se imprimió en Europa con tipos movibles fue la Biblia. La editó Juan Gutenberg, en Mainz, Alemania, alrededor de 1456. El ejemplar de la Biblia de Gutenberg perteneciente a la Biblioteca del Congreso, de Estados Unidos, es quizás el libro impreso más valioso del mundo.

LA BIBLIA EN IDIOMAS NACIONALES

Hasta entonces, sin embargo, la Biblia había sido en alto grado impresa solamente en un idioma antiguo, que el pueblo común no comprendía, y sin la Palabra de Dios en sus manos, la buena semilla sembrada entre ellos era fácilmente destruida. "¡Oh —decían los defensores de sus puras enseñanzas—, si sólo pudiera el pueblo tener la Palabra de Dios en su propio idioma, eso no sucedería! Sin esto será imposible establecer a los legos en la verdad".

¿Y por qué no la tendrían ellos en su propia lengua?, razonaban. Moisés escribió en la lengua del pueblo de sus días; los profetas hablaban en la lengua familiar de los hombres a quienes se dirigían; y el Nuevo Testamento fue escrito en el idioma entonces corriente en el mundo romano.

La traducción de la Biblia al inglés por Juan Wiclef y sus asociados, alrededor de 1380, fue uno de los principales hechos rectores de la Reforma. Preparó también el camino para el reavivamiento del cristianismo en Inglaterra, y para la multiplicación posterior de la Palabra por millones para todo el mundo.

El hacer esa traducción en aquel tiempo, dice Neander, "requería un espíritu valiente que ningún peligro pudiera aterrar". Por hacer esto, Wiclef fue atacado desde varias partes, porque, se protestaba, "él había introducido entre la multitud un libro reservado exclusivamente para el uso de los sacerdotes". En la acusación general se declaró que "así el Evangelio había sido expuesto por él a los laicos, y a las mujeres que pudieran leer, más abiertamente de lo que anteriormente lo había sido a los clérigos más cultos, por lo que la perla del Evangelio se arrojaba al público y era hollada por los puercos". En el prefacio de su traducción, Wiclef exhortaba a la gente a leer las Escrituras.

Un sentido de temor reverente y un estremecimiento de gozo llenó el corazón del gran Reformador alemán cuando, a la edad de veinte años, mientras examinaba los volúmenes de la biblioteca de la Universidad de Erfurt, sostuvo en sus manos, por primera vez en su vida, un ejemplar completo de la Biblia. "Oh, Dios —exclamó—, si yo pudiera tener uno de estos libros, no pediría otro tesoro". Un poquito más tarde él halló en un convento una Biblia encadenada. Y a ella recurrió constantemente.

Pero todas estas Biblias, como las de cualquier otro lugar, excepto la inglesa, estaban en un idioma antiguo, y podían ser leídas solamente por la gente instruida. ¿Por qué, pensó Lutero, tiene que estar la Palabra viviente confinada a las lenguas muertas? Como Wiclef, por lo tanto, él decidió dar a sus compatriotas la Biblia en el idioma popular; y lo hizo: el Nuevo Testamento en 1522, y la Biblia completa, la obra cumbre de su vida, en 1534.

Impresionado con la idea de que el pueblo debía leer las Escrituras en su lengua materna, William Tyndale, de igual manera, en 1525 dio a la gente de habla inglesa su traducción del Nuevo Testamento, que sirvió de base para la famosa traducción llamada del Rey Jacobo, y más tarde tradujo algunas porciones del Antiguo Testamento. Su ardiente deseo de que ellos pudieran conocer la Biblia fue bien expresado en la declaración de que, si Dios le concedía la vida, él haría que los muchachos que manejaban el arado conocieran más las Escrituras de lo que la conocían comúnmente los teólogos de sus días.

La primera Biblia completa en inglés fue la de Miles Converdale, impresa en Zurich, Suiza, en 1535. A ella siguieron otras versiones, entre las cuales puede mencionarse la Gran Biblia, preparada por sugerencia de Tomás Cromwell, Conde de Essex.

Es evidente que en España ya en 1233 circulaban traducciones parciales o completas de la Biblia en el idioma del pueblo; de lo contrario no se

Dios impulsó a eruditos devotos y valientes como Martín Lutero a traducir las Escrituras al idioma del pueblo común, para que todos pudieran recibir sus beneficios.

habría promulgado el decreto de Jaime de Aragón, que prohibía su lectura.

En 1280 se terminó la traducción manuscrita de la *Biblia Alfonsina* en *romance,* transición entre el latín y el castellano, por orden del rey Alfonso el Sabio.

La primera versión completa del Antiguo Testamento en español se conoce como *La Biblia de la Casa de Alba.* Vio la luz en 1430, escrita a mano. Pero no circuló, porque la Inquisición se apoderó de ella, aunque no la destruyó. La primera versión completa del Nuevo Testamento impresa en español, conocida como *El Nuevo Testamento de Enzinas,* terminó de imprimirse en 1542 en Amberes. Y la *Biblia de Ferrara,* la primera versión en español del Antiguo Testamento, se publicó en 1553.

Los primeros ejemplares de la Biblia completa en castellano aparecieron en 1569 en Basilea, Suiza. Su traducción fue obra de Casiodoro de Reina. Revisada cuidadosamente por el brillante escritor Cipriano de Valera, fue impresa en 1602 en Amsterdam.

Así la luz de la verdad comenzó a brillar una vez más en el Mundo Occidental, pero no sin oposición.

Dos siglos más tarde, de 1790 a 1793, se imprimió por primera vez en España misma una versión de la Biblia en castellano, la del padre Felipe Scío de San Miguel, en diez volúmenes. Ahora existen muchas otras, tanto católicas como protestantes, algunas de ellas muy buenas.

LA QUEMA DE BIBLIAS

Como Joacim, rey de Judá, y los príncipes existentes bajo el reinado de Sedequías, mostraron su menosprecio por Dios quemando los escritos de Jeremías y arrojando al profeta en una cisterna (Jeremías 36: 20-23; 38: 1-6), así ahora los hombres trataron de contener la marea naciente de la Reforma quemando la Biblia y a sus traductores.

La quema de la Biblia fue iniciada en Inglaterra con la destrucción de los ejemplares de la edición de Antwerp del Nuevo Testamento de Tyndale, en Paul's Cross, Londres, en 1527; y fue seguida por la quema de la segunda edición en 1530. Y algo más tarde, los escritos y traducciones de Wiclef, Tyndale, Basil, Barnes, Coverdale, y otros, fueron proscritos y en algunos casos quemados.

Cuarenta y tres años después de la muerte de Wiclef, o sea en 1428 DC., por orden del Concilio

de Constanza, los huesos de ese reformador fueron exhumados y quemados. El 6 de octubre de 1536, por orden de Carlos V de Alemania, Tyndale fue estrangulado y quemado en la hoguera en Vilvorde, cerca de Bruselas. "Si Lutero no se retractare —escribió Enrique VIII en Inglaterra—, entrégueselo a él y sus escritos a las llamas".

Tal fue, bajo la tiranía espiritual que imperaba en aquellos tiempos, la suerte de muchos que se colocaron de parte de Dios y de su Palabra.

LA PALABRA NO ESTA PRESA

Pero la Palabra de Dios no podía quedar aprisionada para siempre. Al tratar de impedir su circulación, los hombres descubrieron pronto que estaban intentando lo imposible.

La Biblia había echado profundas raíces en los corazones de la gente. Lo que reyes y prelados habían tratado de suprimir y destruir, reyes y prelados comenzaban ahora a fomentar y suministrar.

En su *Stories From English History* (Anécdotas de la historia inglesa), páginas 196, 197, Henry P. Warren dice: "Henry, por consejo de Cromwell, ordenó que se tradujera la Biblia al inglés, y que se colocase un ejemplar en cada iglesia. Se habían hecho traducciones al inglés antes, pero no habían estado generalmente en manos del pueblo, y habían sido leídas solamente en secreto y con temor... Cromwell pidió entonces que Cranmer y los obispos revisaran la Biblia, y que la publicaran sin notas ni comentarios; y en 1539 se encadenó un ejemplar de la Biblia en inglés a la mesa de lectura de cada iglesia parroquial. Desde entonces la Biblia nunca ha dejado de ser impresa y vendida libremente".

Dice Carlos C. Coffin, en su *Story of Liberty* (Historia de la Libertad), capítulo 2, página 44: "El pueblo escucha la lectura con asombro y deleite. Los hombres empiezan a pensar; y cuando lo hacen, caminan hacia la libertad. Ven que la Biblia les da derechos que hasta entonces se les habían negado: el derecho de leer, de adquirir conocimientos. Se abren escuelas. Hombres y mujeres que hasta ese momento no conocían ni una letra del alfabeto, aprenden a leer. Los hijos enseñan a sus padres. Es el comienzo de una nueva vida, un nuevo orden de cosas en la comunidad; el comienzo de la libertad".

LA BIBLIA A TODO EL MUNDO

Finalmente, fueron organizadas grandes sociedades bíblicas en Inglaterra, en Norteamérica, y en muchos países de Europa, con el propósito de dar la Biblia al mundo, a cada "nación, tribu, lengua y pueblo" en su propio idioma. Las principales son la Sociedad Bíblica Británica y Extranjera, fundada en 1804, y la Sociedad Bíblica Americana, fundada en 1816. Estas y otras organizaciones semejantes han esparcido literalmente cientos de millones de ejemplares de la Biblia en un gran número de idiomas. La Iglesia Católica también está participando activamente en esta noble obra en forma especialmente notable desde el Concilio Vaticano II.

Así se está proporcionando al mundo la Palabra de Dios, en preparación para proclamar a toda la humanidad el último mensaje evangélico, la conclusión del reinado del pecado, y el advenimiento del Señor en gloria. "Y será predicado este evangelio del reino en todo el mundo, para testimonio a todas las naciones; y entonces vendrá el fin" (S. Mateo 24: 14).

Toda persona puede tener un ejemplar del Libro santo de Dios y leer varias versiones excelentes de él. De ese modo, la influencia refinadora y benéfica de la Biblia se extiende a la mayoría de los pueblos de la tierra.

El valor del estudio de la Biblia

LA BIBLIA es el gran libro de texto de Dios para el hombre. Es la lámpara que él pone a nuestros pies, y la luz divina en nuestra senda, en este mundo de pecado. No puede, por lo tanto, sobrestimarse el valor del estudio de la Biblia.

Considerada solamente desde el punto de vista literario, la Biblia es sobresaliente. Su estilo pulido y castizo, sus hermosas e impresionantes imágenes, sus interesantes y bien presentados relatos, su lenguaje digno y sus temas elevados, todo lo hace digna de una lectura universal y un cuidadoso estudio.

Como poder educativo, la Biblia no tiene igual. Nada amplía la visión, fortalece la mente, eleva los pensamientos y ennoblece los afectos como el estudio de las sublimes y estupendas verdades de la revelación. El conocimiento de sus principios es una preparación esencial para toda vocación. En la medida en que se estudian y reciben sus enseñanzas, ella imparte fortaleza de carácter, nobles ambiciones, agudeza de percepción y sano juicio. De todos los libros que se hayan escrito, ninguno contiene lecciones tan instructivas, preceptos tan puros o promesas tan grandes como la Biblia.

No hay nada que convenza tanto la mente respecto a la inspiración de la Biblia como la lectura de la Biblia en sí, especialmente de las porciones conocidas como las profecías. Después de la resurrección de Cristo, cuando todas las demás cosas parecían haber fracasado en convencer a los discípulos de que él se había levantado de los muertos, Cristo recurrió a la Palabra inspirada, y "les declaraba en todas las Escrituras [en aquel momento, sólo el Antiguo Testamento] lo que de él decían" (S. Lucas 24: 25-27), y ellos creyeron. En otra ocasión él dijo: "Si no oyen a Moisés y a los profetas, tampoco se persuadirán aunque alguno se levantare de los muertos" (S. Lucas 16: 31).

Como guía, la Biblia es sin rival. El creer en ella infunde serena paz, y una firme esperanza en lo futuro. Resuelve los grandes problemas de la vida y el destino, e inspira a vivir una vida de pureza, paciencia y bienhacer. Llena el corazón de amor a Dios y del deseo de beneficiar a otros, y así prepara al hombre para ser útil aquí y para morar en el hogar celestial. Enseña el valor del alma, revelando el precio pagado para redimirla. Da a conocer el único antídoto del pecado, y presenta el único código perfecto de moral jamás dado. Habla del futuro y de la preparación necesaria para enfrentarlo. Nos hace valientes en la defensa de lo recto, y sostiene al alma en la adversidad y la aflicción. Ilumina el valle de la muerte, y dirige nuestros ojos a una vida sin fin. Guía a Dios y a Cristo, cuyo conocimiento es vida eterna. En síntesis, es el libro por el cual vivir y por el cual morir.

Así como se le indicó al rey de Israel que hiciera una copia de la ley, y que leyera en ella "todos los días de su vida", para que pudiera "temer a Jehová su Dios", guardar su Palabra y prolongar así sus días y los días de sus hijos (Deuteronomio 17: 18-20), así deben ahora los hombres estudiar la Biblia, y por ella conocer el temor de Dios que es el principio de la sabiduría, y adquirir el conocimiento que proporciona salvación. Como ayuda e incentivo para esto se ha preparado y publicado esta obra, *Las hermosas enseñanzas de la Biblia*.

VALOR Y USO DE ESTE LIBRO

En pocas palabras, un estudio bíblico consiste en preguntas concernientes a algún asunto, y en la respuesta a ellas según se da en la Biblia. En otras palabras, un estudio bíblico es el estudio de un tema de la Biblia mediante preguntas y respuestas.

20

Para recibir o impartir conocimiento, nada puede compararse con el método interrogativo o socrático. Nada aviva tan rápidamente el pensamiento o despierta el interés como una pregunta. Tanto los niños como los adultos aprenderían poco si no hicieran preguntas, y sería un pobre maestro el que no hiciera ni contestara preguntas.

Conociendo el valor de estos medios de avivar el pensamiento, despertar el interés e impartir información, Dios, en su sabiduría, inspiró a los escritores de la Biblia a formular muchas preguntas, para inducirnos a pensar y a estudiar en cuanto a los grandes temas que en ella se tratan. (Véanse Job 38: 4, 7; 14: 14; Salmo 8: 4; Malaquías 3: 1, 2, 8; Exodo 32: 26; 1 Crónicas 29: 5.)

Pero Dios no solamente formula preguntas; él también las contesta. Los siguientes pasajes, tomados directamente de la Biblia, pueden citarse como otros tantos ejemplos de un corto estudio bíblico, con preguntas y respuestas.

"¿Quién es el hombre que desea vida, que desea muchos días para ver el bien?

"Guarda tu lengua del mal, y tus labios de hablar engaño. Apártate del mal, y haz el bien; busca la paz, y síguela" (Salmo 34: 12-14).

"¿Para quién será el ay? ¿Para quién el dolor? ¿Para quién las rencillas? ¿Para quién las quejas? ¿Para quién las heridas en balde? ¿Para quién lo amoratado de los ojos?

"Para los que se detienen mucho en el vino, para los que van buscando la mistura" (Proverbios 23: 29, 30).

"¿Quién subirá al monte de Jehová? ¿Y quién estará en su lugar santo?

"El limpio de manos y puro de corazón; el que no ha elevado su alma a cosas vanas, ni jurado con engaño. El recibirá bendición de Jehová, y justicia del Dios de salvación" (Salmo 24: 3-5. Véase también Salmo 15 e Isaías 33: 14-17).

La Biblia misma, pues, sienta el ejemplo de dar instrucción e impartir la más valiosa información mediante preguntas y respuestas.

Los estudios de este libro fueron preparados originalmente por un gran número de instructores de la Biblia, cuya experiencia en la materia les había enseñado los métodos más eficaces de presentar los diferentes asuntos tratados. Se ha vendido más de un millón de ejemplares del libro preparado de esta manera.

La obra ha sido revisada y actualizada recientemente, se le han añadido nuevas ilustraciones, y los estudios han sido clasificados y ordenados cuidadosamente por temas. Así preparada, se la envía una vez más en misión de luz y bendición.

Para ayudar al lector a descubrir rápidamente las palabras que contestan más directamente la pregunta formulada, dichas palabras dentro del versículo se han impreso generalmente en letra cursiva o bastardilla, salvo que se requiera, para ese fin, todo el pasaje bíblico citado. También las palabras importantes citadas de otras obras han sido impresas en cursiva a fin de llamar la atención a los puntos significativos de las citas.

Se descubrirá que esta obra es una excelente ayuda en el estudio personal, familiar y público de la Palabra de Dios.

JIM PADGETT

"Denme la verdad antes que el amor, el dinero o la fama".

Henry David Thoreau

El Libro Eterno

Tengo un libro de nítidas páginas
que nunca envejece, que siempre está nuevo,
y es que encierra misterios de gloria
y da a nuestras vidas divinos consejos.

Este libro precioso y sublime
es luz para el alma, pan para el hambriento,
y es agua de vida que limpia y redime,
y apaga la sed al sediento.

Cuán grande enseñanza, ¡oh libro bendito!
me das en las horas de pena o solaz.
¡Oh fuente amorosa del Dios infinito,
tú inundas mi vida de gozo y de paz!

No importa que osado el hombre pretenda
negar los conceptos de vida y de luz;
no importa que airado él cambie la senda
que lleva sus pasos al pie de Jesús.

Tú, Biblia bendita, eres monumento
que siempre señalas la ruta ideal;
tú eres la Palabra cuyo fundamento
descansa en la fuerza del Dios eternal.

¡Salve, libro hermoso!, pues por las edades,
de un siglo a otro siglo, permanecerás,
aunque el hombre indigno, con sus falsedades,
pretenda ignorar tu eterna verdad.

N. Solero

COMO ESTUDIAR Y COMPRENDER LA BIBLIA

ESTUDIO

ESTUDIO 1

Las Sagradas Escrituras

LA BIBLIA, "el libro padre de todos los libros", como la llamó el célebre escritor y estadista Domingo Faustino Sarmiento, conocida también como las Sagradas Escrituras, es de inestimable valor como fuente de información sobre el origen y destino de la humanidad; como pieza literaria, sencilla y sublime a la vez; como código de moral que contempla las más variadas condiciones de la vida sin perder altura ni modificar su objetivo; como guía espiritual del hombre con vocación o sed de amor, perfección y eternidad.

¿Con qué nombre se refirió Jesús a los escritos sagrados del Antiguo Testamento, la Biblia de sus días?

"Jesús les dijo: ¿Nunca leísteis en las *Escrituras*: La piedra que desecharon los edificadores, ha venido a ser cabeza del ángulo?" (S. Mateo 21: 42).

¿Qué otro título se le da a la revelación de Dios al hombre?

"El entonces respondiendo, les dijo: Mi madre y mis hermanos son los que oyen *la palabra de Dios,* y la hacen" (S. Lucas 8: 21).

Nota.—Es interesante notar que la palabra *Biblia* no aparece en la Biblia misma. Proviene del latín *biblia,* que viene a su vez del griego *biblia,* que significa "libros". La palabra griega *biblos* (singular de *biblia*) deriva a su vez de *byblos,* que significa "papiro", el nombre del material en el cual se escribían los libros antiguos. Los griegos llamaban *byblos* a este material porque lo conseguían en el puerto fenicio de Byblos.

La Biblia tiene 66 libros y fueron escritos por 35 ó 40 hombres a lo largo de un período de unos 1.500 años. El conjunto de esos libros es llamado la Palabra de Dios, o las Escrituras.

COMO FUERON DADAS LAS ESCRITURAS

¿Cómo fueron dadas las Escrituras?

"Toda la Escritura *es inspirada por Dios*" (2 Timoteo 3: 16).

Nota.—Cuando los escritores del Nuevo Testamento hablan de la "Escritura" se refieren a los escritos del Antiguo Testamento. Pero como el mismo Dios que inspiró a los escritores del Antiguo Testamento inspiró también a los del Nuevo Testamento, lo que éstos declaran concerniente a la inspiración y el valor de los primeros escritos es igualmente cierto respecto al Nuevo Testamento.

¿Por quién fueron dirigidos los hombres que fueron así portavoces de Dios?

"Porque nunca la profecía fue traída por voluntad humana, sino que los santos hombres de Dios hablaron siendo inspirados *por el Espíritu Santo*" (2 Pedro 1: 21).

¿Qué ejemplo definido fue mencionado por San Pedro?

"Varones hermanos, era necesario que se cumpliese la Escritura en que *el Espíritu Santo habló antes por boca de David* acerca de Judas, que fue guía de los que prendieron a Jesús" (Hechos 1: 16).

¿Quién, por lo tanto, habló por medio de estos hombres?

"*Dios,* habiendo hablado muchas veces y de muchas maneras en otro tiempo a los padres por los profetas" (Hebreos 1: 1).

Los mensajes de la Biblia fueron inspirados por Dios y los seres humanos tenemos la responsabilidad de estudiarlos con diligencia y espíritu de oración, para asegurarnos de que los comprendemos en forma correcta.

EL PROPOSITO DE LAS ESCRITURAS

¿Con qué propósito se escribieron las Sagradas Escrituras?

"Porque las cosas que se escribieron antes, *para nuestra enseñanza* se escribieron, a fin de que por la paciencia y la consolación de las Escrituras, tengamos esperanza" (Romanos 15: 4).

¿Para qué es útil toda la Escritura?

"Toda la Escritura es inspirada por Dios, y útil *para enseñar, para redargüir, para corregir, para instruir en justicia*" (2 Timoteo 3: 16).

¿Cuál era el designio de Dios al dar así las Escrituras?

"A fin de que el hombre de Dios *sea perfecto, enteramente preparado para toda buena obra*" (vers. 17).

¿Qué quiere Dios que su Palabra sea para nosotros en este mundo de tinieblas, pecado y muerte?

"*Lámpara* es a mis pies tu Palabra, y *lumbrera a mi camino*" (Salmo 119: 105).

LAS DIVISIONES DE LAS ESCRITURAS

¿A qué tres divisiones generales de los escritos del Antiguo Testamento se refirió Jesús?

"Y les dijo: Estas son las palabras que os hablé, estando aún con vosotros; que era necesario que se cumpliese todo lo que está escrito de mí en *la ley de Moisés*, en *los profetas* y en *los salmos*" (S. Lucas 24: 44).

Nota.—"La ley de Moisés" era una expresión judía común para referirse a los cinco primeros libros del Antiguo Testamento. En "los profetas" ellos incluían Isaías, Jeremías, Ezequiel y los doce profetas menores; también Josué, Jueces, 1.º y 2.º Samuel, y 1.º y 2.º Reyes. "Los Salmos" incluían todos los demás libros.

¿En qué evidencias basaba Jesús su mesianismo?

"Y comenzando desde *Moisés*, y siguiendo por *todos los profetas*, les declaraba en todas las Escrituras lo que de él decían" (vers. 27).

Nota.—Jesús se refirió particularmente a las profecías del Antiguo Testamento para probar su propio carácter mesiánico. Cuando Cristo hablaba de las Escrituras se refería al Antiguo Testamento, porque el Nuevo Testamento no había sido escrito todavía.

EL CARACTER DE DIOS Y DE SU PALABRA

¿Cómo se llama a Dios en las Escrituras?

"El es la Roca, cuya obra es perfecta, porque todos sus caminos son rectitud; *Dios de verdad*, y sin ninguna iniquidad en él; es justo y recto" (Deuteronomio 32: 4).

¿Cuál debe ser, por lo tanto, la naturaleza de su Palabra?

"Santifícalos en tu verdad; *tu palabra es verdad*" (S. Juan 17: 17).

¿Cuán ampliamente ha engrandecido Dios su Palabra?

"Porque has engrandecido tu nombre, y tu palabra *sobre todas las cosas*" (Salmo 138: 2).

Nota.—El nombre de Dios representa su carácter. Es tan grande y venerable como Dios mismo. Está por encima de todo nombre y de cuanto existe en el universo. Y a esa misma dignidad eleva Dios su Palabra, como exponente de su pensamiento y voluntad.

EL TESTIMONIO DE JOB Y DE ISAIAS

¿Cuánto apreciaba Job las palabras de Dios?

"Del mandamiento de sus labios nunca me separé; *guardé las palabras de su boca más que mi comida*" (Job 23: 12).

¿Cuán firme era la fe de Isaías en la Palabra de Dios?

"Sécase la hierba, marchítase la flor; mas la Palabra del Dios nuestro permanece para siempre" (Isaías 40: 8).

ESTUDIO 2

Cómo Entender la Biblia

LA BIBLIA, cuyas verdades fundamentales pueden entenderlas aun los niños, sin que puedan comprenderlas exhaustivamente los cerebros más privilegiados, se presta a las más variadas y antojadizas interpretaciones, si no se la estudia debidamente. Pero ella satisface las elevadas expectativas de quienes la escudriñan con propiedad. En las siguientes preguntas y respuestas se exponen algunos de los elementos que aseguran la más feliz comprensión de este libro maravilloso.

¿Qué dijo Jesús concerniente al estudio de las Escrituras?

"Escudriñad las Escrituras; porque a vosotros os parece que en ellas tenéis la vida eterna; y ellas son las que dan testimonio de mí" (S. Juan 5: 39).

Nota.—Cristo se refiere aquí a las Escrituras del Antiguo Testamento, la Biblia de sus días. Sin embargo, su declaración es igualmente cierta en cuanto al Nuevo Testamento. Se aplica con igual propiedad al término "escrituras" a través del Nuevo Testamento.

¿Por qué fueron alabados los miembros de cierta antigua iglesia?

"Y éstos eran más nobles que los que estaban en Tesalónica, pues recibieron la palabra con toda solicitud, escudriñando cada día las Escrituras para ver si estas cosas eran así" (Hechos 17: 11).

Nota.—"Si la Palabra de Dios fuese estudiada como debiera —dice una moderna estudiante de la Biblia—, los hombres tendrían una amplitud de miras, una nobleza de carácter y una estabilidad de propósito que rara vez se ven en estos tiempos. Pero proporciona poco provecho una lectura apresurada de las Escrituras. Uno puede leer toda la Biblia, y no ver sin embargo su belleza ni comprender su significado profundo y oculto. El estudio de un pasaje hasta que su significado sea claro para la mente, y evidente su relación con el plan de salvación, es de más valor que la lectura cuidadosa de muchos capítulos sin un propósito definido ni la adquisición de un conocimiento positivo".

PORCIONES FACILES Y PORCIONES DIFICILES

¿Mediante qué comparación se indica que algunas porciones de la Palabra de Dios son más difíciles de entender que otras?

"Porque debiendo ser ya maestros, después de tanto tiempo, tenéis necesidad de que se os vuelva a enseñar cuáles son los primeros rudimentos de las palabras de Dios; y habéis llegado a ser tales que tenéis necesidad de leche, y no de alimento sólido" (Hebreos 5: 12).

¿De qué manera se explica mejor esta comparación?

"Y todo aquel que participa de la leche es inexperto en la palabra de justicia, porque es niño; pero el alimento sólido es para los que han alcanzado madurez, para los que por el uso tienen los sentidos ejercitados en el discernimiento del bien y del mal" (vers. 13, 14).

¿Qué escritos se dice específicamente que contienen cosas difíciles de entender?

"Y tened entendido que la paciencia de nuestro Señor es para salvación; como también nuestro amado hermano Pablo, según la sabiduría que le ha sido dada, os ha escrito, casi en todas sus epístolas, hablando en ellas de estas cosas; entre las cuales hay algunas difíciles de entender, las cuales los indoctos e inconstantes tuercen, como también las otras Escrituras, para su propia perdición" (2 S. Pedro 3: 15, 16).

Nota.—Algunas porciones de la Biblia son demasiado sencillas para ser mal comprendidas, mientras que el significado de otras no puede discernirse a primera vista. Para obtener un conocimiento abarcante de cualquier verdad bíblica, debe compararse texto con texto y pasaje con pasaje, y debería haber "cuidadosa investigación y reflexión acompañadas de oración". Todo estudio semejante será ricamente recompensado.

EL ESPIRITU DE DIOS Y LA BIBLIA

¿Solamente quién comprende las cosas de Dios?

"Nadie conoció las cosas de Dios, sino el Espíritu de Dios" (1 Corintios 2: 11).

¿Cuán cabalmente escudriña el Espíritu los tesoros ocultos de la verdad?

"Pero Dios nos las reveló a nosotros por el Espíritu; porque el Espíritu *todo lo escudriña, aun lo profundo de Dios*" (vers. 10).

¿Cuál es uno de los propósitos por los cuales fue enviado el Espíritu Santo?.

"Mas el Consolador, el Espíritu Santo, a quien el Padre enviará en mi nombre, *él os enseñará todas las cosas, y os recordará todo lo que yo os he dicho*" (S. Juan 14: 26).

¿Por qué el hombre natural no recibe las cosas del Espíritu?

"Pero el hombre natural no percibe las cosas que son del Espíritu de Dios, porque para él son locura, y no las puede entender, *porque se han de discernir espiritualmente*" (1 Corintios 2: 14).

EL PAPEL DE LA ORACION EN EL ESTUDIO DE LA BIBLIA

¿En procura de qué iluminación espiritual deberían orar todos?

"*Abre mis ojos*, y miraré las maravillas de tu ley" (Salmo 119: 18).

¿Qué don espiritual pedía el apóstol en oración?

"Para que el Dios de nuestro Señor Jesucristo, el Padre de gloria, os dé *espíritu de sabiduría y de revelación en el conocimiento de él*" (Efesios 1: 17).

¿Bajo qué condiciones se promete el conocimiento de las cosas divinas?

"*Si clamares a la inteligencia, y a la prudencia dieres tu voz; si como a la plata la buscares, y la escudriñares como a tesoros*, entonces entenderás el temor de Jehová, y hallarás el conocimiento de Dios" (Proverbios 2: 3-5).

OTRA CONDICION PARA RECIBIR LA LUZ

¿Qué se le promete al que quiere hacer la voluntad de Dios?

"El que quiera hacer la voluntad de Dios, *conocerá si la doctrina es de Dios*, o si yo hablo por mi propia cuenta" (S. Juan 7: 17).

Nota.—Es conveniente repetir vez tras vez que *cualquier* hombre que escudriñe la Palabra de Dios con el corazón plenamente decidido a hacer la voluntad del Eterno, la comprenderá. La semilla de la Palabra de Dios que cae en un corazón *honesto* produce fruto para vida eterna (S. Lucas 8: 11-15).

Cuando el joven rico le preguntó a Cristo bajo qué condiciones podría obtener la vida eterna, ¿a qué dirigió Jesús su atención?

"El le dijo: ¿Qué está escrito en la ley? ¿Cómo lees?" (S. Lucas 10: 26).

Nota.—Los judíos de los días de Cristo llamaban "la ley" a los cinco primeros libros de la Biblia, escritos por Moisés.

RESULTADOS DEL ESTUDIO SINCERO DE LA BIBLIA

¿Qué pueden hacer las Escrituras en favor de aquel que cree en ellas?

"Y que desde la niñez has sabido las Sagradas Escrituras, *las cuales te pueden hacer sabio para la salvación por la fe que es en Cristo Jesús*" (2 Timoteo 3: 15).

¿Qué gran bendición confirió Jesús a sus discípulos después de su resurrección?

"*Entonces les abrió el entendimiento*, para que comprendiesen las Escrituras" (S. Lucas 24: 45).

¿Cómo censuró Jesús a aquellos que, aunque estaban familiarizados con la letra de las Escrituras, no las comprendían?

"Entonces respondiendo Jesús, les dijo: *Erráis, ignorando las Escrituras y el poder de Dios*" (S. Mateo 22: 29).

¿Quiénes dijo Jesús que eran bienaventurados?

"Y él dijo: *Antes bienaventurados los que oyen la Palabra de Dios, y la guardan*" (S. Lucas 11: 28).

ESTUDIO 3

El Poder de la Palabra de Dios

NOS movemos en la esfera de un conflicto de poderes, gigantesco y multiforme, que lógicamente debería favorecer a los más fuertes: entre naciones, entre individuos, entre las fuerzas del orden y las del vicio y el crimen, entre el bien y el mal, la vida y la muerte. ¿Podemos acudir a la omnipotencia del Creador y Sustentador del universo en busca de auxilio en este conflicto? ¿Está el poder de su Palabra al servicio de nuestros más elevados intereses?

¿Mediante qué instrumento creó Dios los cielos?

"*Por la Palabra de Jehová* fueron hechos los cielos, y todo el ejército de ellos *por el aliento de su boca... Porque él dijo,* y fue hecho; *él mandó,* y existió" (Salmo 33: 6, 9).

¿Qué ignoran algunos voluntariamente?

"Porque voluntariamente se olvidan de esto: *que había cielos de antiguo tiempo, y una tierra consolidada de en medio del agua, y por medio del agua, por la palabra de Dios; por medio de las cuales aguas, el mundo de entonces pereció, anegado en agua*" (2 S. Pedro 3: 5, 6, VM).

¿Por medio de qué están reservados los cielos y la tierra para un destino similar?

"Pero los cielos y la tierra que existen ahora, están reservados *por la misma palabra,* guardados para el fuego en el día del juicio y de la perdición de los hombres impíos" (vers. 7).

¿En qué otro lugar de las Escrituras se revela que el poder creador fue ejercido mediante la Palabra de Dios?

"Alaben el nombre de Jehová; *porque él mandó, y fueron creados*" (Salmo 148: 5).

EL PODER DE LA PALABRA DE DIOS EN LA REDENCION

¿Qué cambio se opera en aquel que está en Cristo?

"De modo que si alguno está en Cristo, *nueva criatura es* [una nueva creación]; las cosas viejas pasaron; he aquí *todas son hechas nuevas*" (2 Corintios 5: 17).

¿En qué otras palabras se describe esta transformación?

"Respondió Jesús y le dijo: De cierto, de cierto te digo, que el que no *naciere de nuevo,* no puede ver el reino de Dios" (S. Juan 3: 3).

¿Por qué medio se produce esta nueva creación, o nuevo nacimiento?

"Siendo renacidos, no de simiente corruptible, sino de incorruptible, *por la palabra de Dios que vive y permanece para siempre*" (1 S. Pedro 1: 23).

COMPARACION DE LA LUZ ESPIRITUAL CON LA NATURAL

¿Cuál es el primer mandato creador registrado en la Biblia, y cuál fue su resultado?

"Y dijo Dios: *Sea la luz; y fue la luz*" (Génesis 1: 3).

¿Qué relación hay entre la creación de la luz en el principio, y la luz del Evangelio?

"Porque Dios que dijo: Resplandezca la luz de en medio de las tinieblas, es el que ha resplandecido en nuestros corazones, *para darnos la luz del conocimiento de la gloria de Dios, en el rostro de Jesucristo*" (2 Corintios 4: 6, VM).

EL ASOMBROSO PODER DE LA PALABRA DE DIOS

¿Por qué se admiraba la gente de la enseñanza de Cristo?

"Y se admiraban de su doctrina, *porque su palabra era con autoridad*" (S. Lucas 4: 32).

¿Qué testificaban sus oyentes del poder de la Palabra de Cristo?

"Y estaban todos maravillados, y hablaban unos a otros, diciendo: ¿Qué palabra es ésta, *que con autoridad y poder manda a los espíritus inmundos, y salen?*" (vers. 36).

¿Cómo sanó Dios a su pueblo antiguamente?

"*Envió su palabra, y los sanó, y los libró de su ruina*" (Salmo 107: 20).

¿Cómo mostró el centurión su fe en Cristo?

"Respondió el centurión y dijo: Señor, no soy digno de que entres bajo mi techo; *solamente dí la palabra, y mi criado sanará*" (S. Mateo 8: 8).

LA ACCION DE LA SEMILLA DE LA PALABRA DE DIOS EN NOSOTROS

¿Cuál, dijo Cristo, es la semilla del reino de Dios?

"La semilla *es la palabra de Dios*" (S. Lucas 8: 11).

¿Dónde debería morar la Palabra de Cristo?

"La palabra de Cristo *more en abundancia en vosotros*" (Colosenses 3: 16).

¿Qué dijo Cristo a los incrédulos judíos en cuanto a la Palabra de Dios?

"*Ni tenéis su palabra morando en vosotros; porque a quien él envió, vosotros no creéis*" (S. Juan 5: 38).

¿Qué hacía la Palabra de Dios en los creyentes?

"Por lo cual también nosotros sin cesar damos gracias a Dios, de que cuando recibisteis la palabra de Dios que oísteis de nosotros, la recibisteis no como palabra de hombres, sino según es en verdad, la palabra de Dios, *la cual actúa en vosotros los creyentes*" (1 Tesalonicenses 2: 13).

LA PALABRA DE DIOS Y LA VIDA INTERIOR

¿Qué naturaleza se imparte mediante las promesas de Dios?

"Por medio de las cuales nos ha dado preciosas y grandísimas promesas, *para que por ellas llegaseis a ser participantes de la naturaleza divina*, habiendo huido de la corrupción que hay en el mundo a causa de la concupiscencia" (2 S. Pedro 1: 4).

¿Por qué medio son limpiados los creyentes?

"Ya vosotros estáis limpios *por la palabra que os he hablado*" (S. Juan 15: 3).

¿Cómo puede un joven limpiar su camino?

"¿Con qué limpiará el joven su camino? *Con guardar tu palabra*" (Salmo 119: 9).

¿Qué poder tiene la Palabra cuando se la abriga en el corazón?

"En mi corazón he guardado tus dichos, *para no pecar contra ti*" (Salmo 119: 11. Véase también Salmo 17: 4).

"Lámpara es a mis pies tu palabra, y lumbrera a mi camino" (Salmo 119: 105). La luz de la verdad y el amor de Dios resplandecen en el alma cuando la persona estudia con fe las Sagradas Escrituras.

E. KREYE

ESTUDIO 4

La Palabra que Imparte Vida

LA VIDA es el más precioso tesoro que Dios nos concede. Estamos dispuestos a dar todo por ella. En nuestro sano juicio la sacrificaríamos solamente en interés de una vida superior, más abundante y duradera, o en defensa de otras vidas. ¿Cómo puede contribuir la Palabra de Dios a su enriquecimiento y conservación?

LA PALABRA DE DIOS ES PALABRA VIVA

¿Cuál es la naturaleza de la Palabra de Dios?

"Porque la palabra de Dios es *viva y eficaz, y más cortante que toda espada de dos filos;* y penetra hasta partir el alma y el espíritu, las coyunturas y los tuétanos, y *discierne los pensamientos y las intenciones del corazón*" (Hebreos 4: 12).

¿Cómo se describen las palabras que se le confiaron a Moisés?

"Este es aquel Moisés que estuvo en la congregación en el desierto con el ángel que le hablaba en el monte Sinaí, y con nuestros padres, y que recibió *palabras de vida* que darnos" (Hechos 7: 38).

¿Qué dijo San Pedro acerca de las palabras de Cristo?

"Le respondió Simón Pedro: Señor, ¿a quién iremos? *Tú tienes palabras de vida eterna*" (S. Juan 6: 68).

¿Qué declaró Jesús que era el mandamiento de su Padre?

"Y sé que su mandamiento es *vida eterna*" (S. Juan 12: 50).

LA PALABRA COMO ALIMENTO

¿Qué lección estaba destinada a dar la alimentación de los hijos de Israel con el maná?

"Y te afligió, y te hizo tener hambre, y te sustentó con maná, comida que no conocías tú, ni tus padres la habían conocido, *para hacerte saber que no sólo de pan vivirá el hombre, mas de todo lo que sale de la boca de Jehová vivirá el hombre*" (Deuteronomio 8: 3).

¿Qué ejemplo se registra de alguien que se alimentó con el maná verdadero?

"Fueron *halladas tus palabras, y yo las comí;* y tu palabra me fue por gozo y por alegría de mi corazón; porque tu nombre se invocó sobre mí, oh Jehová Dios de los ejércitos" (Jeremías 15: 16).

¿Cómo se refirió Jesús a este mismo maná de vida?

"El respondió y dijo: Escrito está: *No sólo de pan vivirá el hombre, sino de toda palabra que sale de la boca de Dios*" (S. Mateo 4: 4).

¿Cómo llegó a ser alimento para Jesús la Palabra de Dios?

"Jesús les dijo: *Mi comida es que haga la voluntad del que me envió, y que acabe su obra*" (S. Juan 4: 34).

JESUS COMO LA PALABRA VIVA

¿Qué nombre se aplica a Jesús como el pensamiento de Dios en la carne?

"Cuando todo comenzó, ya existía *la Palabra;* y aquel que es la Palabra estaba con Dios

32

La Palabra de Dios es el "Libro para todas las naciones". No importa la raza o la condición social, toda persona encuentra en sus páginas sagradas aquello que satisface sus anhelos íntimos y sus necesidades perdurables.

y era Dios" (S. Juan 1: 1). "Estaba vestido con una ropa teñida de sangre, y su nombre es *la Palabra de Dios*" (Apocalipsis 19: 13, VP).

¿Qué se hizo la Palabra?

"Y la Palabra se hizo *carne*, y puso su Morada entre nosotros" (S. Juan 1: 14, BJ).

¿Qué había en la Palabra?

"En él estaba *la vida*, y la vida era la luz de los hombres" (S. Juan 1: 4).

¿Cómo por lo tanto se lo llama también a Jesús?

"Lo que existía desde el principio, lo que hemos oído, lo que hemos visto con nuestros ojos, lo que contemplamos y tocaron nuestras manos acerca de *la Palabra de vida*" (1 S. Juan 1: 1, BJ).

JESUS COMO EL PAN DE VIDA

¿Qué declaró Jesús en cuanto a sí mismo?

"Jesús les dijo: *Yo soy el pan de vida*; el que a mí viene, nunca tendrá hambre; y el que en mí cree, no tendrá sed jamás" (S. Juan 6: 35).

¿Qué sugirió Jesús que los hombres debían hacer con él, el pan de vida?

"Como me envió el Padre viviente, y yo vivo por el Padre, *asimismo el que me come, él también vivirá por mí*. Este es el pan que descendió del cielo; no como vuestros padres comieron el maná, y murieron; *el que come de este pan, vivirá eternamente*" (S. Juan 6: 57, 58).

¿Qué quiso realmente decir Jesús al declarar que debían comer su carne?

"El espíritu es el que da vida; la carne para nada aprovecha; *las palabras que yo os he hablado son espíritu y son vida*" (S. Juan 6: 63).

Nota.—Se entiende así claramente que comer la carne del Hijo de Dios es vivir por sus palabras. Como alguien ha dicho: "Aquel que por la fe recibe la palabra, está recibiendo la misma vida y carácter de Dios" *(Palabras de vida del gran Maestro*, pág. 23).

LA MESA DEL SEÑOR

¿Qué gran privilegio tenemos nosotros?

"Y asimismo *gustaron de la buena palabra de Dios* y los poderes del siglo venidero" (Hebreos 6: 5. Véase Jeremías 15: 16).

¿Qué gloriosa invitación se extiende a todos?

"*Gustad*, y ved que es bueno Jehová; dichoso el hombre que confía en él" (Salmo 34: 8).

¿Cómo se nos enseña a pedir tanto el pan físico como el espiritual?

"El pan nuestro de cada día, dánoslo hoy" (S. Mateo 6: 11).

Nota.—Cuando "la Palabra se hizo carne, y puso su Morada entre nosotros", el pensamiento de Dios fue revelado en carne humana. Cuando "los santos hombres de Dios hablaron siendo inspirados por el Espíritu Santo", el pensamiento de Dios fue revelado en lenguaje humano. La unión de la divinidad y la humanidad en la manifestación del pensamiento de Dios en la carne es "el misterio de la piedad"; y existe el mismo misterio en la unión del pensamiento divino y el humano en el lenguaje. Las dos revelaciones de Dios, en la carne humana y en el lenguaje humano, son llamadas la *Palabra de Dios*, y ambas son la *Palabra de vida*. El que no encuentra así a Cristo en las Escrituras no podrá alimentarse con la Palabra como la palabra que imparte vida.

Dónde Guardar la Biblia

Conviene recordar que no producirá ningún beneficio guardar la Biblia en un estante o en un bolsillo. Tampoco ayudará si la hojeamos de modo casual o si memorizamos pasajes de ella en forma meramente mecánica. Pero cuando la Biblia, la Palabra de Dios, es atesorada en el corazón y aceptada por la fe, entonces produce una nueva vida en el alma. El que tiene la Palabra tiene la vida, y "el que tiene al Hijo, tiene la vida" (1 S. Juan 5: 12; véase S. Juan 6: 63).

Cristo en Toda la Biblia

EL HALLAR a Cristo es el más trascendental y feliz de los hallazgos. Es el hallazgo por excelencia. Como en la Historia su manifestación en carne humana dio origen a una nueva era y a una nueva manera de contar los años, en la vida personal el hallarlo es un nuevo punto de partida. Es dejar atrás las tinieblas para caminar en la luz, es trocar la incertidumbre por la seguridad, es abandonar los dominios de la muerte para penetrar en el reino de la vida. Cristo es el tesoro escondido en las páginas de la Biblia. ¡Dichosos los que lo encuentran, lo reconocen, y dialogan y caminan con él!

REFERENCIAS GENERALES A CRISTO

¿De quién dijo Cristo que dan testimonio las Escrituras?

"Escudriñad las Escrituras; porque a vosotros os parece que en ellas tenéis la vida eterna; *y ellas son las que dan testimonio de mí*" (S. Juan 5: 39).

Nota.—"Escudriñad las Escrituras del Antiguo Testamento, porque ellas son las que dan testimonio de Cristo. El hallarlo en ellas es la legítima finalidad de su estudio. Ser capaz de interpretarlas como él las interpretó es el mejor resultado de toda erudición bíblica" (Dean Alford).

¿De quién escribieron Moisés y los profetas?

"Felipe halló a Natanael, y le dijo: Hemos hallado a aquel de quien escribió Moisés en la ley, así como los profetas: a *Jesús, el hijo de José, de Nazaret*" (S. Juan 1: 45).

Nota.—En su traducción del Antiguo testamento, Elena Spurrell expresó el siguiente anhelo respecto a todos los que pudieran leer su traducción: "Ojalá muchos exclamen, como la traductora lo hizo a menudo cuando estudiaba numerosos pasajes del original: '¡*He hallado al Mesías!*'"

¿En las palabras de quién, dijo Cristo, debieran los discípulos haberse enterado acerca de su muerte y resurrección?

"¡Oh insensatos, y tardos de corazón para creer todo lo que *los profetas han dicho!* ¿No era necesario que el Cristo padeciera estas cosas, y que entrara en su gloria?" (S. Lucas 24: 25, 26).

¿Cómo les aclaró Cristo que las Escrituras daban testimonio de él?

"Y comenzando desde Moisés, y siguiendo por todos los profetas, *les declaraba en todas las Escrituras lo que de él decían*" (S. Lucas 24: 27).

CRISTO LA SIMIENTE

¿Dónde se halla la primera promesa de un Redentor?

"Y Jehová Dios dijo a la serpiente: ... Pondré enemistad entre ti y la mujer, y entre tu simiente y *la simiente suya*; ésta te herirá en la cabeza, y tú le herirás en el calcañar" (Génesis 3: 14, 15).

¿Con qué palabras se le renovó a Abrahán esta promesa?

"En tu simiente serán benditas todas las naciones de la tierra" (Génesis 22: 18. Véase también Génesis 26: 4; 28: 14).

¿A quién se refería esta simiente prometida?

"Ahora bien, a Abraham fueron hechas las promesas, y a su simiente. No dice: Y a las simientes, como si hablase de muchos, sino como de uno: Y a tu simiente, *la cual es Cristo*" (Gálatas 3: 16).

EL ANGEL Y LA ROCA

¿A quién prometió Dios enviar con Israel para guiarlo a la Tierra Prometida?

"He aquí yo envío mi ángel delante de ti para que te guarde en el camino, y te introduzca en el lugar que yo he preparado" (Exodo 23: 20).

¿Quién era la Roca que iba con ellos?

"Y todos bebieron la misma bebida espiritual; porque bebían de la roca espiritual que los seguía, y la roca era Cristo" (1 Corintios 10: 4).

NACIMIENTO, VIDA, SUFRIMIENTO, MUERTE, RESURRECCION

¿Dónde habría de nacer el Salvador?

"Pero tú, Belén Efrata, pequeña para estar entre las familias de Judá, de ti me saldrá el que será Señor en Israel; y sus salidas son desde el principio, desde los días de la eternidad" (Miqueas 5: 2).

¿En qué profecía se predijeron patéticamente la vida, los sufrimientos y la muerte de Cristo?

En el capítulo cincuenta y tres de Isaías.

¿Dónde se predice el precio de la traición de Cristo?

"Y pesaron por mi salario treinta piezas de plata" (Zacarías 11: 12. Véase S. Mateo 26: 15).

¿En qué Salmo se registran las palabras de muerte de Cristo?

"Dios mío, Dios mío, ¿por qué me has desamparado?" (Salmo 22: 1. Véase S. Mateo 27: 46). "En tu mano encomiendo mi espíritu" (Salmo 31: 5. Véase S. Lucas 23: 46).

¿Cómo se predice en los Salmos la resurrección de Cristo?

"Porque no dejarás mi alma entre los muertos, ni permitirás que tu Santo vea corrupción" (Salmo 16: 10, VM. Véase Hechos 2: 25-31).

LA SEGUNDA VENIDA Y EL REINO DE CRISTO

¿Con qué palabras predice Daniel la recepción del reino por Cristo?

"Miraba yo en la visión de la noche, y he aquí con las nubes del cielo venía uno como un hijo de hombre, que vino hasta el Anciano de días, y le hicieron acercarse delante de él. Y le fue dado dominio, gloria y reino, para que todos los pueblos, naciones y lenguas le sirvieran; su dominio es dominio eterno, que nunca pasará, y su reino uno que no será destruido" (Daniel 7: 13, 14. Véase S. Lucas 1: 32, 33; 19: 11, 12; Apocalipsis 11: 15).

¿Cómo se describe en los Salmos la segunda venida de Cristo?

"Los ríos batan las manos, los montes todos hagan regocijo delante de Jehová, porque vino a juzgar la tierra. Juzgará al mundo con justicia, y a los pueblos con rectitud" (Salmo 98: 8, 9). "Vendrá nuestro Dios, y no callará; fuego consumirá delante de él, y tempestad poderosa lo rodeará. Convocará a los cielos de arriba, y a la tierra, para juzgar a su pueblo" (Salmo 50: 3, 4).

EL ROSTRO EN EL ROMPECABEZAS

¿Vio Ud. alguna vez uno de esos rompecabezas en el cual se le dijo que descubriera el rostro de un hombre, u otro objeto? Ud. colocó los cubos de una y otra manera y, finalmente, de repente lo descubrió, tan sencillo y claro como la luz del día, y se asombró de que no lo hubiera descubierto antes. El gran rostro oculto en la Biblia es el de Jesús. El es el objeto supremo de las Escrituras. "Escudriñad las Escrituras; ... ellas ... dan testimonio de mí" (S. Juan 5: 39).

Como el hilo escarlata que corre a lo largo de cada pulgada de cuerda de la Marina Británica, como la melodía de un hermoso canto, como el tema de una gran obra maestra, así está Jesús en las Escrituras. El es el autor y el héroe, el principio y el fin de vuestra Santa Biblia.

"Escudriñad las Escrituras; porque a vosotros os parece que en ellas tenéis la vida eterna; y ellas son las que dan testimonio de mí" (S. Juan 5: 39).

JOE MANISCALCO

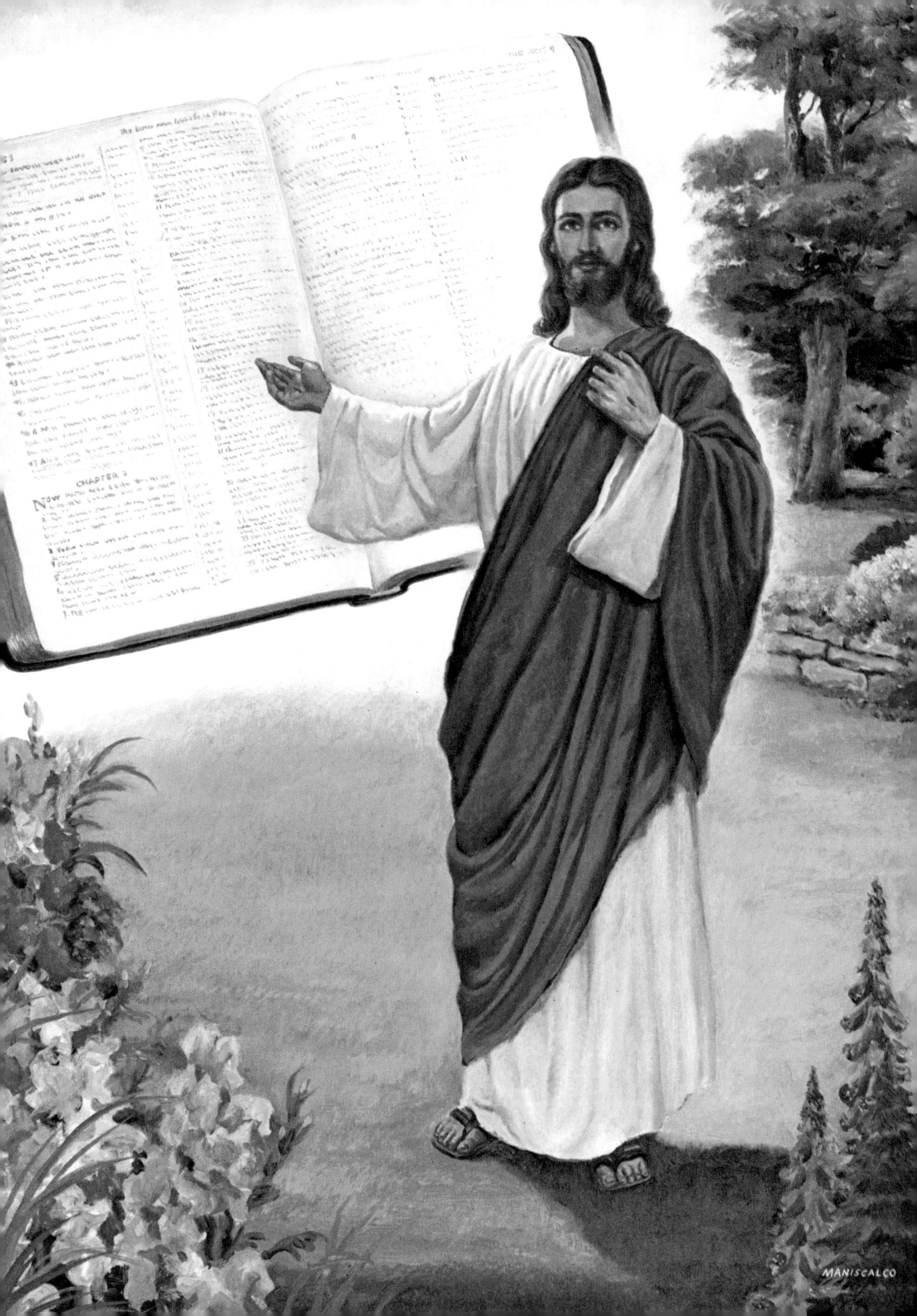
CHAPTER 3
MANISCALCO

TITULOS DADOS A CRISTO EN LA BIBLIA

EN EL ANTIGUO TESTAMENTO

La Simiente de la mujer. Génesis 3: 15.
Mi Angel. Exodo 23: 23.
La Estrella de Jacob. Números 24: 17.
Profeta. Deuteronomio 18: 15, 18.
Príncipe del ejército de Jehová. Josué 5: 14.
Amigo más cercano que un hermano. Proverbios 18: 24.
Distinguido entre diez mil. Cantares 5: 10.
Dios fuerte. Isaías 9: 6.
Padre eterno. Isaías 9: 6.
Príncipe de paz. Isaías 9: 6.
Jehová, justicia nuestra. Jeremías 23: 5-6.
Hijo del hombre. Daniel 7: 13.
Miguel, el gran príncipe. Daniel 12: 1.
El Renuevo. Zacarías 6: 12.
El Mensajero, el ángel del pacto. Malaquías 3: 1.
El Sol de justicia. Malaquías 4: 2.

EN EL NUEVO TESTAMENTO

El Verbo. S. Juan 1: 1.
El Cordero de Dios. S. Juan 1: 29.
El Pan de vida. S. Juan 6: 35.
La Luz del mundo. S. Juan 8: 12.
La Puerta del redil. S. Juan 10: 7.
El Buen Pastor. S. Juan 10: 11.
La Resurrección y la Vida. S. Juan 11: 25.
El Camino, la Verdad y la Vida. S. Juan 14: 6.
La Vid verdadera. S. Juan 15: 1.
La Roca. 1 Corintios 10: 4.
El postrer Adán. 1 Corintios 15: 45.
La Piedra de esquina. Efesios 2: 20.
Jesucristo hombre. 1 Timoteo 2: 5.
Gran Sumo Sacerdote. Hebreos 4: 14.
El Autor y Consumador de nuestra fe. Hebreos 12: 2.
El Príncipe de los pastores. 1 S. Pedro 5: 4.
Abogado. 1 S. Juan 2: 1.
El arcángel Miguel. Judas 9.
El León de la tribu de Judá. Apocalipsis 5: 5.
La Estrella de la mañana. Apocalipsis 22: 16.
Rey de reyes, y Señor de señores. Apocalipsis 19: 16.

Nota: La Biblia se refiere a Cristo mediante unos trescientos diferentes
títulos o símbolos, de los cuales sólo se han mencionado unos pocos en la
lista anterior.

EL PECADO: SU ORIGEN, RESULTADOS Y REMEDIO

ESTUDIO

ESTUDIO 6

La Creación y el Creador

EL CONCEPTO en cuanto al origen del universo y del hombre divide a los seres humanos en dos grandes grupos: los que reconocen la existencia y acción de un Creador, eterno y todopoderoso, y le rinden culto; y los que a sabiendas o inconscientemente rinden culto a las cosas o a los seres creados, entre los cuales figuran a menudo ellos mismos, o a sus conceptos filosóficos. El creacionista, bien ubicado conceptualmente respecto a su origen, puede descubrir también, con gran satisfacción y beneficio, su naturaleza y destino. Facilitarle este conocimiento es el objeto de este estudio.

LA HISTORIA DE LA CREACION Y SU CONTROL

¿Por quién fueron creados los cielos y la tierra?

"En el principio creó *Dios* los cielos y la tierra" (Génesis 1: 1).

Nota.—Aquí está el reto de la Biblia a toda forma de error, tanto de los incrédulos que dicen que no hay Dios como de los politeístas que dicen que hay muchos dioses. La Biblia es el libro de *Dios.*

¿Por qué medios trajo Dios a la existencia los cielos y la tierra?

"*Por la palabra de Jehová fueron hechos los cielos,* y todo el ejército de ellos por el aliento de su boca ... Porque *él dijo,* y fue hecho; *él mandó,* y existió" (Salmo 33: 6, 9).

¿Por medio de quién creó Dios todas las cosas?

"Porque *en él* (el Hijo) fueron creadas todas las cosas, las que hay en los cielos y las que hay en la tierra, visibles e invisibles; sean tronos, sean dominios, sean principados, sean potestades; *todo fue creado por medio de él y para él"* (Colosenses 1: 16). "Todas las cosas por él (literalmente: 'por *medio de él')* fueron hechas, y sin él nada de lo que ha sido hecho, fue hecho" (S. Juan 1: 3. Véase también Hebreos 1: 1, 2).

¿Con qué propósito hizo Dios la tierra?

"Porque así dijo Jehová, que creó los cielos; él es Dios, el que formó la tierra, el que la hizo y la compuso; no la creó en vano, *para que fuese habitada la creó"* (Isaías 45: 18).

¿Cómo proveyó Dios habitantes para el mundo que había creado?

"Entonces Jehová Dios formó al hombre del polvo de la tierra, y sopló en su nariz aliento de vida, y fue el hombre un ser viviente". "Entonces Jehová Dios hizo caer sueño profundo sobre Adán, y mientras éste dormía, tomó una de sus costillas, y cerró la carne en su lugar. Y de la costilla que Jehová Dios tomó del hombre, hizo una mujer, y la trajo al hombre" (Génesis 2: 7, 21, 22).

¿A imagen de quién fue creado el hombre?

"Y creó Dios al hombre *a su imagen, a imagen de Dios lo creó;* varón y hembra los creó" (Génesis 1: 27).

¿Qué gloriosa posición le asignó Dios al hombre?

"Señoree en los peces del mar, en las aves de los cielos, en las bestias, *en toda la tierra"* (vers. 26).

41

El poder creador de un Padre amante se evidencia abundantemente en las bellezas de un jardín florido y en las múltiples maravillas de la naturaleza.

"¿Qué es el hombre, para que tengas de él memoria, y el hijo del hombre, para que lo visites? Le has hecho poco menor que los ángeles, y lo *coronaste de gloria y de honra. Le hiciste señorear sobre las obras de tus manos;* todo lo pusiste debajo de sus pies" (Salmo 8: 4-6).

¿Qué hogar hizo Dios para el hombre en el principio?

"Y Jehová Dios plantó un *huerto en Edén,* al oriente; y puso allí al hombre que había formado". "Tomó, pues, Jehová Dios al hombre, y lo puso en *el huerto de Edén,* para que lo labrara y lo guardase" (Génesis 2: 8, 15).

¿Qué proveyó Dios para perpetuar la vida?

"Y Jehová Dios hizo nacer de la tierra todo árbol delicioso a la vista, y bueno para comer; también el *árbol de vida* en medio del huerto, y el árbol de la ciencia del bien y del mal" (*Génesis 2: 9*).

¿Qué sencillo plan ideó Dios para probar la lealtad y obediencia del hombre?

"Y mandó Jehová Dios al hombre, diciendo: De todo árbol del huerto podrás comer; mas *del árbol de la ciencia del bien y del mal no comerás;* porque el día que de él comieres, ciertamente morirás" (Génesis 2: 16, 17).

"Quien sustenta todas las cosas *con la palabra de su poder*" (Hebreos 1: 3).

LA VOZ DE LA NATURALEZA

¿Qué declaran los cielos?

"Los cielos *cuentan la gloria de Dios ... Un día emite palabra a otro día*" (Salmo 19: 1, 2).

¿Qué puede percibirse mediante las cosas hechas?

"Porque *las cosas invisibles de él, su eterno poder y deidad,* se hacen claramente visibles desde la creación del mundo, siendo entendidas por medio de las cosas hechas, de modo que no tienen excusa" (Romanos 1: 20).

LA NUEVA CREACION

¿Hechura de quién es el cristiano?

"Porque somos *hechura suya,* creados en Cristo Jesús para buenas obras, las cuales Dios preparó de antemano para que anduviésemos en ellas" (Efesios 2: 10).

En vista de la maldición que pesa sobre la creación terrenal, ¿qué ha prometido Dios?

"Porque he aquí que yo crearé *nuevos cielos y nueva tierra;* y de lo primero no habrá memoria, ni más vendrá al pensamiento" (Isaías 65: 17. Véase Apocalipsis 21: 1).

EL INSTINTO DE ADORACION Y FRATERNIDAD

¿Qué contraste se traza en las Escrituras entre el Creador y los dioses falsos?

"Les diréis así: *Los dioses que no hicieron los cielos ni la tierra,* desaparezcan de la tierra y de debajo de los cielos" (Jeremías 10: 11).

¿A quién propiamente debemos adoración?

"Venid, adoremos y postrémonos; arrodillémonos delante de *Jehová nuestro Hacedor*" (Salmo 95: 6).

¿Cuál es el verdadero fundamento de la fraternidad humana?

"*¿No tenemos todos un mismo padre? ¿No nos ha creado un mismo Dios? ¿Por qué, pues, nos portamos deslealmente el uno contra el otro, profanando el pacto de nuestros padres?*" (Malaquías 2: 10).

Testimonio de un Astrónomo

Un gran hombre dijo: "Un astrónomo que no sea devoto está loco". La persona que contempla el cielo cubierto de estrellas y no ve a Dios, sufre de ceguera espiritual y de miopía intelectual.

El astrónomo Mitchell declaró cierta vez: "Si hay algo que puede conducir la mente hacia el Gobernante todopoderoso del universo, y dar una idea aproximada de sus atributos incomprensibles, debe hallarse en la grandeza y la belleza de las obras de Dios".

ESTUDIO 7

El Origen del Mal

EL MAL con sus funestas consecuencias, se observa por doquiera; en todas las latitudes y a lo largo de toda la historia de la especie humana. Se lo observa en las acciones egoístas que atentan contra los derechos y el bienestar del prójimo, en el odio criminal, en la transgresión de las leyes de la vida, que la Biblia denomina pecado. Y le siguen el dolor, la enfermedad y la muerte. ¿Cuándo y cómo surgió en el universo, creado por un Dios de amor, omnisapiente y todopoderoso? La revelación dilucida "el misterio de la iniquidad" con declaraciones sencillas e inequívocas.

EL SER QUE PECO PRIMERO

¿Con quién se originó el pecado?

"El que practica el pecado es del diablo; *porque el diablo peca desde el principio*" (1 S. Juan 3: 8).

Nota.—Sin la Biblia, el problema del origen del mal no tendría explicación.

¿Desde cuándo el diablo ha sido homicida?

"Vosotros sois de vuestro padre el diablo, y los deseos de vuestro padre queréis hacer. *El ha sido homicida desde el principio,* y no ha permanecido en la verdad, porque no hay verdad en él" (S. Juan 8: 44).

¿Qué relación tiene el diablo con la mentira?

"Cuando habla mentira, de suyo habla; porque es *mentiroso, y padre de mentira*" (el mismo versículo).

¿Fue Satanás creado pecador?

"*Perfecto* eras en todos tus caminos desde el día que fuiste *creado, hasta que se halló en ti maldad*" (Ezequiel 28: 15).

Nota.—Ezequiel se refiere aquí a Satanás bajo la figura del "rey de Tiro" (véase el versículo 12). Esta, y la declaración de S. Juan 8: 44, de que él "*no ha permanecido en la verdad*", muestran que Satanás era *perfecto* una vez, y estaba *en la verdad.* San Pedro habla de "los ángeles que *pecaron*" (2 S. Pedro 2: 4); y Judas se refiere a "los ángeles que *no guardaron su original estado*" (Judas 6, VM). Esos ángeles estaban una vez en estado impecable.

¿Qué declaración adicional de Cristo parece atribuir la responsabilidad del origen del pecado a Satanás y a sus ángeles?

"Entonces dirá también a los de la izquierda: Apartaos de mí, malditos, al fuego eterno *preparado para el diablo y sus ángeles*" (S. Mateo 25: 41).

SATANAS EN CONTRASTE CON CRISTO

¿Qué guió a Satanás al pecado, la rebelión y la caída?

"*Se enalteció tu corazón a causa de tu hermosura, corrompiste tu sabiduría a causa de tu esplendor*" (Ezequiel 28: 17). "*Tú que decías en tu corazón: Subiré al cielo; en lo alto, junto a las estrellas de Dios, levantaré mi trono, y en el monte del testimonio me sentaré, a los lados del norte; sobre las alturas de las nubes subiré, y seré semejante al Altísimo*" (Isaías 14: 13, 14).

Nota.—En una palabra, el orgullo y la exaltación propia condujeron a la caída de Satanás, y

43

esto no tiene justificación o excusa adecuada. "Antes del quebrantamiento es la soberbia, y antes de la caída la altivez de espíritu" (Proverbios 16: 18). De ahí que, aunque podamos conocer el origen, la causa, la naturaleza y los resultados del mal, no es posible dar razón o excusa buena o suficiente de su surgimiento. Excusarlo es justificarlo; y en el momento en que se lo justifica deja de ser pecado. Todo pecado es una manifestación de alguna forma de egoísmo, y sus resultados son opuestos a los que impulsa el amor. El experimento del pecado tendrá como resultado final su completo abandono y eterno destierro por todos los seres inteligentes de la creación a través de todo el universo de Dios. Solamente los que se aferren obstinadamente al pecado serán destruidos juntamente con él. Entonces los malignos serán destruidos sin que se les deje raíz ni rama (Malaquías 4: 1), y los justos brillarán "como el resplandor del firmamento", y "como las estrellas a perpetua eternidad" (Daniel 12: 3).

En contraste con el orgullo y la exaltación propia exhibidos por Satanás, ¿qué espíritu manifestó Cristo?

"El cual, siendo de condición divina, no retuvo ávidamente el ser igual a Dios. Sino que se *despojó de sí mismo* tomando condición de *siervo, haciéndose semejante a los hombres* y apareciendo en su porte como hombre; y *se humilló a sí mismo, obedeciendo hasta la muerte y muerte de cruz"* (Filipenses 2: 6-8, BJ).

Después que el hombre hubo pecado, ¿cómo le manifestó Dios su amor y su disposición para perdonar?

"Porque de tal manera amó Dios al mundo, que ha dado a su Hijo unigénito, para que todo aquel que en él cree, no se pierda, mas tenga vida eterna" (S. Juan 3: 16).

ARRIBA Y ABAJO

En el cielo Satanás trató de elevarse a sí mismo por encima de Dios. Fue entonces arrojado a tierra. En la tierra Jesús se humilló a sí mismo y fue exaltado a la diestra de la Majestad en los cielos. Nosotros, los que quisiéramos ser elevados al cielo, debemos descender primero a la cruz, a la antigua y áspera cruz, donde Jesús murió por el pecado y donde nosotros morimos al pecado.

A su Nombre Gloria

Junto a la cruz do Jesús murió,
do por su gracia clamaba yo,
mis manchas su sangre allí quitó:
¡a su nombre gloria!

Cuando por fe en la cruz lo vi,
de mis pecados salvado fui,
y hoy él me guarda y mora en mí:
¡a su nombre gloria!

¡Ven a esta fuente, oh pecador!
Ponte a los pies de tu Salvador;
te colmará de su santo amor:
¡a su nombre gloria!

E. A. Hoffman

ESTUDIO 8

La Caída y la Redención del Hombre

COMO en la modesta bellota se esconde la encina gigantesca, así se halla en este breve estudio el inconmensurable "misterio de la piedad", la máxima expresión de la sabiduría y el amor de Dios, que formula y ejecuta un plan destinado a restaurar en el hombre la imagen divina y asegurar para siempre su comunión con el Creador y su perfecta felicidad.

DEFINICION Y NATURALEZA DEL PECADO

¿Qué se declara que es el pecado?

"Todo aquel que comete pecado, infringe también la ley; pues el *pecado es infracción de la ley*" (1 S. Juan 3: 4).

¿Qué precede a la manifestación del pecado?

"Entonces la *concupiscencia*, después que ha concebido, da a luz el pecado" (Santiago 1: 15).

LOS RESULTADOS DEL PECADO

¿Cuál es el resultado final, o fruto, del pecado?

"Y el pecado, siendo consumado, da a luz la muerte" (el mismo versículo). "La paga del pecado es muerte" (Romanos 6: 23).

¿A cuántos seres humanos pasó la muerte como resultado de la transgresión de Adán?

"Por tanto, como el pecado entró en el mundo por un hombre, y por el pecado la muerte, así *la muerte pasó a todos los hombres*, por cuanto todos pecaron" (Romanos 5: 12). "En Adán *todos mueren*" (1 Corintios 15: 22).

¿Cómo fue afectada la tierra misma en su vegetación por el pecado de Adán?

"*Maldita será la tierra* por tu causa; con dolor comerás de ella todos los días de tu vida. *Espinos y cardos te producirá*" (Génesis 3: 17, 18).

¿Qué maldición adicional sobrevino como resultado del primer crimen?

"Y Jehová dijo a Caín: ... Ahora, pues, *maldito seas tú de la tierra*, que abrió su boca para recibir de tu mano la sangre de tu hermano. Cuando *labres la tierra, no te volverá a dar su fuerza*" (Génesis 4: 9-12).

¿Qué terrible castigo se acarrearon los antediluvianos como consecuencia de la persistencia en el pecado y la transgresión contra Dios?

"Y dijo Jehová: Raeré de sobre la faz de la tierra a los hombres que he creado". "He decidido el fin de todo ser, porque la tierra está llena de violencia". "Era Noé de seiscientos años cuando *el diluvio de las aguas* vino sobre la tierra". "Aquel día *fueron rotas todas las fuentes del grande abismo, y las cataratas de los cielos fueron abiertas*" (Génesis 6: 7, 13; 7: 6, 11).

Después del diluvio, ¿qué sobrevino como consecuencia de la apostasía adicional?

"Y descendió Jehová para ver la ciudad y la torre que edificaban los hijos de los hombres. Y dijo Jehová: He aquí el pueblo es uno, y todos éstos tienen un solo lenguaje; y han comenzado la obra, y nada les hará desistir ahora de lo que han pensado hacer. Ahora, pues, descendamos, y *confundamos allí su lengua, para que ninguno entienda el habla de su compañero*. Así los esparció Jehová desde allí sobre la faz de toda la tierra, y dejaron de edificar la ciudad" (Génesis 11: 5-8).

¿A qué condición ha llegado toda la creación como resultado del pecado?

"Porque sabemos que toda la creación *gime a una, y a una está con dolores* de parto hasta ahora" (Romanos 8: 22).

LA DILACION DE DIOS EN DESTRUIR EL PECADO

¿Cómo se explica la aparente dilación de Dios en su trato con el pecado?

"El Señor no retarda su promesa, según algunos la tienen por tardanza, sino que *es paciente para con nosotros*, no queriendo que ninguno perezca, sino que *todos procedan al arrepentimiento*" (2 S. Pedro 3: 9).

¿Cuál es la actitud de Dios hacia el pecador?

"Porque *no quiero la muerte del que muere*, dice Jehová el Señor; convertíos, pues, y viviréis" (Ezequiel 18: 32).

¿Puede el hombre librarse por sí mismo del dominio del pecado?

"¿Mudará el etíope su piel, y el leopardo sus manchas? *Así también, ¿podréis vosotros hacer bien, estando habituados a hacer mal?*" (Jeremías 13: 23).

¿Cuál es el papel de la voluntad en la determinación de si el hombre vivirá o no?

"Y el Espíritu y la Esposa dicen: Ven. Y el que oye, diga: Ven... *y el que quiera, tome del agua de la vida gratuitamente*" (Apocalipsis 22: 17).

CRISTO, EL PECADOR Y SATANAS

¿Cuánto sufrió Cristo por los pecadores?

"Más él *herido* fue por nuestras rebeliones, *molido* por nuestros pecados; el *castigo* de nuestra paz fue sobre él, y por su *llaga* fuimos nosotros curados" (Isaías 53: 5).

¿Con qué propósito se manifestó Cristo?

"Y sabéis que él apareció *para quitar nuestros pecados*, y no hay pecado en él ... El que practica el pecado es del diablo; porque el diablo peca desde el principio. Para esto apareció el Hijo de Dios, *para deshacer las obras del diablo*" (1 S. Juan 3: 5-8).

¿Cuál fue un propósito definido de la encarnación de Cristo?

"Así que, por cuanto los hijos participaron de carne y sangre, él también participó de lo mismo, *para destruir por medio de la muerte al que tenía el imperio de la muerte, esto es, al diablo*" (Hebreos 2: 14).

EL FIN DEL PECADO Y LA TRISTEZA

¿Qué coro triunfal señalará el fin del reinado del pecado?

"Y a todo lo creado que está en el cielo, y sobre la tierra, y debajo de la tierra, y en el mar, y a todas las cosas que en ellos hay, oí decir: *Al que está sentado en el trono, y al Cordero, sea la alabanza, la honra, la gloria y el poder, por los siglos de los siglos*" (Apocalipsis 5: 13).

¿Cuándo y por qué medios serán eliminados los efectos del pecado?

"Pero el día del Señor vendrá como ladrón en la noche; en el cual los cielos pasarán con grande estruendo, y *los elementos ardiendo serán deshechos, y la tierra y las obras que en ella hay serán quemadas*" (2 S. Pedro 3: 10).

¿Cuán plenamente serán quitados los efectos del pecado?

"Enjugará Dios toda lágrima de los ojos de ellos; y ya no habrá muerte, ni habrá más llanto, ni clamor, ni dolor; porque las primeras cosas pasaron" (Apocalipsis 21: 4). "Y no habrá más maldición; y el trono de Dios y del Cordero estará en ella, y sus siervos le servirán" (Apocalipsis 22: 3).

¿Surgirán de nuevo el pecado y sus malos resultados?

"Ya no habrá muerte". "Y no habrá más maldición" (Apocalipsis 21: 4; 22: 3).

ESTUDIO 9

La Creación y la Redención

LA FE en un Dios personal que creó todas las cosas, no solamente explica de una manera más razonable que cualquier teoría humana el origen de la materia, la energía, la vida y la inteligencia, sino que aclara un misterio de gran interés humano y de inestimable valor práctico, de otra manera inexplicable: la renovación mental y espiritual del hombre a imagen de su Hacedor en virtud del plan de la redención, que ciertamente es una nueva creación.

CRISTO EN LA CREACION

¿Qué se revela en cuanto a Dios en el primer versículo de la Biblia?

"En el principio creó Dios los cielos y la tierra" (Génesis 1: 1).

¿Qué contraste se expone repetidas veces en las Escrituras entre el Dios verdadero y los dioses falsos?

"Les diréis así: *Los dioses que no hicieron los cielos ni la tierra, desaparezcan de la tierra y de debajo de los cielos* ... No es así la porción de Jacob; porque *él es el Hacedor de todo,* e Israel es la vara de su heredad; Jehová de los ejércitos es su nombre" (Jeremías 10: 11, 16. Véase Jeremías 14: 22; Hechos 17: 22-29; Apocalipsis 14: 6-10).

¿Por medio de quién creó Dios todas las cosas?

"En el principio era *el Verbo,* y el Verbo era con Dios, y el Verbo era Dios. Este era en el principio con Dios. *Todas las cosas por él fueron hechas,* y sin él nada de lo que ha sido hecho, fue hecho" (S. Juan 1: 1-3).

CRISTO EL CREADOR REDIME

¿Por medio de quién se realiza la redención?

"Mas Dios muestra su amor para con nosotros, en que siendo aún pecadores, *Cristo murió por nosotros.* Pues mucho más, estando ya justificados en su sangre, por él seremos salvos de la ira" (Romanos 5: 8, 9).

¿Qué pasaje de la Escritura habla del Creador como Redentor?

"Ahora, así dice *Jehová, Creador tuyo,* oh Jacob, y Formador tuyo, oh Israel: No temas, porque *yo te redimí;* te puse nombre, mío eres tú" (Isaías 43: 1).

¿Qué oración de David muestra que él consideraba la redención como una obra de creación?

"*Crea en mí, oh Dios, un corazón limpio,* y renueva un espíritu recto dentro de mí" (Salmo 51: 10).

¿En qué pasaje de la Escritura descubrimos que Cristo, el agente activo de la creación, es también la cabeza de la Iglesia?

"*Porque en él fueron creadas todas las cosas,* las que hay en los cielos y las que hay en la tierra, visibles e invisibles; sean tronos, sean dominios, sean principados, sean potestades; *todo fue creado por medio de él y para él.* Y él es antes de todas las cosas, y *todas las cosas en él subsisten; y él es la cabeza del cuerpo que es la iglesia,* él que es el principio, el primogénito de entre los muertos, para que en todo tenga la preeminencia" (Colosenses 1: 16-18).

¿Qué texto asevera claramente que es el poder creador el que transforma al creyente?

"Porque somos hechura suya, creados en Cristo Jesús para buenas obras, las cuales Dios preparó de antemano para que anduviésemos en ellas" (Efesios 2: 10).

EL PODER SUSTENTADOR DEL CREADOR

¿Quién mantiene los cuerpos celestes en sus respectivos derroteros?

"¿A qué, pues, me haréis semejante o me compararéis? dice el Santo. Levantad en alto vuestros ojos, y mirad quién creó estas cosas; él saca y cuenta su ejército; a todas llama por sus nombres; ninguna faltará; tal es la grandeza de su fuerza, y el poder de su dominio" (Isaías 40: 25, 26).

¿Qué puede hacer el mismo Santo en favor del creyente?

"Y a aquel que es poderoso para guardaros sin caída, y presentaros sin mancha delante de su gloria con gran alegría, al único y sabio Dios, nuestro Salvador, sea gloria y majestad, imperio y potencia, ahora y por todos los siglos. Amén" (Judas 24, 25).

¿Cuán grande es el poder que está a disposición del creyente?

"Para que el Dios de nuestro Señor Jesucristo, el Padre de gloria, os dé espíritu de sabiduría y de revelación en el conocimiento de él, alumbrando los ojos de vuestro entendimiento, para que sepáis cuál es la esperanza a que él os ha llamado, y cuáles las riquezas de la gloria de su herencia en los santos, y cuál la supereminente grandeza de su poder para con nosotros los que creemos, según la operación del poder de su fuerza, la cual operó en Cristo, resucitándole de los muertos y sentándole a su diestra en los lugares celestiales" (Efesios 1: 17-20).

¿A quién se lo presenta como la fuente de poder para el débil?

"¿No has sabido, no has oído que el Dios eterno es Jehová, el cual creó los confines de la tierra? No desfallece, ni se fatiga con cansancio, y su entendimiento no hay quien lo al-cance. El da esfuerzo al cansado, y multiplica las fuerzas al que no tiene ningunas" (Isaías 40: 28, 29).

¿Por medio de qué agente subsiste el universo material?

"Y él [Cristo] es antes de todas las cosas, y todas las cosas en él subsisten" (Colosenses 1: 17).

¿Qué declaración muestra que todas las cosas, tanto materiales como espirituales, subsisten por el mismo agente personal?

"Para nosotros, sin embargo, sólo hay ... un Señor Jesucristo, por medio del cual son todas las cosas, y nosotros por medio de él" (1 Corintios 8: 6).

EL MONUMENTO CONMEMORATIVO Y LA SEÑAL DE DIOS

¿De qué gran obra es el sábado un monumento conmemorativo y una señal?

"Recuerda el día del sábado para santificarlo. Seis días trabajarás y harás todos tus trabajos, pero el día séptimo es día de descanso para Yahveh, tu Dios. No harás ningún trabajo, ni tú, ni tu hijo, ni tu hija, ni tu siervo, ni tu sierva, ni tu ganado, ni el forastero que habita en tu ciudad. Pues en seis días hizo Yahveh el cielo y la tierra, el mar y todo cuanto contienen, y el séptimo descansó; por eso bendijo Yahveh el día del sábado y lo hizo sagrado" (Exodo 20: 8-11, BJ). "Entre mí y los hijos de Israel esta será señal perpetua; porque en seis días hizo Jehová los cielos y la tierra; mas en el séptimo día descansó y reposó" (Exodo 31: 17, VM).

¿Siendo que la creación y la redención son realizadas por el mismo poder creador, ¿de qué cosa, además de la creación original, es el sábado una señal?

"Y les di además mis sábados como señal entre ellos y yo, para que supieran que yo soy Yahveh, que los santifico" (Ezequiel 20: 12, BJ).

LA RAZON DE LA ADORACION

¿Por qué es digno Dios de recibir gloria y honor?

"Señor, digno eres de recibir la gloria y la hon-

Después de la caída, Cristo anunció a Adán y Eva que aunque sería herido por la serpiente (que representa a Satanás), él (como descendiente de la mujer) la destruiría finalmente (Génesis 3: 15).

ra y el poder; *porque tú creaste todas las cosas, y por tu voluntad existen y fueron creadas"* (Apocalipsis 4: 11).

*Nota:—*El concepto comparativamente moderno de creación conocido como evolución, que se basa en la investigación humana en lugar de la revelación divina, y que sustituye a un Creador personal por una fuerza impersonal, destruye el fundamento mismo del Evangelio. La redención es simplemente la nueva creación, y el Creador es el Redentor. La Cabeza de la creación original es la Cabeza de la nueva creación. La creación original fue efectuada por medio de Cristo por el poder de la Palabra; la nueva creación, o redención, es efectuada exactamente de la misma manera. La teoría evolucionista de creación comprende inevitablemente una teoría evolucionista del Evangelio, y deja de lado la verdad concerniente al pecado, el sacrificio expiatorio de Cristo, y la necesidad de llegar a ser nuevas criaturas por la fe en el poder salvador de Cristo.

ACERCA DEL HOMBRE MONO

Por largo tiempo los hombres han estado tratando de hallar el eslabón perdido: una criatura mitad hombre y mitad bestia. No lo pueden producir en los laboratorios de procreación. Nunca han encontrado un solo hueso o fósil de este así llamado ascendiente original, el supuesto ascendiente común del gorila, el orangután, el gibón, el chimpancé y el hombre.

Los especímenes ordenados eslabonadamente por los hombres son meras pretensiones. Los grandes hombres de ciencia lo saben y lo dicen. Es lamentable que millones crean en el ilusorio eslabón perdido, y que la fe religiosa de muchos haya sido atravesada por el aguijón de este sofisma.

Lo que el hombre necesita hoy no es descubrir el eslabón perdido que lo vincule con las bestias, sino la gloriosa experiencia de hallar el eslabón que vincula al hombre con Dios, nuestro Señor Jesucristo, quien vino y vivió y murió para que nosotros pudiéramos ser restaurados a la comunión con el Creador de todas las cosas.

"Frágiles hijos del polvo, tan débiles como frágiles, hallamos que no nos fallas, confiamos tan sólo en Ti. Nuestro Hacedor, Defensor, Redentor y fiel Amigo, ¡tierna es tu misericordia, y firme será hasta el fin!"

¡Señor, Yo Te Conozco!

¡Señor, yo te conozco! La noche azul, serena,
me dice desde lejos: "Tu Dios se esconde allí".
Pero la noche oscura, la de nublados llena,
me dice más pujante: "Tu Dios se acerca a ti".

Te acercas, sí; conozco las orlas de tu manto
en esa ardiente nube con que ceñido estás;
el resplandor conozco de tu semblante santo
cuando al cruzar el éter, relampagueando vas.

¿Quién ante ti parece? ¿Quién es en tu presencia
más que una arista seca que el aire va a romper?
Tus ojos son el día; tu soplo es la existencia;
tu alfombra el firmamento; la eternidad tu ser.

José Zorrilla

Cristo es el Redentor del ser humano, y también
demuestra su poder creador al transformarnos y
convertirnos en nuevas criaturas.

El Carácter y los Atributos de Dios

PARA muchos Dios es el gran Desconocido. Pero para quienes prestan atención a las evidencias de su presencia y a las revelaciones de su carácter es la Realidad fundamental del universo, el más elevado y fascinante tema de estudio y meditación. En las siguientes declaraciones bíblicas solamente se mencionan algunos de sus atributos. Pero a medida que el estudiante avance en este curso de estudios comprenderá por qué dijo Jesús en oración al Padre: "Esta es la vida eterna: que te conozcan, a ti, al único Dios verdadero, y a Jesucristo a quien has enviado".

LA JUSTICIA Y SANTIDAD DE DIOS

¿Qué dos características fundamentales son parte de la naturaleza de Dios?

"*Justo* es el Señor en todas sus disposiciones, y *santo* en todas sus obras" (Salmo 144: 17, TA).

¿Posee Cristo los mismos atributos?

"Por su conocimiento justificará mi siervo *justo* [Cristo] a muchos" (Isaías 53: 11). "Ni permitirás que *tu Santo* vea corrupción" (Hechos 2: 27).

"El es la Roca; perfecta es su obra porque *todos sus caminos son justicia:* Dios de verdad y sin iniquidad, *él es justo y recto*" (Deuteronomio 32: 4, VM).

SU PODER, SABIDURIA Y FIDELIDAD

¿En quién residen la sabiduría y el poder?

"*Con Dios está la sabiduría y el poder;* suyo es el consejo y la inteligencia" (Job 12: 13).

¿Qué tesoros están escondidos en Cristo?

"En quien están escondidos todos los tesoros de la *sabiduría* y del *conocimiento*" (Colosenses 2: 3).

¿Qué se dice de la fidelidad de Dios en el cumplimiento de sus promesas?

"Conoce, pues, que Jehová tu Dios es Dios, *Dios fiel,* que guarda el pacto y la misericordia a los que le aman y guardan sus mandamientos, hasta mil generaciones" (Deuteronomio 7: 9).

EL AMOR Y LA MISERICORDIA DE DIOS

¿En qué palabra sola se expresa el carácter de Dios?

"El que no ama, no ha conocido a Dios; porque Dios es *amor*" (1 S. Juan 4: 8).

¿Qué se dice de la misericordia de Dios?

"*¡Cuán preciosa, oh Dios, es tu misericordia!* Por eso los hijos de los hombres se amparan bajo la sombra de tus alas" (Salmo 36: 7).

SU BENIGNA IMPARCIALIDAD

¿En qué palabras se proclama la imparcialidad de Dios?

"Porque Jehová vuestro Dios es Dios de dioses, y Señor de señores, Dios grande, poderoso y temible, que *no hace acepción de personas,* ni toma cohecho" (Deuteronomio 10: 17). "Entonces Pedro, abriendo la boca, dijo: En verdad comprendo que Dios *no hace acepción de personas,* sino que en toda nación se agrada del que le teme y hace justicia" (Hechos 10: 34, 35).

¿Para con cuántos es bueno el Señor?

"Bueno es Jehová para con todos, y sus misericordias sobre todas sus obras" (Salmo 145: 9).

¿Por qué nos dijo Cristo que debemos amar a nuestros enemigos?

"Pero yo os digo: Amad a vuestros enemigos, bendecid a los que os maldicen, haced bien a los que os aborrecen, y orad por los que os ultrajan y os persiguen; para que seáis hijos de vuestro Padre que está en los cielos, que hace salir su sol sobre malos y buenos, y que hace llover sobre justos e injustos" (S. Mateo 5: 44, 45).

LA AMONESTACION DE CRISTO A SU PUEBLO

¿Cuán perfectos dijo Cristo que deben ser sus seguidores?

"Sed, pues, vosotros perfectos, como vuestro Padre que está en los cielos es perfecto" (vers. 48).

EWING GALLOWAY

En el gran incendio del Hotel La Salle, en Chicago, una conferenciante ciega quedó atrapada en el undécimo piso; pero ella siguió a su perro guía, Fawn, y de ese modo se salvó, mientras que decenas de personas videntes perecieron. Para todas las personas espiritualmente ciegas la fe es el ojo que guía. La fe es un don divino que lo desarrollamos al oír la Palabra de Dios (véase Romanos 10: 17). La exhortación de Cristo es: "Tened fe en Dios" (S. Marcos 11: 22).

ESTUDIO 11

El Amor de Dios

EL AMOR es la mayor fuerza impulsora de la vida. Es la máxima expresión del carácter de Dios, fuente y sustentador de la vida. La naturaleza y la revelación abundan en evidencias de ese amor. El descubrir y aceptar esta verdad es el mayor descubrimiento y la decisión más feliz que pueda hacer el hombre. Tal es el objeto del presente estudio.

¿Qué se declara que es Dios?

"Dios es amor" (1 S. Juan 4: 16).

¿Cuán grande es el amor de Dios para con el mundo?

"Porque de tal manera amó Dios al mundo, que ha dado a su Hijo unigénito, para que todo aquel que en él cree, no se pierda, mas tenga vida eterna" (S. Juan 3: 16).

¿Especialmente en qué acto se ha manifestado el infinito amor de Dios?

"En esto se mostró el amor de Dios para con nosotros, en que Dios envió a su Hijo unigénito al mundo, para que vivamos por él" (1 S. Juan 4: 9).

EL DELEITE DE DIOS

¿En qué se deleita Dios?

"¿Qué Dios como tú, que perdona la maldad, y olvida el pecado del remanente de su heredad? No retuvo para siempre su enojo, porque se deleita en misericordia" (Miqueas 7: 18).

¿Cómo se manifiestan continuamente a los hijos de los hombres las misericordias del cielo?

"Por la misericordia de Jehová no hemos sido consumidos, porque nunca decayeron sus misericordias. Nuevas son cada mañana; grande es tu fidelidad" (Lamentaciones 3: 22, 23).

¿A cuántos concede Dios sus bendiciones?

"El hace que su sol se levante sobre malos y buenos, y hace llover sobre justos e injustos" (S. Mateo 5: 45, VM).

En vista del gran amor de Dios, ¿qué podemos esperar confiadamente?

"El que no escatimó ni a su propio Hijo, sino que lo entregó por todos nosotros, ¿cómo no nos dará también con él todas las cosas?" (Romanos 8: 32).

COMPAÑERISMO, FILIACION Y CONFIANZA

¿Qué dijo Jesús de aquel que le ama?

"El que me ama, será amado por mi Padre, y yo le amaré, y me manifestaré a él" (S. Juan 14: 21).

¿En qué relación con Dios nos coloca su amor por nosotros?

"Mirad cuál amor nos ha dado el Padre, para que seamos llamados hijos de Dios" (1 S. Juan 3: 1).

Como hijos de Dios, ¿a quién nos someteremos? ¿Cómo podemos saber que somos hijos de Dios?

"Porque todos los que son guiados por el Espíritu de Dios, éstos son hijos de Dios ... El Espíritu mismo da testimonio a nuestro espíritu, de que somos hijos de Dios" (Romanos 8: 14, 16).

¿Cómo se provee el amor de Dios al creyente?

"Y la esperanza no avergüenza; porque el amor de Dios ha sido derramado en nuestros corazones por el Espíritu Santo que nos fue dado" (Romanos 5: 5).

54

Cuando los hombres aprecien el amor de Dios, ¿qué harán?

"¡Cuán preciosa, oh Dios, es tu misericordia! Por eso los hijos de los hombres *se amparan bajo la sombra de tus alas*" (Salmo 36: 7).

LA CONFRATERNIDAD DE LOS CREYENTES

En vista del gran amor de Dios para con nosotros, ¿qué actitud deberíamos adoptar entre nosotros?

"Amados, si Dios nos ha amado así, *debemos también nosotros amarnos unos a otros*" (1 S. Juan 4: 11).

¿Hasta qué punto deberíamos estar dispuestos a manifestar nuestro amor al prójimo?

"En esto hemos conocido el amor, en que él puso su vida por nosotros; también *nosotros debemos poner nuestras vidas por los hermanos*" (1 S. Juan 3: 16).

¿Qué exhortación se basa en el amor de Cristo por nosotros?

"Y *andad en amor*, como también Cristo nos amó, y se entregó a sí mismo por nosotros, ofrenda y sacrificio a Dios en olor fragante" (Efesios 5: 2).

LOS SABIOS CAMINOS DEL AMOR

¿Sobre qué base obra Dios a favor de los pecadores?

"Pero Dios, que es rico en misericordia, *por su gran amor con que nos amó*, aun estando nosotros muertos en pecados, nos dio vida juntamente con Cristo (por gracia sois salvos), y *juntamente*

con él nos resucitó, y asimismo *nos hizo sentar* en los lugares celestiales con Cristo Jesús" (Efesios 2: 4-6. Véase Tito 3: 5, 6).

¿Qué es capaz de hacer el amor de Dios por sus hijos?

"Mas no quiso Jehová tu Dios oír a Balaam; y Jehová tu Dios te *convirtió la maldición en bendición*, porque Jehová tu Dios te amaba" (Deuteronomio 23: 5).

¿De qué otra manera se manifiesta a veces el amor de Dios?

"Porque el Señor al que ama, *disciplina, y azota* a todo el que recibe por hijo" (Hebreos 12: 6).

AMOR ETERNO

¿Cuán duradero es el amor de Dios por nosotros?

"Jehová se manifestó a mí hace ya mucho tiempo, diciendo: *Con amor eterno te he amado*; por tanto, te prolongué mi misericordia" (Jeremías 31: 3).

¿Puede alguna cosa separar de Dios a sus verdaderos hijos?

"Por lo cual estoy seguro de que ni la muerte, ni la vida, ni ángeles, ni principados, ni potestades, ni lo presente, ni lo por venir, ni lo alto, ni lo profundo, ni ninguna otra cosa creada nos podrá separar del amor de Dios, que es en Cristo Jesús Señor nuestro" (Romanos 8: 38, 39).

¿A quién tributarán alabanza los santos eternamente?

"*Al que nos amó, y nos lavó de nuestros pecados con su sangre*, ... a él sea gloria e imperio por los siglos de los siglos" (Apocalipsis 1: 5, 6).

La Esencia de Dios

El amor es, ciertamente, el mismo Ser de Dios. El amor constituye su naturaleza y su esencia, por lo cual todo lo que Dios intenta y diseña, es el amor quien lo intenta y diseña. El amor es el principio supremo que lo dirige en todas sus acciones. El amor es la relación suprema que existe entre el Creador y toda la vida creada; es el vínculo que entrelaza a las Personas de la bendita Trinidad. Si la naturaleza divina pudiera expresarse en una sola palabra, con toda seguridad sería la palabra Amor.

Escogido

ESTUDIO 12

La Deidad de Cristo

CRISTO, el Superhombre de la historia, el Hombre por excelencia, invocado por sistemas religiosos, filosóficos y sociales muy variados, adquiere su verdadera identidad y grandeza sólo en el entendimiento, la conciencia y la conducta de quienes reconocen que era y es Dios a la vez. He aquí algunos testimonios de su divinidad.

EL TESTIMONIO DEL PADRE

¿Cómo ha manifestado el Padre que su Hijo es una persona de la Deidad?

"*Mas del Hijo dice:* Tu trono, *oh Dios,* por el siglo del siglo; cetro de equidad es el cetro de tu reino" (Hebreos 1: 8).

¿Cómo fue reconocido por el Padre mientras estaba en la tierra?

"Y hubo una voz de los cielos, que decía: *Este es mi Hijo amado,* en quien tengo complacencia" (S. Mateo 3: 17).

EL TESTIMONIO DE CRISTO

¿De qué manera se refirió Cristo a la eternidad de su existencia?

"Ahora pues, Padre, glorifícame tú para contigo, con aquella gloria que tuve contigo *antes que el mundo fuese*" (S. Juan 17: 5). "Pero tú, Belén Efrata, pequeña para estar entre las familias de Judá, de ti me saldrá el que será Señor en Israel; y sus salidas son desde el principio, *desde los días de la eternidad*" (Miqueas 5: 2. Véase S. Mateo 2: 6; S. Juan 8: 58; Exodo 3: 13, 14).

¿Qué dice Cristo de su relación con el Padre?

"Yo y el Padre *uno somos*" (S. Juan 10: 30).

¿Con qué palabras aseveró Cristo tener igual derecho de propiedad, en el reino, con su Padre?

"Enviará el Hijo del Hombre a sus ángeles, y recogerán de *su reino* a todos los que sirven de tropiezo, y a los que hacen iniquidad" (S. Mateo 13: 41).

¿A quién pertenecen igualmente los escogidos?

"Y enviará sus ángeles con gran voz de trompeta, y juntarán a *sus escogidos,* de los cuatro vientos, desde un extremo del cielo hasta el otro" (S. Mateo 24: 31).

¿Quiénes están igualmente unidos en el otorgamiento de la recompensa final?

"Pero sin fe es imposible agradar a Dios [el Padre]; porque es necesario que el que se acerca a Dios crea que le hay, y que *es galardonador de los que le buscan*" (Hebreos 11: 6). "Porque el Hijo del Hombre vendrá en la gloria de su Padre con sus ángeles, y *entonces pagará a cada uno conforme a sus obras*" (S. Mateo 16: 27).

Nota.—En los textos (S. Mateo 16: 27; 13: 41) en los cuales Cristo se refiere a los ángeles como "sus ángeles", al reino como "su reino" y a los escogidos como "sus escogidos", él se denomina a sí mismo "el Hijo del Hombre". Así es evidente que mientras estaba en la tierra como hombre, él reconocía su deidad esencial y su igualdad con su Padre en el cielo.

¿Qué declara Dios que es él mismo?

"Así dice Jehová Rey de Israel, y su Redentor, Jehová de los ejércitos: *Yo soy el primero, y yo soy el postrero,* y fuera de mí no hay Dios" (Isaías 44: 6).

¿En qué pasaje de la Escritura adopta Cristo la misma expresión?

"He aquí yo vengo pronto, y mi galardón conmigo, para recompensar a cada uno según sea su obra. Yo soy el Alfa y la Omega, el principio y el fin, *el primero y el último*" (Apocalipsis 22: 12, 13).

HABLAN LOS APOSTOLES JUAN Y PABLO

¿Qué pasaje de la Escritura declara que el Hijo de Dios era Dios manifestado en la carne?

"En el principio era el Verbo, y *el Verbo era con Dios, y el Verbo era Dios*". "*Y aquel Verbo fue hecho carne, y habitó entre nosotros (y vimos su gloria, gloria como del unigénito del Padre), lleno de gracia y de verdad*" (S. Juan 1: 1, 14).

¿Qué plenitud habita en Cristo?

"Porque en él habita corporalmente toda la plenitud de la Deidad" (Colosenses 2: 9).

CRISTO EL SALVADOR

¿Cómo apareció él en la tierra como Salvador?

"*Os ha nacido* hoy, en la ciudad de David, un Salvador, que es Cristo el Señor" (S. Lucas 2: 11).

¿Cómo fue Cristo engendrado en la carne?

"Respondiendo el ángel, le dijo: *El Espíritu Santo* vendrá sobre ti, y *el poder del Altísimo* te cubrirá con su sombra; por lo cual también el Santo Ser que nacerá, será llamado Hijo de Dios" (S. Lucas 1: 35).

¿Por qué era necesario que él naciera así, y participara de la naturaleza humana?

"Por lo cual debía ser en todo semejante a sus hermanos, *para venir a ser misericordioso y fiel sumo sacerdote en lo que a Dios se refiere*, para expiar los pecados del pueblo" (Hebreos 2: 17).

Teniendo semejante maravilloso Salvador, ¿qué se nos exhorta a hacer?

"Por tanto, teniendo un gran sumo sacerdote que traspasó los cielos, Jesús el Hijo de Dios, *retengamos nuestra profesión.* Porque no tenemos un sumo sacerdote que no pueda compadecerse de nuestras debilidades, sino uno que fue tentado en todo según nuestra semejanza, pero sin pecado" (Hebreos 4: 14, 15).

EL REY DESCENDIO

"*El Rey de gloria se rebajó a revestirse de humanidad. Tosco y repelente fue el ambiente que le rodeó en la tierra. Su gloria se veló para que la majestad de su persona no fuese objeto de atracción. Rehuyó toda ostentación externa. Las riquezas, la honra mundanal y la grandeza humana no pueden salvar a una sola alma de la muerte; Jesús se propuso que ningún halago de índole terrenal atrajera a los hombres a su lado. Unicamente la belleza de la verdad celestial debía atraer a quienes le siguiesen. El carácter del Mesías había sido predicho desde mucho antes de la profecía, y él deseaba que los hombres le aceptasen por el testimonio de la Palabra divina*" (El Deseado de todas las gentes, *página 29).*

AXEL HELSTEDT

ESTUDIO 13

Profecías Acerca de Cristo

EL CARACTER de Cristo y sus obras de amor le conquistaron muchos seguidores durante su ministerio terrenal e, inmediatamente después, entre quienes tuvieron la oportunidad de verlo y escucharlo personalmente. Pero aun sus más allegados discípulos y apóstoles consideraban las profecías mesiánicas como el más sólido fundamento de su fe cristiana. Hoy, más que nunca, esas profecías convencen, y sostienen la fe de los creyentes. Estudiémoslas.

¿A quién dijo Moisés que el Señor levantaría?

"*Profeta* de en medio de ti, de tus hermanos, como yo, te levantará Jehová tu Dios; a él oiréis" (Deuteronomio 18: 15). Véase también el vers. 18).

¿Qué uso de esta profecía por el apóstol Pedro muestra que se refiere a Cristo?

"Porque Moisés dijo a los padres: *El Señor vuestro Dios os levantará profeta* de entre vuestros hermanos, como a mí... Y todos los profetas desde Samuel en adelante, cuantos han hablado, también *han anunciado estos días*" (Hechos 3: 22, 24).

¿Bajo qué llamativa figura profetizó Balaam el advenimiento de Cristo?

"Saldrá *Estrella* de Jacob, y se levantará cetro de Israel" (Números 24: 17).

¿En qué pasaje de la Escritura Jesús se aplica a sí mismo esa figura?

"Yo soy la raíz y el linaje de David, *la estrella resplandeciente de la mañana*" (Apocalipsis 22: 16. Véase también 2 S. Pedro 1: 19; Apocalipsis 2: 28).

PROFECIAS DE SU NACIMIENTO

¿Con qué palabras predijo Isaías el nacimiento de Cristo?

"He aquí que *la virgen concebirá, y dará a luz un hijo*, y llamará su nombre Emanuel" (Isaías 7: 14).

¿Con qué acontecimiento se cumplió esta profecía?

"*Todo esto aconteció* [el nacimiento de Jesús, de la virgen María] para que se cumpliese lo dicho por el Señor por medio del profeta, cuando dijo: He aquí, una virgen concebirá y dará a luz un hijo, y llamarás su nombre Emanuel, que traducido es: Dios con nosotros" (S. Mateo 1: 22, 23).

¿Dónde iba a nacer el Mesías?

"Pero tú, *Belén Efrata*, pequeña para estar entre las familias de Judá, de ti me saldrá el que será Señor en Israel" (Miqueas 5: 2).

¿Cuándo nació Jesús?

"Jesús nació en Belén de Judea *en días del rey Herodes*" (S. Mateo 2: 1).

¿Qué profecía se cumplió en la matanza de los niños de Belén?

"Herodes entonces, cuando se vio burlado por los magos, se enojó mucho, y *mandó matar a todos los niños menores de dos años que había en Belén* y en todos sus alrededores, conforme al tiempo que había inquirido de los magos. Entonces se cumplió *lo que fue dicho por el profeta Jeremías*, cuando dijo: "Voz fue oída en Ramá, grande lamentación, lloro y gemido; Raquel que llora a sus hijos, y no quiso ser consolada, porque perecieron" (S. Mateo 2: 16-18).

EL GRAN ANUNCIADOR

¿Cómo habría de ser anunciado el primer advenimiento de Cristo?

"Voz que clama en el desierto: Preparad camino a Jehová; enderezad calzada en la soledad a nuestro Dios" (Isaías 40: 3).

¿Por quién fue cumplida esta profecía?

"Este es el testimonio de Juan, cuando los judíos enviaron de Jerusalén sacerdotes y levitas para que le preguntasen: ¿Tú, quién eres? ... Dijo: Yo soy la voz de uno que clama en el desierto: Enderezad el camino del Señor" (S. Juan 1: 19, 23).

LA PREDICACION Y RECEPCION DE CRISTO

¿Qué predijo el profeta Isaías concerniente a la predicación de Cristo?

"El Espíritu de Jehová el Señor está sobre mí, por cuanto Jehová me ha ungido para anunciar buenas nuevas a los mansos; me ha enviado para vendar a los quebrantados de corazón, para proclamar a los cautivos libertad, y a los aprisionados abertura de la cárcel" (Isaías 61: 1, VM).

¿Qué aplicación hizo Jesús de esta profecía?

"Vino a Nazaret, donde se había criado; y en el día de reposo entró en la sinagoga, conforme a su costumbre, y se levantó a leer. Y se le dio el libro del profeta Isaías; y habiendo abierto el libro, halló el lugar donde estaba escrito: El Espíritu del Señor está sobre mí, por cuanto me ha ungido para dar buenas nuevas a los pobres; me ha enviado a sanar a los quebrantados de corazón; a pregonar libertad a los cautivos, y vista a los ciegos; a poner en libertad a los oprimidos; a predicar el año agradable del Señor. Y enrollando el libro, lo dio al ministro, y se sentó; y los ojos de todos en la sinagoga estaban fijos en él. Y comenzó a decirles: Hoy se ha cumplido esta Escritura delante de vosotros" (S. Lucas 4: 16-21. Véase S. Lucas 7: 19-22).

¿Cómo iba a ser recibido Cristo por su pueblo?

"Despreciado y desechado entre los hombres, varón de dolores, experimentado en quebranto; y como que escondimos de él el rostro, fue menospreciado, y no lo estimamos" (Isaías 53: 3).

¿Cómo se registra el cumplimiento de esta profecía?

"En el mundo estaba, y el mundo por él fue hecho; pero el mundo no le conoció. A lo suyo vino, y los suyos no le recibieron" (S. Juan 1: 10, 11).

SU ENJUICIAMIENTO Y CRUCIFIXION

¿Cómo, de acuerdo con la profecía, se condujo Cristo cuando se lo juzgó?

"Angustiado él, y afligido, no abrió su boca; como cordero fue llevado al matadero; y como oveja delante de sus trasquiladores, enmudeció, y no abrió su boca" (Isaías 53: 7).

Cuando sus enemigos lo acusaron delante de Pilato, ¿cómo hizo frente Cristo a esas acusaciones?

"Pilato entonces le dijo: ¿No oyes cuántas cosas testifican contra ti? Pero Jesús no le respondió ni una palabra; de tal manera que el gobernador se maravillaba mucho" (S. Mateo 27: 13, 14).

¿Qué profecía predecía el reparto de los vestidos de Cristo en ocasión de su crucifixión?

"Repartieron entre sí mis vestidos, y sobre mi ropa echaron suertes" (Salmo 22: 18).

¿Qué cosa ocurrida cumplió esta profecía?

"Cuando le hubieron crucificado, repartieron entre sí sus vestidos, echando suertes, para que se cumpliese lo dicho por el profeta: Partieron entre sí mis vestidos, y sobre mi ropa echaron suertes" (S. Mateo 27: 35).

¿Qué se predijo respecto al trato que se le daría en la cruz?

"Me pusieron además hiel por comida, y en mi sed me dieron a beber vinagre" (Salmo 69: 21).

¿Qué se le ofreció a Cristo cuando pendía de la cruz?

"Le dieron a beber vinagre mezclado con hiel; pero después de haberlo probado, no quiso beberlo" (S. Mateo 27: 34. Véase también S. Juan 19: 28-30, y las págs. 119 y 120 de esta obra).

¿Con quiénes dijo el profeta que Cristo sería sepultado?

"Y se dispuso *con los impíos* su sepultura" (Isaías 53: 9).

¿Con quiénes fue Cristo crucificado?

"Entonces crucificaron *con él a dos ladrones,* uno a la derecha, y otro a la izquierda" (S. Mateo 27: 38).

SU SEPULTURA Y RESURRECCION

¿Quién se hizo cargo del cuerpo de Cristo después que fue bajado de la cruz?

"*Un hombre rico de Arimatea, llamado José ...* fue a Pilato y pidió el cuerpo de Jesús ... y lo puso en su sepulcro nuevo, que había labrado en la peña" (vers. 57-60).

¿A qué incidente de la vida de un notable profeta se refirió Cristo al hablar de la duración de su permanencia en la tumba?

"El respondió y les dijo: La generación mala y adúltera demanda señal; pero señal no le será dada, sino la señal del profeta Jonás. Porque *como estuvo Jonás en el vientre del gran pez tres días y tres noches,* así estará el Hijo del Hombre en el corazón de la tierra tres días y tres noches" (S. Mateo 12: 39, 40).

¿Qué profecía predijo el triunfo de Cristo sobre la muerte?

"*Porque no dejarás mi alma entre los muertos,* ni permitirás que tu Santo vea corrupción" (Salmo 16: 10, VM. Véase Hechos 2: 24-27).

A María se le había perdonado mucho, y por eso ella amaba mucho. Su corazón se conmovió al oír estas maravillosas palabras de labios de su Señor resucitado: "Subo a mi Padre y a vuestro Padre, a mi Dios y a vuestro Dios" (S. Juan 20: 17).

ROBERT AYRES

ESTUDIO 14

Cristo, el Camino de la Vida

VIVIR, vivir plenamente es el más natural y arraigado anhelo del corazón humano. Se estudia, se trabaja, se lucha de mil maneras para lograrlo. Por los medios modernos y masivos de comunicación se pretende señalar los caminos que conducen a la vida ideal. Pero también puede oírse todavía una voz suave que nos dice, con la elocuencia de los siglos y de la eternidad: "Yo he venido para que tengan vida, y para que la tengan en abundancia". Notemos algunos de los fundamentos de esta declaración.

¿Qué declaró que era él?

"Jesús le dijo: Yo soy *el camino, y la verdad, y la vida*; nadie viene al Padre, sino por mí" (S. Juan 14: 6).

LA CONDICION DEL HOMBRE

¿En qué condición se hallan todos los hombres?

"Mas la Escritura lo encerró todo *bajo pecado*" (Gálatas 3: 22). "Por cuanto *todos pecaron*, y están destituidos de la gloria de Dios" (Romanos 3: 23).

¿Cuál es la paga del pecado?

"La paga del pecado es *muerte*" (Romanos 6: 23).

¿Cuántos están afectados por la transgresión de Adán?

"Por tanto, como el pecado entró en el mundo por un hombre, y por el pecado la muerte, *así la muerte pasó a todos los hombres*" (Romanos 5: 12).

Después de la primera transgresión del hombre, ¿qué se hizo para impedir que viviera para siempre en el pecado?

"Ahora pues, no sea que extienda la mano y tome también del árbol de la vida, y coma y viva para siempre: Por tanto *le echó Jehová Dios del jardín de Edén,* ... y colocó al frente del jardín de Edén los querubines y una espada de fuego que daba vueltas por todos lados, para guardar el camino del árbol de la vida" (Génesis 3: 22-24, VM).

LA DADIVA Y REMEDIO DE DIOS

Para contrarrestar el efecto del pecado, ¿qué dádiva ha provisto Dios?

"La paga del pecado es muerte, mas la dádiva de Dios es *vida eterna*" (Romanos 6: 23).

¿Cuántos pueden recibir esta dádiva?

"Y el Espíritu y la Esposa dicen: Ven. Y el que oye, diga: Ven. Y el que tiene sed, venga; y *el que quiera, tome del agua de la vida gratuitamente*" (Apocalipsis 22: 17).

¿En quién está la dádiva?

"Y este es el testimonio: que Dios nos ha dado vida eterna; y *esta vida está en su Hijo*" (1 S. Juan 5: 11).

Al recibir al Hijo, ¿qué tenemos con él?

"El que tiene al Hijo, tiene *la vida*" (vers. 12).

¿Qué pérdida sufren los que no lo aceptan?

"El que no tiene al Hijo de Dios *no tiene la vida*" (el mismo versículo).

¿De qué otra manera se expresa esta misma verdad?

"El que cree en el Hijo tiene vida eterna; el que rehúsa creer en el Hijo, no verá la vida, sino que la cólera de Dios permanece sobre él" (S. Juan 3: 36, BJ).

Después que uno recibe verdaderamente a Cristo, ¿la vida de quién se manifiesta en él?

"Con Cristo estoy juntamente crucificado, y ya no vivo yo, mas vive Cristo en mí; y lo que ahora vivo en la carne, lo vivo en la fe del Hijo de Dios, el cual me amó y se entregó a sí mismo por mí" (Gálatas 2: 20).

LA MUERTE Y EL RENACIMIENTO ESPIRITUALES

¿En qué condición están todos antes de que se les dé vida juntamente con Cristo?

"Pero Dios, que es rico en misericordia, por su gran amor con que nos amó, aun estando nosotros muertos en pecados, nos dio vida juntamente con Cristo" (Efesios 2: 4, 5).

¿Cómo se llama este cambio de la muerte a la vida?

"Siendo renacidos, no de simiente corruptible, sino de incorruptible, por la palabra de Dios que vive y permanece para siempre" (1 S. Pedro 1: 23).

SALVACION POR LA FE

¿Cuál es uno de los propósitos de la muerte de Cristo?

"Así que, por cuanto los hijos participaron de carne y sangre, él también participó de lo mismo, para destruir por medio de la muerte al que tenía el imperio de la muerte, esto es al diablo" (Hechos 2: 14).

¿Por qué todo ha sido encerrado bajo pecado?

"Mas la Escritura lo encerró todo bajo pecado, para que la promesa que es por la fe en Jesucristo fuese dada a los creyentes" (Gálatas 3: 22).

¿Cómo llegan entonces a ser todos hijos de Dios?

"Pues todos sois hijos de Dios por la fe en Cristo Jesús" (vers. 26).

¿Con quién son coherederos juntamente los hijos de Dios?

"Y si hijos, también herederos; herederos de Dios y coherederos con Cristo" (Romanos 8: 17).

EL PRINCIPE DE ORANGE HACE UNA PROMESA

Cuando William, príncipe de Orange, le entregó a un hombre escogido una promesa por escrito de un alto cargo en el reino si el hombre lo apoyaba, el hombre la rechazó diciendo: "La palabra de su Majestad es suficiente. Yo no serviría a un rey si no pudiera confiar en su palabra".

"Entonces respondiendo Pedro, le dijo: He aquí, nosotros lo hemos dejado todo, y te hemos seguido; ¿qué, pues, tendremos? Y Jesús les dijo: De cierto os digo que ... vosotros que me habéis seguido también os sentaréis sobre doce tronos, para juzgar a las doce tribus de Israel. Y cualquiera que haya dejado casas, o hermanos, o hermanas, o padre, o madre, o mujer, o hijos, o tierras, por mi nombre ... heredará la vida eterna" (S. Mateo 19: 27-29).

Jesús no escribió ninguna promesa. El comprometió su palabra, y nosotros podemos confiar realmente en ella. Su palabra es buena, y será cumplida. La pregunta es: "¿Lo seguiremos nosotros?"

"Tú eres el Camino, la Verdad y la Vida;
danos el conocer el camino,
guardar la verdad y ganar la vida,
cuyo gozo es eterno y divino".

Cristo, el Unico Salvador

EL PLAN de salvación se centra en una persona sin igual, de características únicas: el Cristo de la historia y de las Escrituras. El conocerlo es de trascendental importancia.

¿Con qué propósito vino Jesús al mundo?

"Palabra fiel y digna de ser recibida por todos: que Cristo Jesús vino al mundo *para salvar a los pecadores*" (1 Timoteo 1: 15).

¿Por qué habría de llamarse Jesús?

"Y llamarás su nombre JESUS, *porque él salvará a su pueblo de sus pecados*" (S. Mateo 1: 21).

¿Hay salvación por medio de algún otro?

"Y en ningún otro hay salvación; porque *no hay otro nombre* bajo el cielo, dado a los hombres, *en que podamos ser salvos*" (Hechos 4: 12).

¿Solamente por medio de quién podemos allegarnos a Dios?

"Porque hay un solo Dios, y *un solo mediador entre Dios y los hombres, Jesucristo hombre*, el cual se dio a sí mismo en rescate por todos, de lo cual se dio testimonio a su debido tiempo" (1 Timoteo 2: 5-8).

¿Qué fue hecho Cristo por causa de nosotros, y con qué propósito?

"Al que no conoció pecado, por nosotros lo hizo *pecado, para que nosotros fuésemos hechos justicia de Dios en él*" (2 Corintios 5: 21).

¿Cuánto dependemos de Cristo para la salvación?

"Separados de mí nada podéis hacer" (S. Juan 15: 5).

EL CRISTO DIVINO-HUMANO

¿Qué tres elementos esenciales de un Salvador se hallan en Cristo?

La Deidad. "Mas del Hijo dice: Tu trono, oh Dios, por el siglo del siglo" (Hebreos 1: 8).

La Humanidad. "Pero cuando vino el cumplimiento del tiempo, Dios envió a su Hijo, *nacido de mujer y nacido bajo la ley*" (Gálatas 4: 4).

Impecabilidad. "*El cual no hizo pecado*, ni se halló engaño en su boca" (1 S. Pedro 2: 22).

¿Cómo mostró Cristo por las Escrituras que el prometido Salvador del mundo debía ser humano y divino?

"Y estando juntos los fariseos, Jesús les preguntó, diciendo: ¿Qué pensáis del Cristo? ¿De quién es *hijo*? Le dijeron: De David. El les dijo: ¿Pues cómo David en el Espíritu le llama Señor, diciendo: Dijo el Señor a mi Señor: Siéntate a mi derecha, hasta que ponga a tus enemigos por estrado de tus pies? Pues si David le llama Señor, ¿cómo es su hijo?" (S. Mateo 22: 41-45).

Nota.—Alguien ha expresado con propiedad esta importante verdad concerniente a la unión del Cristo humano y el Cristo divino, en los siguientes términos: "La divinidad necesitaba de la humanidad, para que ésta pudiese proporcionarle un medio de comunicación entre Dios y el hombre. El hombre necesita un poder exterior y superior a él para restaurarlo a la semejanza de Dios. Debe haber un poder que obre desde el interior, una nueva vida procedente de lo alto, antes que los hombres puedan ser cambiados del pecado a la santidad. Ese poder es Cristo".

¿Qué dos hechos evidencian la unión de la divinidad y la humanidad en Cristo?

"Acerca de su Hijo, nuestro Señor Jesucristo, que era *del linaje de David según la carne*, que *fue declarado Hijo de Dios con poder, según el Espíritu de santidad, por la resurrección de entre los muertos*" (Romanos 1: 3, 4).

¿Cuán completa es la salvación obtenida en Cristo?

"Por lo cual también, *puede salvar hasta lo sumo a los que se acercan a Dios por medio de él, viviendo siempre para interceder por ellos*" (Hebreos 7: 25, VM).

Sección 3

EL CAMINO A CRISTO

ESTUDIO

ESTUDIO 16

La Fe Victoriosa

LOS benefactores de la humanidad fueron hombres de fe. Y los héroes de la fe, aunque ignorados muchos de ellos, fueron todos benefactores de la humanidad. ¿Está a nuestro alcance el incorporarnos a sus filas? ¿Qué es la fe? ¿Cuál es su origen? ¿Cuáles sus frutos? ¿Cómo podemos cultivarla? Estas son algunas de las preguntas que se contestan en este estudio.

NATURALEZA Y NECESIDAD DE LA FE VERDADERA

¿Cómo se define la fe?

"*La fe es garantía de lo que se espera; la prueba de las realidades que no se ven*" (Hebreos 11: 1, BJ).

¿Cuán necesaria es la fe?

"Sin fe es imposible agradar a Dios" (vers. 6).

¿Es la fe mero reconocimiento de las verdades divinas?

"Tú crees que Dios es uno; bien haces. *También los demonios creen, y tiemblan*" (Santiago 2: 19).

¿Qué se requiere además de una creencia en la existencia de Dios?

"Porque es necesario que el que se acerca a Dios crea que le hay, y *que es galardonador de los que le buscan*" (Hebreos 11: 6).

¿Qué es necesario para que la predicación del Evangelio sea provechosa?

"Porque también a nosotros se nos ha anunciado la buena nueva como a ellos; pero no les aprovechó el oír la palabra, por no *ir acompañada de fe* en los que la oyeron" (Hebreos 4: 2).

¿Cuál es la naturaleza de todo acto o servicio realizado sin fe?

"Todo lo que no proviene de fe, *es pecado*" (Romanos 14: 23).

LA FUENTE, CENTRO Y BASE DE LA FE

¿De quién procede la fe?

"Conforme a la medida de fe que *Dios* repartió a cada uno" (Romanos 12: 3).

¿Para qué resucitó Dios a Cristo de los muertos?

"Mediante el cual creéis en Dios, quien le resucitó de los muertos y le ha dado gloria, *para que vuestra fe y esperanza sean en Dios*" (1 S. Pedro 1: 21).

¿Cuál es la relación de Cristo con la fe?

"Puestos los ojos en Jesús, *el autor y consumador de la fe*" (Hebreos 12: 2).

¿Cuál es el fundamento de la fe?

"Así que la fe es por el oír, y el oír, por *la palabra de Dios*" (Romanos 10: 17).

¿Qué principio es la fuerza impulsora de la fe genuina?

"Porque en Cristo Jesús ni la circuncisión vale algo, ni la incircuncisión, sino la fe que obra por *el amor*" (Gálatas 5: 6).

67

"Y cuando aparezca el Príncipe de los pastores, vosotros recibiréis la corona incorruptible de gloria" (1 S. Pedro 5: 4). Así expresó el apóstol Pedro su fe cuando exhortaba a los seguidores de Cristo, el Buen Pastor.

ROBERT AYRES

¿De qué es fruto la fe?

"Mas el fruto del Espíritu es amor, gozo, paz, paciencia, benignidad, bondad, fe" (vers. 22).

FRUTOS DE LA FE

¿Qué relación tiene la fe con el conocimiento?

"Por la fe entendemos haber sido constituido el universo por la palabra de Dios" (Hebreos 11: 3).

¿Mediante qué cosa se ponía de manifiesto la fe viva en la iglesia primitiva?

"Acordándonos sin cesar delante del Dios y Padre nuestro de la obra de vuestra fe, del trabajo de vuestro amor" (1 Tesalonicenses 1: 3).

¿Cómo muestra la conducta de Abrahán que la obediencia y la fe son inseparables?

"Por la fe Abraham, siendo llamado, obedeció para salir al lugar que había de recibir como herencia; y salió sin saber a dónde iba" (Hebreos 11: 8).

¿Con qué, pues, está unida la fe de Jesús?

"Aquí está la paciencia de los santos, los que guardan los mandamientos de Dios y la fe de Jesús" (Apocalipsis 14: 12).

¿En qué otra declaración se recalca la misma verdad?

"¿Mas quieres saber, hombre vano, que la fe sin obras es muerta?" (Santiago 2: 20).

¿Cómo se perfecciona la fe?

"¿No ves que la fe actuó juntamente con sus obras, y que la fe se perfeccionó por las obras?" (vers. 22).

OTRAS OBSERVACIONES

¿Qué resulta cuando la fe se pone a prueba?

"Sabiendo que la prueba de vuestra fe produce paciencia" (Santiago 1: 3).

¿Qué relación con Dios se establece por la fe?

"Pues todos sois hijos de Dios por la fe en Cristo Jesús" (Gálatas 3: 26).

¿Cómo caminan los hijos de Dios?

"Porque por fe andamos, no por vista" (2 Corintios 5: 7).

¿Bajo qué condición puede uno esperar respuesta a la oración?

"Pero pida con fe, no dudando nada; porque el que duda es semejante a la onda del mar, que es arrastrada por el viento y echada de una parte a otra" (Santiago 1: 6).

¿Con qué partes de la antigua armadura se compara la fe?

"Sobre todo, tomad el escudo de la fe, con que podáis apagar todos los dardos de fuego del maligno" (Efesios 6: 16). "Vestido con la coraza de fe y de amor" (1 Tesalonicenses 5: 8).

¿Qué capítulo de la Biblia se dedica a la fe?

El capítulo once de Hebreos. En los versículos 33-38 se resumen las victorias de los héroes de la fe.

¿Qué nos da la victoria en nuestros conflictos con el mundo?

"Esta es la victoria que ha vencido al mundo, nuestra fe" (1 S. Juan 5: 4).

¿Cuál es el propósito final de la fe?

"Obteniendo el fin de vuestra fe, que es la salvación de vuestras almas" (1 S. Pedro 1: 9).

Lo que Dijo Moody

Moody, notable evangelista del siglo pasado, dijo cierta vez que Dios ofreció la salvación en forma tan generosa y comprensible que todo el mundo podría recibirla. Todos pueden creer. Un lisiado quizás no sea capaz de visitar a un enfermo, pero puede creer. Un ciego no puede hacer muchas cosas, pero puede creer. Un sordo no puede oír, pero puede creer. Aun una persona moribunda puede creer. La salvación ha sido puesta al alcance de todos: jóvenes y ancianos, torpes e inteligentes, ricos y pobres, encumbrados y humildes. Todos pueden ser salvos si verdaderamente creen.

La Esperanza en Dios

ASI como el oxígeno alienta las funciones vitales del organismo, la esperanza sostiene y dinamiza las actividades y empresas del hombre. Es tanto más necesaria cuanto mayores sean las adversidades que deban superarse, y tanto más valiosa cuanto mejor fundada se halle y más grandes y nobles triunfos acaricie. De ahí que la esperanza que se estudia en este capítulo tenga una importancia inestimable y sin parangón.

¿Qué relación hay entre la fe y la esperanza?

"La fe es *garantía de lo que se espera;* la prueba de las realidades que no se ven" (Hebreos 11: 1, BJ).

¿Por qué fueron escritas las Escrituras?

"Porque las cosas que se escribieron antes, para nuestra enseñanza se escribieron, *a fin de que por la paciencia y la consolación de las Escrituras, tengamos esperanza"* (Romanos 15: 4).

¿Por qué deberían repetirse a los hijos las obras maravillosas de Dios?

"No las ocultaron éstos a sus hijos, ni a su posteridad: publicaron, sí, las glorias del Señor, y los prodigios y maravillas que había hecho; ... *a fin de que pongan en Dios su esperanza,* y no se olviden de las obras de Dios, y guarden con esmero sus mandamientos" (Salmo 77: 4, 7, TA).

DE LA DESESPERANZA A LA ESPERANZA VIVA

¿En qué condición se hallan los que están sin Cristo?

"Por tanto, acordaos de que en otro tiempo vosotros, los gentiles en cuanto a la carne, ... estabais sin Cristo, alejados de la ciudadanía de Israel y ajenos a los pactos de la promesa, *sin esperanza y sin Dios en el mundo"* (Efesios 2: 11, 12).

¿Qué llega a ser la esperanza para el cristiano?

"Tengamos un fortísimo consuelo los que hemos acudido para asirnos de la esperanza puesta delante de nosotros. La cual tenemos como segura y firme *ancla del alma,* y que penetra hasta dentro del velo" (Hebreos 6: 18, 19).

¿Quiénes tienen esperanza en su muerte?

"Por su maldad será lanzado el impío; mas *el justo en su muerte tiene esperanza"* (Proverbios 14: 32).

Frente a la pérdida de un ser amado, ¿de qué desesperada tristeza son librados los cristianos?

"Tampoco queremos, hermanos, que ignoréis acerca de los que duermen, para que *no os entristezcáis como los otros que no tienen esperanza"* (1 Tesalonicenses 4: 13).

¿Para qué nos ha reengendrado Dios mediante la resurrección de Cristo?

"Bendito sea el Dios y Padre de nuestro Señor Jesucristo, el cual, conforme a su grande misericordia, *nos ha reengendrado para una esperanza viva,* por medio de la resurrección de Jesucristo de entre los muertos" (1 S. Pedro 1: 3, VM).

¿Cómo se llama la esperanza del cristiano?

"Aguardando *la esperanza bienaventurada y*

la manifestación gloriosa de nuestro gran Dios y Salvador Jesucristo" (Tito 2: 13).

¿Cuándo esperaba San Pablo que se cumpliera su esperanza?

"Por lo demás, me está guardada la corona de justicia, la cual me dará el Señor, juez justo, *en aquel día; y* no sólo a mí, sino también a todos los que aman *su venida*" (2 Timoteo 4: 8).

¿Qué dice el profeta Jeremías que es bueno que haga todo hombre?

"Bueno es *esperar en silencio la salvación de Jehová*" (Lamentaciones 3: 26).

ESPERANZA PURIFICADORA, ABUNDANTE Y DURADERA

¿Qué nos induce a hacer esta esperanza?

"Y todo aquel que tiene esta esperanza en él, *se purifica a sí mismo*, así como él es puro" (1 S. Juan 3: 3).

¿Qué se dice de la esperanza del impío?

"Tales son los caminos de todos los que olvidan a Dios; y *la esperanza del impío perecerá;* porque su esperanza *será cortada*, y su confianza es tela de araña" (Job 8: 13, 14).

¿Cuál es la condición de aquel cuya esperanza está puesta en Dios?

"*Dichoso* aquel que tiene por protector al Dios de Jacob, el que tiene puesta su esperanza en el Señor Dios suyo" (Salmo 145: 5, TA).

¿En qué pueden abundar los cristianos?

"Y el Dios de esperanza os llene de todo gozo y paz en el creer, *para que abundéis en esperanza* por el poder del Espíritu Santo" (Romanos 15: 13).

¿En qué se glorían los cristianos?

"Por quien también tenemos entrada por la fe a esta gracia en la cual estamos firmes, y *nos gloriamos en la esperanza de la gloria de Dios*" (Romanos 5: 2).

¿Qué nos evita la esperanza?

"Y la *esperanza no avergüenza;* porque el amor de Dios ha sido derramado en nuestros corazones por el Espíritu Santo que nos fue dado" (vers. 5).

En tiempos de disturbios, ¿quién será la esperanza del pueblo de Dios?

"Y Jehová rugirá desde Sion, y dará su voz desde Jerusalén, y temblarán los cielos y la tierra; pero *Jehová será la esperanza de su pueblo*, y la fortaleza de los hijos de Israel" (Joel 3: 16).

¿Qué palabras de aliento se dirigen a los que esperan en Jehová?

"*Esforzaos* todos vosotros los que esperáis en Jehová, y *tome aliento vuestro corazón*" (Salmo 31: 24).

Si somos diligentes hasta el fin, ¿cuán segura será nuestra esperanza?

"Y deseamos que cada uno de vosotros manifieste hasta el fin la misma diligencia, *para la plena seguridad de vuestra esperanza*" (Hebreos 6: 11, VM).

El Arrepentimiento

SOLO una mente iluminada por Dios se da plena cuenta de sus limitaciones, errores y pecados, y se arrepiente. "El arrepentimiento comprende tristeza por el pecado y abandono del mismo". En la vida cristiana el arrepentimiento verdadero juega un papel de importancia vital. Los siguientes pasajes de las Escrituras lo explican.

¿Quiénes son llamados al arrepentimiento?

"No he venido a llamar a justos, sino a *pecadores* al arrepentimiento" (S. Lucas 5: 32).

¿Qué acompaña al arrepentimiento?

"Y que se predicase en su nombre el arrepentimiento y *el perdón de pecados* en todas las naciones" (S. Lucas 24: 47).

¿Cómo puede conocerse el pecado?

"Porque *por medio de la ley* es el conocimiento del pecado" (Romanos 3: 20).

¿Cuántos son pecadores?

"Ya hemos acusado a *judíos y a gentiles, que todos están bajo pecado*" (vers. 9).

¿Qué se acarrean los transgresores?

"Nadie os engañe con palabras vanas, porque por estas cosas *viene la ira de Dios* sobre los hijos de desobediencia" (Efesios 5: 6).

LA CONCIENCIA DEL PECADO Y EL GOZO DE LA SALVACION

¿Quién despierta en el alma el sentido de su pecaminosidad?

"Y cuando *él* [el Consolador] venga, *convencerá al mundo de pecado*" (S. Juan 16: 8).

¿Qué es propio que se pregunten los que son convencidos de pecado?

"Varones hermanos, *¿qué haremos?*" "Señores, *¿qué debo hacer para ser salvo?*" (Hechos 2: 37; 16: 30).

¿Qué respuestas da la Palabra inspirada a estas preguntas?

"*Arrepentíos, y bautícese cada uno de vosotros en el nombre de Jesucristo* para perdón de los pecados". "*Cree en el Señor Jesucristo, y serás salvo*" (Hechos 2: 38; 16: 31).

FRUTOS DEL VERDADERO ARREPENTIMIENTO

¿Qué será constreñido a hacer el pecador verdaderamente arrepentido?

"Por tanto, *confesaré mi maldad, y me contristaré por mi pecado*" (Salmo 38: 18).

¿Cuál es el resultado de la tristeza piadosa?

"Porque la tristeza que es según Dios produce *arrepentimiento para salvación*" (2 Corintios 7: 10).

¿Qué hace la tristeza del mundo?

"Pero la tristeza del mundo *produce muerte*" (el mismo versículo).

¿Cómo se manifiesta la tristeza según Dios por el pecado?

"Porque he aquí, esto mismo de que hayáis sido contristados según Dios, ¡qué *solicitud produjo en vosotros,* qué defensa, qué indignación, qué temor, qué ardiente afecto, qué celo, y qué vindicación! En todo os habéis mostrado limpios en el asunto" (vers. 11).

¿Qué dijo Juan el Bautista a los fariseos y saduceos cuando fueron donde él bautizaba?

"¡Generación de víboras! ¿Quién os enseñó a huir de la ira venidera?" (S. Mateo 3: 7).

¿Qué les dijo que hicieran?

"Haced, pues, *frutos dignos de arrepentimiento*" (vers. 8).

Nota.—No puede haber verdadero arrepentimiento sin reforma. El arrepentimiento es un cambio de concepto; la reforma es un correspondiente cambio de vida.

Cuando Dios envió a los ninivitas un mensaje de amonestación, ¿cómo mostraron ellos su arrepentimiento, y cuál fue el resultado?

"Y vio Dios lo que hicieron, que *se convirtieron de su mal camino; y se arrepintió del mal que había dicho que les haría, y no lo hizo*" (Jonás 3: 10).

¿Qué guía a los pecadores al arrepentimiento?

"¿O menosprecias las riquezas de su benignidad, paciencia y longanimidad, ignorando que *su benignidad te guía al arrepentimiento?*"(Romanos 2: 4).

"Entonces se Puso a Pensar. . ."

"Entonces se puso a pensar: '¡Cuántos trabajadores en la casa de mi padre tienen comida de sobra, y yo aquí me muero de hambre! Voy a regresar a donde está mi padre, y le diré: Padre mío, he pecado contra Dios y contra ti; ya no merezco llamarme tu hijo; cuéntame como a uno de tus trabajadores'. Entonces se puso en camino y regresó a la casa de su padre".

"Cuando todavía estaba lejos, su padre lo vio
y sintió compasión de él. Corrió a su encuentro,
y lo recibió con abrazos y besos" (S. Lucas 15: 17-20, V. Popular).

RUSS HARLAN

ESTUDIO 19

La Confesión y el Perdón

UNA de las cargas más agobiadoras de la vida es una conciencia de culpabilidad. La peor manera de librarse de ella consiste en buscar excusas para acallar sus protestas o adoptar actitudes que cubran las faltas con el oscuro manto del olvido o destrocen la conciencia bajo los escombros de la moral. La mejor y más feliz, la única que proporciona alivio verdadero y permanente es la que presenta Dios en su Palabra.

¿Qué instrucción se da concerniente a la confesión de los pecados?

"Di a los hijos de Israel: El hombre o la mujer que cometiere alguno de todos los pecados con que los hombres prevarican contra Jehová y delinquen, *aquella persona confesará el pecado que cometió*" (Números 5: 6, 7).

¿Cuán fútil es tratar de ocultarle a Dios el pecado?

"Mas si así no lo hacéis, he aquí habréis pecado ante Jehová; y *sabed que vuestro pecado os alcanzará*" (Números 32: 23). "Pusiste nuestras maldades delante de ti, nuestros yerros a la luz de tu rostro" (Salmo 90: 8). "Todas las cosas están desnudas y abiertas a los ojos de aquel a quien tenemos que dar cuenta" (Hebreos 4: 13).

¿Qué promesa se hace a los que confiesan sus pecados?

"Si confesamos nuestros pecados, *él es fiel y justo para perdonar nuestros pecados*, y limpiarnos de toda maldad" (1 S. Juan 1: 9).

¿Qué resultados diferentes siguen al encubrimiento y a la confesión de los pecados?

"El que encubre sus pecados *no prosperará*; mas el que los confiesa y se aparta *alcanzará misericordia*" (Proverbios 28: 13).

UNA CONFESION DEFINIDA

¿Cuán definidos deberíamos ser en la confesión de nuestros pecados?

"Cuando pecare en alguna de estas cosas, *confesará aquello en que pecó*" (Levítico 5: 5).

Nota.—"La verdadera confesión es siempre de un carácter específico y declara pecados particulares. Pueden ser de tal naturaleza que solamente puedan presentarse delante de Dios. Pueden ser males que deban confesarse individualmente a los que hayan sufrido daño por ellos. Pueden ser de un carácter público, y en ese caso deberán confesarse públicamente. Toda confesión debe hacerse definida y al punto, reconociendo los mismos pecados de que seáis culpables" (*El camino a Cristo*, págs. 40, 41).

¿Cuán plenamente reconoció una vez Israel su mal proceder?

"Entonces dijo todo el pueblo a Samuel: Ruega por tus siervos a Jehová tu Dios, para que no muramos; porque a *todos nuestros pecados hemos añadido este mal de pedir rey para nosotros*" (1 Samuel 12: 19).

Cuando David confesó su pecado, ¿qué dijo él que hizo Dios?

"Mi pecado te declaré, y no encubrí mi iniquidad. Dije: Confesaré mis transgresiones a Jehová; y tú *perdonaste la maldad de mi pecado*" (Salmo 32: 5).

DIOS SE DELEITA EN PERDONAR

¿Qué está dispuesto a hacer Dios por todos los que le piden perdón?

"Porque tú, Señor, *eres bueno y perdonador*, y grande en misericordia para con todos los que te invocan" (Salmo 86: 5).

74

¿En qué basaba David su esperanza de obtener perdón?

"Ten piedad de mí, oh Dios, conforme a tu misericordia; conforme a *la multitud de tus piedades* borra mis rebeliones" (Salmo 51: 1).

¿Con qué se compara la grandeza de la misericordia de Dios?

"Porque *como la altura de los cielos sobre la tierra,* engrandeció su misericordia sobre los que le temen" (Salmo 103: 11).

¿Cuán plenamente perdona Dios al que se arrepiente?

"Deje el impío su camino, y el hombre inicuo sus pensamientos, y vuélvase a Jehová, el cual tendrá de él misericordia, y al Dios nuestro, el cual *será amplio en perdonar*" (Isaías 55: 7).

¿Por qué razón está Dios dispuesto a perdonar los pecados?

"¿Quién es un Dios semejante a ti, que perdona la iniquidad, y pasa por alto la transgresión del resto de su herencia? no retiene para siempre su ira, *porque se deleita en la misericordia*" (Miqueas 7: 18, VM. Véase Salmo 78: 38).

¿Por qué manifiesta Dios tanta misericordia y longanimidad para con los hombres?

"El Señor no retarda su promesa, según algunos la tienen por tardanza, sino que es paciente para con nosotros, *no queriendo que ninguno perezca, sino que todos procedan al arrepentimiento*" (2 S. Pedro 3: 9).

EJEMPLOS ESPECIFICOS

Cuando el hijo pródigo, de la parábola, se arrepintió y volvió al hogar, ¿qué hizo su padre?

"Y cuando aún estaba lejos, lo vio su padre, y *fue movido a misericordia,* y corrió, y se echó sobre su cuello, y le besó" (S. Lucas 15: 20).

¿Cómo manifestó el padre su gozo por el regreso de su hijo?

"Pero el padre dijo a sus siervos: *Sacad el mejor vestido, y vestidle;* y poned un anillo en su mano, y calzado en sus pies. Y *traed el becerro gordo y matadlo,* y comamos y hagamos fiesta; porque este mi hijo muerto era, y ha revivido; se había perdido, y es hallado" (vers. 22-24).

¿Qué se siente en el cielo cuando un pecador se arrepiente?

"Así os digo que *hay gozo delante de los ángeles de Dios* por un pecador que se arrepiente" (vers. 10).

¿Qué dijo Ezequías que Dios había hecho con sus pecados?

"He aquí, amargura grande me sobrevino en la paz, mas a ti agradó librar mi vida del hoyo de corrupción; porque *echaste tras tus espaldas todos mis pecados*" (Isaías 38: 17).

¿Cuán completamente quiere Dios librarnos de nuestros pecados?

"Echará en lo profundo del mar todos nuestros pecados" (Miqueas 7: 19).

"Cuanto está lejos el oriente del occidente, hizo alejar de nosotros nuestras rebeliones" (Salmo 103: 12).

¿Cómo respondió el pueblo a la predicación de Juan?

"Y salía a él Jerusalén, y toda Judea, y toda la provincia de alrededor del Jordán, y eran bautizados por él en el Jordán, *confesando* sus pecados" (S. Mateo 3: 5, 6).

¿Cómo daban testimonio muchos de los creyentes de Efeso de la sinceridad de la confesión de sus pecados?

"Y muchos de los que habían creído venían, *confesando y dando cuenta de sus hechos.* Asimismo muchos de los que habían practicado la magia *trajeron los libros y los quemaron delante de todos;* y hecha la cuenta de su precio, hallaron que era cincuenta mil piezas de plata" (Hechos 19: 18, 19).

CONDICIONES DEL PERDON

¿Bajo qué condición nos ha enseñado Cristo a pedir perdón?

"Y perdónanos nuestras deudas, *como también nosotros perdonamos a nuestros deudores*" (S. Mateo 6: 12).

¿Qué espíritu deben acariciar aquellos a quienes Dios perdona?

"*Porque si perdonáis a los hombres sus ofensas, os perdonará también a vosotros vuestro*

Padre celestial; mas si no perdonáis a los hombres sus ofensas, tampoco vuestro Padre os perdonará vuestras ofensas" (vers. 14, 15).

Por cuanto Dios nos ha perdonado, ¿qué se nos exhorta a nosotros a hacer?

"Antes *sed benignos* unos con otros, *misericordiosos, perdonándoos unos a otros,* como Dios también os perdonó a vosotros en Cristo" (Efesios 4: 32).

LA FUENTE DEL PERDON

¿Por medio de quién se concede el arrepentimiento y el perdón?

"El *Dios* de nuestros padres *levantó a Jesús,* a quien vosotros matasteis colgándole en un madero. A éste, Dios ha exaltado con su diestra por Príncipe y Salvador, *para dar a Israel arrepentimiento y perdón de pecados"* (Hechos 5: 30, 31).

¿Qué se dice de aquel cuyos pecados son perdonados?

"*Bienaventurado* aquel cuya transgresión ha sido perdonada, y cubierto su pecado. Bienaventurado el hombre a quien Jehová no culpa de iniquidad, y en cuyo espíritu no hay engaño" (Salmo 32: 1, 2).

Juan el Bautista predicando en el desierto de Judea.

STEMLER

ESTUDIO 20

La Conversión, o Nuevo Nacimiento

"LA EDUCACION, la cultura, el ejercicio de la voluntad, el esfuerzo humano, ... pueden producir una corrección externa de la conducta, pero no pueden cambiar el corazón; no pueden purificar las fuentes de la vida. Debe haber un poder que obre en el interior, una vida nueva de lo alto, antes de que el hombre pueda convertirse del pecado a la santidad. Ese poder es Cristo", dice E. G. de White en su libro *El camino a Cristo.*

LA NECESIDAD DE LA CONVERSION

¿Cómo destacó Jesús la necesidad de la conversión?

"Y dijo [Jesús]: De cierto os digo, que *si no os volvéis y os hacéis como niños, no entraréis en el reino de los cielos*" (S. Mateo 18: 3).

¿En qué otra declaración enseñó Cristo la misma verdad?

"Respondió Jesús y le dijo: De cierto, de cierto te digo, que *el que no naciere de nuevo, no puede ver el reino de Dios*" (S. Juan 3: 3).

¿Cómo explicó adicionalmente el nuevo nacimiento?

"Respondió Jesús: De cierto, de cierto te digo, que *el que no naciere de agua y del Espíritu, no puede entrar en el reino de Dios*" (vers. 5).

¿Mediante qué comparación ilustró este asunto?

"*El viento sopla* de donde quiere, y oyes su sonido; mas ni sabes de dónde viene, ni a dónde va; *así es todo aquel que es nacido del Espíritu*" (vers. 8).

EL AGENTE DE LA NUEVA CREACION

¿Qué sucede cuando uno se convierte a Cristo?

"Por tanto, el que está en Cristo, *es una nueva creación;* pasó lo viejo, todo es nuevo" (2 Corintios 5: 17, BJ. Véase Hechos 9: 1-22; 22: 1-21; 26: 1-23).

¿Cuánto valen las formas meramente exteriores?

"Porque en Cristo Jesús *ni la circuncisión vale nada, ni la incircuncisión,* sino una nueva creación" (Gálatas 6: 15).

¿Por qué medio fue realizada la creación original?

"*Por la palabra de Jehová* fueron hechos los cielos , y todo el ejército de ellos por el aliento de su boca" (Salmo 33: 6).

¿Mediante qué instrumento se efectúa la conversión?

"Siendo renacidos, no de simiente corruptible, sino de incorruptible, *por la palabra de Dios* que vive y permanece para siempre" (1 S. Pedro 1: 23).

RESULTADOS DE LA VERDADERA CONVERSION

¿Qué cambio se produce por la conversión, o nuevo nacimiento?

"Aun estando nosotros muertos en pecados, *nos dio vida* juntamente con Cristo (por gracia sois salvos)" (Efesios 2: 5).

¿Cuál es una evidencia de este cambio de la muerte a la vida?

"Nosotros sabemos que hemos pasado de muerte a vida, en que *amamos a los hermanos*. El que no ama a su hermano, permanece en muerte" (1 S. Juan 3: 14).

¿De qué es salvado el pecador que se convierte?

"Sepa que el que convierte a un pecador de su camino desviado, salvará su alma *de la muerte* y cubrirá multitud de pecados" (Santiago 5: 20, BJ. Véase Hechos 26: 14-18).

¿A quién son llevados los pecadores por la conversión?

"Crea en mí, oh Dios, un corazón limpio, y renueva un espíritu recto dentro de mí. No me eches de delante de ti... Entonces enseñaré a los transgresores tus caminos, y los pecadores *se convertirán a ti*" (Salmo 51: 10, 11, 13).

¿En qué palabras dirigidas a Pedro indicó Jesús la clase de servicio que una persona convertida debería prestar a sus hermanos?

"Simón, Simón, mira que Satanás ha pedido poder zarandearos como el trigo, pero yo he rogado por ti para que no desfallezca tu fe. *Y tú, una vez convertido, confirma a tus hermanos*" (S. Lucas 22: 31, 32, EP).

¿Qué otra experiencia se relaciona con la conversión?

"Porque el corazón de este pueblo se ha engrosado, y con los oídos oyen pesadamente, y han cerrado sus ojos; para que no vean con los ojos, y oigan con los oídos, y con el corazón entiendan, y *se conviertan, y yo los sane*" (S. Mateo 13: 15).

¿Qué bendiciones promete darle Dios a su pueblo?

"*Yo sanaré su rebelión, los amaré de pura gracia; porque mi ira se apartó de ellos*" (Oseas 14: 4).

¿Por qué medio se realiza este sanamiento?

"Mas él [Cristo] herido fue por nuestras rebeliones, molido por nuestros pecados; el castigo de nuestra paz fue sobre él, y *por su llaga fuimos nosotros curados*" (Isaías 53: 5).

¿Cuáles son algunas de las evidencias de que uno ha nacido de Dios?

"Si sabéis que él es justo, sabed también que *todo el que hace justicia es nacido de él*". "Amados, amémonos unos a otros; porque el amor es de Dios. *Todo aquel que ama, es nacido de Dios*, y conoce a Dios" (1 S. Juan 2: 29; 4: 7).

¿Qué poder que mora en él le guarda del pecado?

"Todo aquel que es nacido de Dios, no practica el pecado, porque *la simiente de Dios permanece en él*; y no puede pecar, porque es nacido de Dios" (1 S. Juan 3: 9; véase 1 S. Juan 5: 4; Génesis 39: 9).

¿Qué experiencia disfrutan los que nacen del Espíritu?

"Ahora, pues, *ninguna condenación* hay para los que están en Cristo Jesús, los que no andan conforme a la carne, sino conforme al Espíritu" (Romanos 8: 1).

CREYENDO EN JESUS Y CONTEMPLANDOLO

¿Qué se declara acerca de todo aquel que cree en Jesús?

"Todo aquel que cree que Jesús es el Cristo, *es nacido de Dios*" (1 S. Juan 5: 1).

¿Qué cambio se produce por la contemplación de Jesús?

"Por tanto, nosotros todos, mirando a cara descubierta como en un espejo la gloria del Señor, *somos transformados* de gloria en gloria en *la misma imagen*, como por el Espíritu del Señor" (2 Corintios 3: 18).

Nota.—Nosotros éramos esclavos del pecado. Jesús descendió y sufrió con nosotros, y nos liberó. Al contemplarlo en su palabra, y mediante la oración y la meditación, y al servirle en la persona de otros, podemos ser transformados más y más conforme a la gloria de su semejanza; entonces, si somos fieles, algún día lo veremos cara a cara.

Aunque era un dirigente religioso destacado entre los judíos, Nicodemo se sorprendió cuando en su entrevista con Jesús el Señor le dijo que a fin de ser salvo debía "nacer de nuevo".

ROBERT AYRES

ESTUDIO 21

El Bautismo Cristiano

EL BAUTISMO es una práctica común a todos los cuerpos religiosos o iglesias de la cristiandad. Pero se lo realiza de diversas maneras y con distintos sentidos. ¿Cuál es la forma y el significado que responden al pensamiento de Cristo y sus apóstoles y que tenía en mente San Pablo cuando habló de "un Señor, una fe, un bautismo"?

CREENCIA, ARREPENTIMIENTO Y BAUTISMO

¿Qué ceremonia tiene estrecha relación con la aceptación del Evangelio?

"Y les dijo: Id por todo el mundo y predicad el evangelio a toda criatura. El que creyere y *fuere bautizado,* será salvo; mas el que no creyere, será condenado" (S. Marcos 16: 15, 16).

¿Qué cosa vinculó el apóstol Pedro con el bautismo, en su instrucción el día de Pentecostés?

"Pedro les dijo: *Arrepentíos,* y bautícese cada uno de vosotros en el nombre de Jesucristo para perdón de los pecados" (Hechos 2: 38).

En respuesta a su pregunta en cuanto a la salvación, ¿qué se le dijo al carcelero de Filipo que hiciera?

"Ellos dijeron: *Cree en el Señor Jesucristo,* y serás salvo, tú y tu casa" (Hechos 16: 31).

¿Qué siguió inmediatamente a la aceptación de Cristo como su Salvador por parte del carcelero y su familia?

"Y él, tomándolos [a Pablo y Silas] en aquella misma hora de la noche, les lavó las heridas; y en seguida *se bautizó* él con todos los suyos" (vers. 33).

EL SIGNIFICADO ESPIRITUAL DEL BAUTISMO

En relación con el bautismo cristiano, ¿qué lavamiento experimenta el creyente?

"Ahora, pues, ¿por qué te detienes? Levántate y bautízate, y *lava tus pecados,* invocando su nombre" (Hechos 22: 16. Véase Tito 3: 5; 1 S. Pedro 3: 21).

¿Con qué son lavados los pecados?

"Al que nos amó, y nos lavó de nuestros pecados *con su sangre*" (Apocalipsis 1: 5).

LA UNION CON CRISTO EN EL BAUTISMO

¿En qué nombres son bautizados los creyentes?

"Por tanto, id, y haced discípulos a todas las naciones, bautizándolos en el nombre *del Padre,* y *del Hijo,* y *del Espíritu Santo*" (S. Mateo 28: 19).

Cuando los creyentes se bautizan en el nombre de Cristo, ¿de quién se revisten?

"Porque todos los que habéis sido bautizados en Cristo, *de Cristo estáis revestidos*" (Gálatas 3: 27).

¿En qué son bautizados los que han sido bautizados en Cristo?

"¿O no sabéis que todos los que hemos sido bautizados en Cristo Jesús, hemos sido *bautizados en su muerte?*" (Romanos 6: 3).

Nota.—El bautismo es una ceremonia evangélica que conmemora la *muerte, sepultura y resurrección* de Cristo. Por el bautismo se da un testimonio público de que quien se bautiza ha sido crucificado

80

El bautismo simboliza una muerte a la antigua vida de pecado, y una resurrección a una nueva vida en Cristo Jesús.

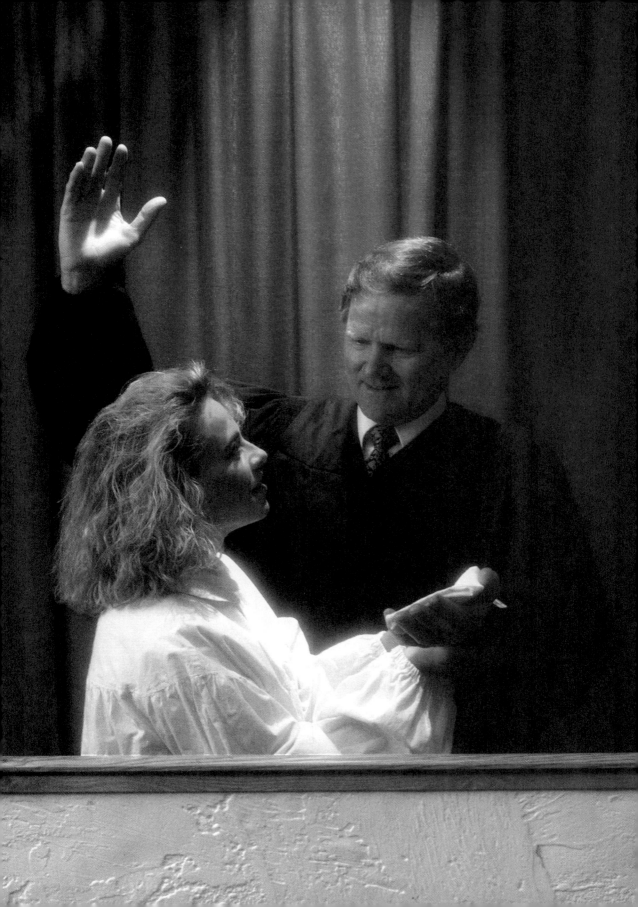

con Cristo, sepultado con él y que se levanta con él para vivir una vida nueva. Solamente una forma de bautismo puede representar debidamente estos hechos de la experiencia, el bautismo por inmersión: la forma seguida por Cristo y la iglesia apostólica.

¿Cómo se describe este bautismo?

"Porque somos *sepultados juntamente con él para muerte por el bautismo,* a fin de que como Cristo resucitó de los muertos por la gloria del Padre, así también nosotros andemos en vida nueva" (vers. 4).

¿Cuán plenamente estamos unidos así con Cristo en su muerte y resurrección?

"Y si morimos con Cristo, creemos que también *viviremos con él*" (vers. 8).

¿En qué manifestación del poder de Dios ha de ejercerse la fe en relación con el bautismo?

"Sepultados con él en el bautismo, en el cual fuisteis también resucitados con él, *mediante la fe en el poder de Dios que le levantó de los muertos*" (Colosenses 2: 12).

EL BAUTISMO Y EL ESPIRITU SANTO

Al comenzar su ministerio, ¿qué ejemplo sentó Jesús para beneficio de sus seguidores?

"Entonces Jesús vino de Galilea a Juan al Jordán, *para ser bautizado por él*" (S. Mateo 3: 13).

¿Qué hechos notables acompañaron el bautismo de Jesús?

"Y Jesús, después que fue bautizado, subió luego del agua; y he aquí los cielos le fueron abiertos, *y vio al Espíritu de Dios que descendía como paloma, y venía sobre él.* Y hubo una voz de los cielos, que decía: *Este es mi Hijo amado, en quien tengo complacencia*" (vers. 16, 17).

¿Qué promesa se hace a los que se arrepienten y se bautizan?

"Pedro les dijo: Arrepentíos, y bautícese cada uno de vosotros en el nombre de Jesucristo para perdón de los pecados; *y recibiréis el don del Espíritu Santo*" (Hechos 2: 38).

¿Qué instrucción dio el apóstol Pedro concerniente a los gentiles que habían creído?

"¿Puede acaso alguno impedir el agua, para que no sean bautizados estos que han recibido el Espíritu Santo también como nosotros? *Y mandó bautizarles en el nombre del Señor Jesús*" (Hechos 10: 47, 48).

FELIPE BAUTIZA A UN ETIOPE Y A SAMARITANOS

¿Qué pregunta hizo el eunuco después que Felipe le hubo predicado a Cristo?

"Y yendo por el camino, llegaron a cierta agua, y dijo el eunuco: Aquí hay agua; *¿qué impide que yo sea bautizado?*" (Hechos 8: 36).

"Y mandó parar el carro; y *descendieron ambos al agua,* Felipe y el eunuco, y le bautizó" (vers. 38).

¿Cómo el pueblo de Samaria daba testimonio públicamente de su fe en la predicación de Felipe?

"Pero cuando creyeron a Felipe, que anunciaba el evangelio del reino de Dios y el nombre de Jesucristo, *se bautizaban* hombres y mujeres" (vers. 12).

UNIDAD Y PROPOSITOS CELESTIALES

¿Cuán perfecta es la unidad que gozan los creyentes al ser bautizados en Cristo?

"Porque así como el cuerpo es uno, y tiene muchos miembros, pero todos los miembros del cuerpo, siendo muchos, son un solo cuerpo, así también Cristo. Porque por un solo Espíritu fuimos todos bautizados en *un cuerpo,* sean judíos o griegos, sean esclavos o libres; *y a todos se nos dio a beber de un mismo Espíritu*" (1 Corintios 12: 12, 13).

Después de identificarse con Cristo en su muerte y resurrección, ¿qué deberían hacer los creyentes?

"Si, pues, habéis resucitado con Cristo, *buscad las cosas de arriba,* donde está Cristo sentado a la diestra de Dios" (Colosenses 3: 1).

ESTUDIO 22

Reconciliados con Dios

ESTAMOS hechos para vivir en comunión con Dios, nuestro Creador y Padre celestial, y nada puede satisfacer esa necesidad y aspiración del alma sino la reconciliación con él. Es indispensable la remoción de la barrera que nos aleja de su presencia. El consejo inspirado es: "Reconcíliate con él y haz la paz; así tu dicha te será devuelta". La feliz y segura manera de hacerlo ha sido provista por Dios mismo, como se expone en este capítulo.

¿En qué profecía se predijo la expiación del pecado?

"Setenta semanas están determinadas sobre tu pueblo y sobre tu santa ciudad, para terminar la prevaricación, y poner fin al pecado, y *expiar la iniquidad*" (Daniel 9: 24).

¿Qué ruego nos ha hecho Dios mediante sus mensajeros escogidos?

"Así que, somos embajadores en nombre de Cristo, como si Dios rogase por medio de nosotros; os rogamos en nombre de Cristo: *Reconciliaos* con Dios" (2 Corintios 5: 20).

¿Por medio de quién se hace reconciliación?

"Y todo esto proviene de Dios, quien nos reconcilió consigo mismo *por Cristo*, y nos dio el ministerio de la reconciliación" (vers. 18).

EL PRECIO DE LA RECONCILIACION

¿Qué se requirió para efectuar esta reconciliación?

"Porque si siendo enemigos, fuimos reconciliados con Dios *por la muerte de su Hijo*, mucho más, estando reconciliados, seremos salvos por su vida" (Romanos 5: 10).

¿Qué se logró mediante la reconciliación hecha por la muerte de Cristo?

"Y por medio de él reconciliar consigo todas las cosas, así las que están en la tierra como las que están en los cielos, haciendo *la paz* mediante la sangre de su cruz" (Colosenses 1: 20).

¿Cómo fue tratado él?

"Mas él *herido* fue por nuestras rebeliones, *molido* por nuestros pecados; *el castigo* de nuestra paz *fue sobre él*, y por su *llaga* fuimos nosotros curados" (Isaías 53: 5).

¿Qué declaró Juan el Bautista acerca de Cristo?

"He aquí el Cordero de Dios, que *quita el pecado del mundo*" (S. Juan 1: 29).

¿En qué lugar cargó Cristo con estos pecados?

"Quién llevó él mismo nuestros pecados *en su cuerpo sobre el madero*, para que nosotros, estando muertos a los pecados, vivamos a la justicia; y por cuya herida fuisteis sanados" (1 S. Pedro 2: 24).

EL PADRE SUFRE CON CRISTO

Al reconciliar así consigo al mundo, ¿qué actitud para con los hombres adoptó Dios?

"Dios estaba en Cristo reconciliando consigo al mundo, *no tomándoles en cuenta a los hombres sus pecados*" (2 Corintios 5: 19).

¿Qué le hizo posible a Dios tratar así a los pecadores?

"Todos nosotros nos descarriamos como ovejas, cada cual se apartó por su camino; mas *Jehová cargó en él el pecado de todos nosotros*" (Isaías 53: 6).

UNIDAD, PROPOSITO Y GOZO DE LA RECONCILIACION

¿Cómo reconcilió Cristo a todos los hombres con Dios mediante la cruz?

"Y mediante la cruz reconciliar con Dios a ambos *en un solo cuerpo, matando en ella las* enemistades" (Efesios 2: 16).

¿Cuál es el gran propósito de la obra de la reconciliación?

"Y a vosotros también, que erais en otro tiempo extraños y enemigos en vuestra mente, haciendo malas obras, ahora os ha reconciliado en un cuerpo de carne, por medio de la muerte, *para presentaros santos y sin mancha e irreprensibles delante de él*" (Colosenses 1: 21, 22).

¿Por medio de quién se recibe la reconciliación?

"También nos gloriamos en Dios por el Señor nuestro *Jesucristo, por quien hemos recibido ahora la reconciliación*" (Romanos 5: 11).

LA ELECCION DE UNA DE LAS TRES ALTERNATIVAS

Para que un cielo santo y una tierra pecaminosa se reconciliaran y tuviesen relaciones pacíficas, se necesitaba una de tres cosas. El cielo debía aceptar los caminos terrenales, o la tierra debía tornarse a los caminos celestiales, o ambos debían fusionarse. Por la naturaleza del caso había un solo camino a seguir: la tierra debía reconciliarse con Dios. Para abrir la puerta del cielo a los hombres se necesitó el Calvario. Allí todo pecador puede hallar la paz de la reconciliación, el compañerismo con Dios y la esperanza de la vida eterna.

El Precio de Nuestra Redención

"Nadie sino el Hijo de Dios podía efectuar nuestra redención; porque sólo él, que estaba en el seno del Padre, podía darle a conocer. Sólo él, que conocía la altura y la profundidad del amor de Dios, podía manifestarlo. Nada que fuese inferior al infinito sacrificio hecho por Cristo en favor del hombre podía expresar el amor del Padre hacia la perdida humanidad.

" 'Porque de tal manera amó Dios al mundo, que ha dado a su Hijo unigénito'. Lo dio, no sólo para que viviese entre los hombres, llevase los pecados de ellos y muriese para expiarlos, sino que lo dio a la raza caída. Cristo debía identificarse con los intereses y las necesidades de la humanidad. El que era uno con Dios se vinculó con los hijos de los hombres mediante lazos que jamás serán quebrantados. Jesús 'no se avergüenza de llamarlos hermanos'. Es nuestro Sacrificio, nuestro Abogado, nuestro Hermano, que lleva nuestra forma humana delante del trono del Padre, y por las edades eternas será uno con la raza a la cual redimió: es el Hijo del hombre. Y todo esto para que el hombre fuese levantado de la ruina y degradación del pecado, para que reflejase el amor de Dios y compartiese el gozo de la santidad.

"El precio pagado por nuestra redención, el sacrificio infinito que hizo nuestro Padre celestial al entregar a su Hijo para que muriese por nosotros, debe darnos un concepto elevado de lo que podemos llegar a ser por intermedio de Cristo... Por la transgresión, los hijos de los hombres son hechos súbditos de Satanás. Por la fe en el sacrificio expiatorio de Cristo, los hijos de Adán pueden llegar a ser hijos de Dios" (E. G. White, *El camino a Cristo*, p. 15).

El corazón se inunda de amor y gratitud al contemplar el precio infinito que Cristo pagó por nuestra redención.

La Aceptación por Dios

POR increíble y desconcertante que parezca, Dios está más dispuesto a aceptar al hombre que el hombre a Dios. El "quiere que todos los hombres sean salvos". Cristo dijo: "Todo lo que el Padre me da, vendrá a mí; y al que a mí viene, no le echo fuera" (S. Juan 6: 37). ¿Cuáles son las condiciones y las evidencias de esa aceptación?

¿En quién nos hizo aceptos Dios?

"Bendito sea el Dios y Padre de nuestro Señor Jesucristo, que nos bendijo con toda bendición espiritual ... en Cristo, según nos escogió en él ... para alabanza de la gloria de su gracia, con la cual nos hizo aceptos en el Amado" (Efesios 1: 3-6).

¿Qué gran dádiva recibimos juntamente con nuestra aceptación de Cristo?

"Y esta es la voluntad del que me ha enviado: Que todo aquel que ve al Hijo, y cree en él, tenga vida eterna; y yo le resucitaré en el día postrero" (S. Juan 6: 40. Véase también S. Juan 17: 2).

LA PALABRA DE DIOS COMO EVIDENCIA DE LA ACEPTACION

¿En qué se basa la fe?

"La fe es por el oír, y el oír, por la palabra de Dios" (Romanos 10: 17).

¿Cuál es la primera y principal evidencia de nuestra aceptación por parte de Dios?

"Si recibimos el testimonio de los hombres, mayor es el testimonio de Dios; porque este es el testimonio con que Dios ha testificado acerca de su Hijo... Y este es el testimonio: que Dios nos ha dado vida eterna; y esta vida está en su Hijo" (1 S. Juan 5: 9-11).

Nota.—El fundamento primario de toda fe y aceptación es la palabra de Dios, según él mismo ha dicho. Recibir y creer esta palabra es el primer elemento esencial de la salvación, la primera evidencia de la aceptación.

¿Por qué escribió San Juan su testimonio acerca del amor y del propósito de Dios al darnos a Cristo?

"Estas cosas os he escrito a vosotros que creéis en el nombre del Hijo de Dios, para que sepáis que tenéis vida eterna, y para que creáis en el nombre del Hijo de Dios" (vers. 13). "Pero éstas se han escrito para que creáis que Jesús es el Cristo, el Hijo de Dios, y para que creyendo, tengáis vida en su nombre" (S. Juan 20: 31).

EVIDENCIA EN NUESTRO INTERIOR

¿Qué testimonio tiene el verdadero creyente en Cristo de que ha sido aceptado por Dios?

"El que cree en el Hijo de Dios, tiene el testimonio en sí mismo; el que no cree, a Dios le ha hecho mentiroso, porque no ha creído en el testimonio que Dios ha dado acerca de su Hijo" (1 S. Juan 5: 10).

Nota.—No deben confundirse la fe y el sentimiento. Podemos ejercer la fe en la Palabra de Dios, haciendo caso omiso de nuestros sentimientos, y a menudo en oposición a ellos. Muchos dejan de aceptar el perdón y la seguridad de la aceptación del cielo, porque no toman sin más ni más la palabra a Dios en lugar de prestar atención a sus cambiantes disposiciones de ánimo y sentimientos. La fe siempre precede a los felices sentimientos resultantes de la seguridad del perdón y de la aceptación. Este orden nunca se invierte.

¿Cuál es otra evidencia de la aceptación divina?

"Nosotros sabemos que hemos pasado de muerte a vida, *en que amamos a los hermanos*" (1 S. Juan 3: 14).

TRES TESTIGOS DE LA ACEPTACION

¿Qué tres testigos de la aceptación divina son mencionados por San Juan?

"Tres son los que dan testimonio en la tierra: *el Espíritu, el agua y la sangre; y estos tres concuerdan*" (1 S. Juan 5: 8).

¿Cómo da testimonio el Espíritu de nuestra aceptación por Dios?

"Y por cuanto sois hijos, Dios envió a vuestros corazones el Espíritu de su Hijo, el cual clama: ¡Abba, Padre!" (Gálatas 4: 6). "El Espíritu mismo da testimonio a nuestro espíritu, de que somos hijos de Dios" (Romanos 8: 16).

¿De qué es una evidencia el bautismo cristiano?

"Porque todos los que habéis sido bautizados en Cristo, *de Cristo estáis revestidos*" (Gálatas 3: 27).

Nota.—En el bautismo, el agua y el Espíritu dan testimonio de la aceptación de Dios. El mismo Espíritu que en ocasión del bautismo de Cristo dijo: "Este es mi Hijo amado, en quien tengo complacencia", da testimonio de la aceptación de todo sincero creyente en ocasión de su bautismo.

¿De qué da testimonio la sangre de Cristo?

"Estas cosas os escribimos, para que vuestro gozo sea cumplido... Si andamos en luz, como él está en luz, tenemos comunión unos con otros, y la sangre de Jesucristo su Hijo *nos limpia de todo pecado*" (1 S. Juan 1: 4, 7). "En quien tenemos redención por su sangre, *el perdón de pecados*" (Efesios 1: 7. Véase también Apocalipsis 1: 5, 6).

JESUS Y LA ACEPTACION

¿Unicamente cómo llega alguien a ser hijo de Dios?

"Todos sois hijos de Dios *por la fe en Cristo Jesús*" (Gálatas 3: 26).

¿Cuándo podemos ser aceptados por Dios mediante Cristo?

"*En tiempo aceptable te he oído, y en día de salvación te he socorrido. He aquí ahora el tiempo aceptable; he aquí ahora el día de salvación*" (2 Corintios 6: 2).

¿A quién por lo tanto debería atribuirse la gloria y el honor?

"*Al que nos amó, y nos lavó de nuestros pecados con su sangre, y nos hizo reyes y sacerdotes para Dios, su Padre; a él sea gloria e imperio por los siglos de los siglos. Amén*" (Apocalipsis 1: 5, 6).

EL HOMBRE CON EL PASAJE POR BARCO

Se cuenta la historia de un hombre que adquirió un pasaje de un barco para Europa, y procedió entonces a conseguir una provisión de alimento con que subsistir durante el viaje. Y pasó días miserables, hasta que un día alguien lo encontró comiendo queso y bizcochos en un rincón apartado. Se le informó que su pasaje le daba derecho a alimentos ricos y apetitosos en una mesa del comedor. Desde entonces ya no necesitó alimentarse mal. Ahora tenía buenos alimentos a su disposición.

Dios ha provisto salvación por medio de Jesucristo. Se nos dan muchas promesas; la fe acepta las bendiciones brindadas por el cielo. "Tened fe en Dios" (S. Marcos 11: 22).

A Cristo coronad Señor de vida y luz;
con alabanzas proclamad los triunfos de la cruz.
A él, pues, adorad, Señor de salvación;
loor eterno tributad de todo corazón.

E. A. Strange

ESTUDIO 24

La Justificación por la Fe

LA JUSTIFICACION por la fe es la doctrina más revolucionaria del Evangelio. Es la llama que ardía en el corazón de los apóstoles y de los cristianos del primer siglo, la que inflamaba de fervor a San Pablo, y la que dio origen y pujanza a todos los reavivamientos de la fe cristiana cuando y dondequiera se produjese. Es, en esencia, el Evangelio mismo. Su comprensión y aprovechamiento son esenciales.

¿Cuál es, de parte de Dios, el fundamento de la justificación?

"Para que justificados por su gracia, viniésemos a ser herederos conforme a la esperanza de la vida eterna" (Tito 3: 7).

¿Cuál es el medio por el cual esta gracia justificante es asequible al pecador?

"Pues mucho más, estando ya justificados en su sangre [de Cristo], por él seremos salvos de la ira" (Romanos 5: 9).

¿Cómo puede echarse mano de la justificación?

"Concluimos, pues, que el hombre es justificado por fe sin las obras de la ley" (Romanos 3: 28).

¿Cuál es la única manera en que los pecadores pueden ser justificados, o hechos justos?

"Sabiendo que el hombre no es justificado por las obras de la ley, sino por la fe de Jesucristo, nosotros también hemos creído en Jesucristo, para ser justificados por la fe de Cristo y no por las obras de la ley" (Gálatas 2: 16).

¿Qué caso concreto aclara el significado de la doctrina?

"Y lo llevó fuera [a Abrahán], y le dijo: Mira ahora los cielos, y cuenta las estrellas, si las puedes contar. Y le dijo: Así será tu descendencia. Y creyó a Jehová, y le fue contado por justicia" (Génesis 15: 5, 6).

¿Cómo se describe la justicia así obtenida?

"Y ser hallado en él, no teniendo mi propia justicia, que es por la ley, sino la que es por la fe de Cristo, la justicia que es de Dios por la fe" (Filipenses 3: 9).

¿Sobre qué base se concede la justicia?

"Y con el don no sucede como en el caso de aquel uno que pecó; porque ciertamente el juicio vino a causa de un solo pecado para condenación, pero el don vino a causa de muchas transgresiones para justificación" (Romanos 5: 16).

¿Sobre qué base recibe la recompensa el que trabaja?

"Pero al que obra, no se le cuenta el salario como gracia, sino como deuda" (Romanos 4: 4).

¿En qué condición se cuenta la fe como justicia?

"Mas al que no obra, sino cree en aquel que justifica al impío, su fe le es contada por justicia" (vers. 5).

¿De qué modo la gracia, como fundamento de la justificación, excluye la justificación por las obras?

"Y si por gracia, ya no es por obras; de otra manera la gracia ya no es gracia. Y si por obras, ya no es gracia; de otra manera la obra ya no es obra" (Romanos 11: 6).

¿De qué manera han de ser justificados tanto los judíos como los gentiles?

"¿Es Dios solamente Dios de los judíos? ¿No es también Dios de los gentiles? Ciertamente, también de los gentiles. Porque Dios es uno, y él justificará *por la fe* a los de la circuncisión, y *por medio de la fe* a los de la incircuncisión" (Romanos 3: 29, 30).

¿Qué declaración da testimonio de la fe de Abrahán en Dios?

"Tampoco dudó, por incredulidad, de la promesa de Dios, sino que se fortaleció en fe, dando gloria a Dios, *plenamente convencido de que era también poderoso para hacer todo lo que había prometido*" (Romanos 4: 20, 21).

¿Qué le proporcionó esto a él?

"Por lo cual también su *fe le fue contada por justicia*" (vers. 22).

¿Cómo podemos recibir nosotros esta misma justicia imputada?

"Y no solamente con respecto a él se escribió que le fue contada, sino también con respecto a nosotros a quienes ha de ser contada, esto es, *a los que creemos en el que levantó de los muertos a Jesús, Señor nuestro*" (vers. 23, 24).

¿Por qué la fe justificante debe apoyarse tanto en la muerte como en la resurrección de Cristo?

"El cual *fue entregado por nuestras transgresiones, y resucitado para nuestra justificación*" (vers. 25. Véase 1 Corintios 15: 17).

Nota.—La resurrección de Cristo, la Simiente prometida (Gálatas 3: 16), era necesaria para el cumplimiento de la promesa hecha a Abrahán de que su descendencia sería innumerable; y por lo tanto la fe de Abrahán en la promesa de Dios que incluía la resurrección, le fue contada por justicia. Su fe descansaba en aquello que hizo posible que se le imputara la justicia. (Véase Hebreos 11: 17-19.)

¿Qué cosa es inseparable de la justificación por la fe?

"Sabed, pues, esto, varones hermanos: que por medio de él se os anuncia *perdón de pecados*, y que *de todo* aquello de que por la ley de Moisés no pudisteis ser justificados, en él *es justificado todo aquel que cree*" (Hechos 13: 38, 39).

¿Cómo hizo Cristo posible que la justicia se imputara al creyente?

"Porque así como por la desobediencia de un hombre los muchos fueron constituidos pecadores, así también *por la obediencia de uno*, los muchos serán constituidos justos" (Romanos 5: 19).

¿Qué declaración profética predijo esta verdad?

"*En Jehová será justificada* y se gloriará toda la descendencia de Israel" (Isaías 45: 25).

¿Qué otra predicción asevera la misma verdad?

"*Por su conocimiento justificará mi siervo justo a muchos*, y llevará las iniquidades de ellos" (Isaías 53: 11).

¿Qué le permite hacer a Dios la justicia imputada de Cristo, y todavía ser justo?

"Con la mira de manifestar en este tiempo su justicia, *a fin de que él sea el justo, y el que justifica al que es de la fe de Jesús*" (Romanos 3: 26).

¿Qué nombre se le da a Cristo con toda propiedad?

"He aquí que vienen días, dice Jehová, en que levantaré a David renuevo justo, y reinará como Rey, el cual será dichoso, y hará juicio y justicia en la tierra. En sus días será salvo Judá, e Israel habitará confiado; y éste será su nombre con el cual le llamarán: *Jehová, justicia nuestra*" (Jeremías 23: 5, 6).

¿Qué bendita experiencia sigue a la aceptación de Cristo como nuestra justicia?

"Justificados, pues, por la fe, *tenemos paz para con Dios* por medio de nuestro Señor Jesucristo" (Romanos 5: 1).

¿Qué llega así a ser Cristo para el creyente?

"Porque *él es nuestra paz*, que de ambos pueblos hizo uno, derribando la pared intermedia de separación" (Efesios 2: 14).

¿Por qué medios es imposible que sea justificado el pecador?

"*Por las obras de la ley ningún ser humano será justificado delante de él*; porque por medio de la ley es el conocimiento del pecado" (Romanos 3: 20).

¿Cómo da testimonio de estos hechos la muerte de Cristo?

"No desecho la gracia de Dios; pues *si por la ley fuese la justicia, entonces por demás murió Cristo"* (Gálatas 2: 21).

Nota.—En el libro de Gálatas, y a menudo en otros lugares del Nuevo Testamento, la palabra "ley" se refiere al sistema judío de justicia legal, es decir justicia presumiblemente obtenida mediante el cumplimiento mecánico de actos religiosos prescriptos.

¿Qué evidencia el intento de justificarse por la ley?

"De Cristo os desligasteis, los que por la ley os justificáis; *de la gracia habéis caído"* (Gálatas 5: 4).

¿Por qué Israel no alcanzó la justicia?

"Mas Israel, que iba tras una ley de justicia, no la alcanzó. ¿Por qué? *Porque iban tras ella no por fe, sino como por obras de la ley, pues tropezaron en la piedra de tropiezo"* (Romanos 9: 31, 32).

¿Qué se revela por la ley?

"Por medio de la ley es *el conocimiento del pecado"* (Romanos 3: 20).

¿Qué cosas dan testimonio de la genuinidad de la justicia obtenida por la fe, aparte de la ley?

"Pero ahora, aparte de la ley, se ha manifestado la justicia de Dios, *testificada por la ley y por los profetas"* (vers. 21).

Nota.—Aquí la palabra "ley" se refiere a los primeros cinco libros de la Biblia.

¿Se invalida por la fe la ley de Dios?

"¿Luego por la fe invalidamos la ley? *En ninguna manera, sino que confirmamos la ley"* (vers. 31).

¿Qué declaraciones bíblicas muestran que la justicia que recibimos por gracia mediante la fe no debe considerarse como una excusa para seguir pecando?

"¿Qué, pues, diremos? *¿Perseveraremos en el pecado para que la gracia abunde? En ninguna manera. Porque los que hemos muerto al pecado,* ¿cómo viviremos aún en él?" (Romanos 6: 1, 2).

¿La fe excluye las obras?

"¿Mas quieres saber, hombre vano, que *la fe sin obras es muerta?"* (Santiago 2: 20).

¿Cuál es la evidencia de una fe genuina y viviente?

"Muéstrame tu fe sin tus obras, y *yo te mostraré mi fe por mis obras"* (vers. 18).

¿Cuáles son, entonces, las pruebas visibles de la genuina justificación por la fe?

"Vosotros veis, pues, que el hombre es justificado por *las obras, y no solamente por la fe"* (vers. 24. Véase también el vers. 22).

¿Qué gran cambio en nuestro favor ha sido hecho en Cristo?

"Al que no conoció pecado, por nosotros lo hizo pecado, para que nosotros fuésemos hechos justicia de Dios en él" (2 Corintios 5: 21).

Nota.—Lutero dijo: "Aprender a conocer a Cristo y a él crucificado. Aprender a cantarle un nuevo canto; desesperar de mí mismo, y decir: ¡Tú, oh Señor Jesús! ¡Tú eres mi justicia, y yo soy tu pecado! Tú has tomado lo mío, y me has dado lo tuyo. Tú no eras lo que llegaste a ser, para que yo pudiera ser lo que no era" (Carta a Spenlein, 1516, *Sammtliche Schriften* de Lutero, ed. Walch, tomo 21, col. 21. Traducción de Merle D'Aubigne, *Historia de la Reforma,* libro 2, cap. 8).

Abrahán es llamado el "padre de los creyentes" porque creyó en la promesa de Dios de que multiplicaría su simiente como las estrellas del cielo y de que a través de ella serían benditas todas las naciones de la tierra.

JIM PADGETT

ESTUDIO 25

La Justicia y la Vida

LA RAZON y la experiencia nos dicen que la justicia es el ambiente donde medra la vida, mientras que la injusticia la deteriora y destruye. Pero sólo Dios, la fuente de la vida y perfecta expresión de la justicia y del amor, nos revela en su Palabra cómo puede el hombre poseer la justicia que le asegure la vida plena y feliz.

¿Qué se le asegura al creyente en Cristo?

"Porque de tal manera amó Dios al mundo, que ha dado a su Hijo unigénito, para que todo aquel que en él cree, no se pierda, mas tenga *vida eterna*" (S. Juan 3: 16).

¿Qué se revela en el Evangelio?

"Porque en él se revela *la justicia de Dios*, de fe en fe, como dice la Escritura: El justo vivirá por la fe" (Romanos 1: 17, BJ).

¿Qué sacó Cristo a luz por el Evangelio?

"El cual quitó la muerte y sacó a luz *la vida y la inmortalidad* por el evangelio" (2 Timoteo 1: 10).

¿Cuán estrechamente están así unidas la justicia y la vida?

"*En el camino de la justicia está la vida;* y en sus caminos no hay muerte" (Proverbios 12: 28).

¿Qué halla el que sigue la justicia?

"El que sigue la justicia y la misericordia hallará la vida, la justicia y la honra" (Proverbios 21: 21).

LA GRACIA, EL ESPIRITU Y LA JUSTICIA

¿Por medio de qué reina la gracia para vida eterna?

"Para que así como el pecado reinó para muerte, así también la gracia reine *por la justicia* para vida eterna *mediante Jesucristo,* Señor nuestro" (Romanos 5: 21).

¿Cuál es la misma vida del espíritu?

"Pero si Cristo está en vosotros, el cuerpo en verdad está muerto a causa del pecado, mas el espíritu vive a causa de *la justicia*" (Romanos 8: 10).

LOS MANDAMIENTOS DE DIOS Y LA JUSTICIA

¿Qué se declara que son los mandamientos de Dios?

"Porque todos tus mandamientos son *justicia*" (Salmo 119: 172).

¿Qué declaró Jesús que es el mandamiento de Dios?

"Y sé que su mandamiento es *vida eterna*" (S. Juan 12: 50).

CRISTO, LA VIDA Y LA JUSTICIA

¿Qué declaró el profeta Jeremías que es Cristo?

"Y éste será su nombre con el cual le llamarán: *Jehová, justicia nuestra*" (Jeremías 23: 6).

¿Qué asevera Cristo mismo que él es?

"Yo soy el camino, y la verdad, y *la vida*" (S. Juan 14: 6).

¿Qué señaló Cristo como esencial para obtener la vida eterna?

"El le dijo: ¿Por qué me llamas bueno? Ninguno hay bueno sino uno: Dios. *Mas si quieres entrar en la vida, guarda los mandamientos*" (S. Mateo 19: 17).

Nota.—La justicia de Dios, que se obtiene por la fe en Cristo, trae consigo la vida de Dios, que está inseparablemente unida con la justicia; y la vida de Dios, que se concede al hombre como un don por la fe en Cristo, es una vida de justicia: la justicia o rectitud de Cristo.

COMO SE RECIBEN LA VIDA Y LA JUSTICIA

¿Cómo se recibe la justicia?

"Pues si por la transgresión de uno solo reinó la muerte, mucho más reinarán en vida por uno solo, Jesucristo, los que reciben la abundancia de la gracia y *del don de la justicia*" (Romanos 5: 17).

¿Cómo se concede la vida eterna?

"Porque la paga del pecado es muerte, mas la *dádiva* de Dios es vida eterna en Cristo Jesús Señor nuestro" (Romanos 6: 23).

AMBAS O NINGUNA

El que quiera recibir el don gratuito de Dios por el cual pueda vivir para siempre, debe recibir necesariamente en su vida la justicia de Dios que lo haga apto para la vida eterna. El hombre no puede recibir vida eterna sin recibir justicia. No puede aceptar una u otra, sino ambas o ninguna.

Hay una fuente sin igual,
la sangre de Emmanuel,
en donde lava cada cual
las manchas que hay en él.

El malhechor se convirtió
muriendo en una cruz,
al ver la sangre que vertió
sin culpa el buen Jesús.

Y yo también, cuan malo soy,
lavarme allí podré;
y en tanto que en el mundo estoy
su gloria cantaré.

Tu sangre nunca perderá,
oh Cristo, su poder,
y sólo en ella así podrá
tu iglesia salva ser.

Desde que aquella fuente vi,
mi tema sólo fue
tu compasivo amor,
y así cantando moriré.

Y cuando del sepulcro ya
resucitado esté,
canción más noble y dulce allá
en gloria entonaré.

La Consagración

DIOS "desea que el hombre, que es la obra maestra de su poder creador, alcance el más alto desarrollo posible. Nos presenta la gloriosa altura a la cual quiere elevarnos mediante su gracia. Nos invita a entregarnos a él a fin de que pueda hacer su voluntad en nosotros". De esa entrega y de algunas de sus manifestaciones prácticas trata este capítulo.

¿Qué ofrenda ordenó el rey Ezequías que se hiciera cuando restableció el culto del templo, después de un período de apostasía?

"Entonces mandó Ezequías sacrificar *el holocausto* en el altar; y cuando comenzó el holocausto, comenzó también el cántico de Jehová, con las trompetas y los instrumentos de David rey de Israel" (2 Crónicas 29: 27).

¿Cómo interpretó Ezequías ante el pueblo judío el significado de este acto religioso?

"Y respondiendo Ezequías, dijo: Vosotros *os habéis consagrado ahora a Jehová;* acercaos, pues, y presentad sacrificios y alabanzas en la casa de Jehová. Y la multitud presentó sacrificios y alabanzas; y todos los generosos de corazón trajeron holocaustos" (vers. 31).

Nota.—Los holocaustos matutinos y vespertinos (Éxodo 29: 38-41) simbolizaban la consagración diaria del pueblo escogido a Dios.

LLAMAMIENTO A LA CONSAGRACION CONTINUA

¿Cómo insta el apóstol Pablo a todos los cristianos a consagrarse a Dios?

"Así que, hermanos, os ruego por las misericordias de Dios, que presentéis vuestros cuerpos en sacrificio vivo, santo, agradable a Dios, que es vuestro culto racional" (Romanos 12: 1).

¿Qué se declara que son los sacrificios de alabanza?

"Así que, ofrezcamos siempre a Dios, por medio de él, sacrificio de alabanza, es decir, fruto de labios que confiesan su nombre" (Hebreos 13: 15).

¿Cómo debe realizar la iglesia cristiana el culto de consagración?

"Vosotros también, como piedras vivas, sed edificados como casa espiritual y sacerdocio santo, para *ofrecer sacrificios espirituales* aceptables a Dios por medio de Jesucristo" (1 S. Pedro 2: 5).

EL EJEMPLO DE JESUS

¿Quién ha dado ejemplo de consagración completa?

"Y el que quiera ser el primero entre vosotros será vuestro siervo; como el *Hijo del Hombre* no vino para ser servido, sino para servir, y para dar su vida en rescate por muchos" (S. Mateo 20: 27, 28).

¿Qué posición ha tomado Jesús entre sus hermanos?

"Porque, ¿cuál es mayor, el que se sienta a la mesa, o el que sirve? ¿No es el que se sienta a la mesa? Mas *yo estoy entre vosotros como el que sirve*" (S. Lucas 22: 27).

¿En qué consiste la semejanza a Cristo?

"Haya, pues, en vosotros *este sentir* que hubo también en Cristo Jesús" (Filipenses 2: 5).

¿Qué lo indujo a hacer a Cristo el espíritu de mansedumbre y consagración?

"Sino que se despojó a sí mismo, *tomando forma de siervo*, hecho semejante a los hombres" (vers. 7).

¿Hasta qué grado se humilló Jesús?

"Y estando en la condición de hombre, se humilló a sí mismo, haciéndose obediente *hasta la muerte, y muerte de cruz*" (vers. 8).

LLAMAMIENTO A LA CONSAGRACION COMPLETA

¿Con qué palabras nos exhorta él a consagrarnos de la misma manera?

"*Llevad mi yugo sobre vosotros, y aprended de mí*, que soy manso y humilde de corazón; y hallaréis descanso para vuestras almas" (S. Mateo 11: 29).

¿Qué pone él como condición del discipulado?

"Así, pues, cualquiera de vosotros que no renuncia a todo lo que posee, no puede ser mi discípulo" (S. Lucas 14: 33).

¿Qué cosa prueba que uno no pertenece a Cristo?

"Y si alguno no tiene el Espíritu de Cristo, no es de él" (Romanos 8: 9).

¿Cómo debería andar el que profesa permanecer en Cristo?

"El que dice que permanece en él, *debe andar como él anduvo*" (1 S. Juan 2: 6).

¿Somos dueños de nosotros mismos?

"¿O ignoráis que ... *no sois vuestros?* Porque habéis sido comprados por precio" (1 Corintios 6: 19, 20).

¿Qué se nos exhorta por lo tanto que hagamos?

"*Glorificad*, pues, *a Dios en vuestro cuerpo y en vuestro espíritu*, los cuales son de Dios" (vers. 20).

Nota.—Nuestro tiempo, nuestras fuerzas y recursos pertenecen a Dios, y deberían dedicarse a su servicio.

¿De quién son templo los cuerpos de los cristianos?

"¿O ignoráis que vuestro cuerpo *es templo del Espíritu Santo*, el cual está en vosotros, el cual tenéis de Dios?" (vers. 19).

Cuando uno está verdaderamente consagrado, ¿para qué está listo?

"Después oí la voz del Señor, que decía: ¿A quién enviaré, y quién irá por nosotros? *Entonces respondí yo: Heme aquí, envíame a mí*" (Isaías 6: 8).

¿Cómo se expresa de otra manera esta disposición para servir?

"He aquí, como los ojos de los siervos miran a la mano de sus señores, y como los ojos de la sierva a la mano de su señora, *así nuestros ojos miran a Jehová nuestro Dios*" (Salmo 123: 2).

POSTRADO SOBRE UNA RODILLA

La siguiente historia ilustra cómo debemos nosotros entregarnos plena y completamente. Un niño asistió con su madre a una reunión de reavivamiento realizada en una iglesia metodista. Al volver a casa, él dijo: "Mamá, el Sr. Tal y Tal está convencido, pero no tendrá paz esta noche". "¿Por qué no?", le preguntó su madre. Con todo candor el niño contestó: "Porque él estaba postrado sobre una sola rodilla, y nunca tendrá paz mientras no se postre sobre ambas rodillas". Nada menos que una entrega completa y sin reservas a toda la voluntad de Dios será aceptable para él o para nosotros mismos a la larga. Pero, gracias a Dios, una consagración de todo corazón será aceptable y fructífera para vida eterna.

ESTUDIO 27

La Elección Bíblica

LA BIBLIA habla de la elección que Dios hace de los hombres para salvación. ¿Qué significa esa elección? ¿Excluye arbitrariamente a los demás? ¿Qué relación tiene con el libre albedrío y nuestra responsabilidad individual como agentes morales?

EL LLAMAMIENTO, LA CORONA Y LA CONDICION

¿Qué nos amonesta a hacer el apóstol Pedro?

"Por lo cual, hermanos, ... *procurad hacer firme vuestra vocación y elección*" (2 S. Pedro 1: 10).

Nota.—Este texto revela de una vez el hecho de que nuestra salvación, hasta donde concierne a nuestros casos individuales, depende de nosotros mismos. Somos elegidos para ser salvos; pero debemos ser diligentes en hacer segura esta elección. Si no lo hacemos, la elección no cumplirá su finalidad en nuestro caso, y nos perderemos.

¿Qué amonestación de Cristo enseña la misma lección?

"He aquí, yo vengo pronto; *retén lo que tienes, para que ninguno tome tu corona*" (Apocalipsis 3: 11).

Nota.—Se ha preparado una corona para cada uno de los que finalmente serán redimidos. Toda alma es candidato en la carrera por la vida eterna y, en consecuencia, a una corona. La fe en Jesús y la perseverancia hasta el fin asegurarán nuestra elección.

¿Bajo qué condición se promete la corona de la vida?

"*Sé fiel hasta la muerte, y yo te daré la corona de la vida*" (Apocalipsis 2: 10).

EL LLAMAMIENTO DE DIOS EN CRISTO A LA SANTIDAD

¿En quién, desde cuándo y para qué se nos escogió?

"*Según nos escogió en él antes de la fundación del mundo, para que fuésemos santos y sin mancha* delante de él" (Efesios 1: 4).

¿Para qué ha predestinado Dios a los que sean santos y sin mancha?

"Habiéndonos predestinado *para ser adoptados hijos suyos por medio de Jesucristo*" (vers. 5).

¿De acuerdo con qué nos llama Dios?

"Y sabemos que a los que aman a Dios, todas las cosas les ayudan a bien, esto es, a los que *conforme a su propósito son llamados*" (Romanos 8: 28).

¿De acuerdo con qué hemos sido predestinados?

"Habiendo sido predestinados *conforme al propósito del que hace todas las cosas según el designio de su voluntad*" (Efesios 1: 11).

FE PERSEVERANTE Y SALVACION

¿En qué condición se ofrece salvación?

"*Cree en el Señor Jesucristo, y serás salvo*" (Hechos 16: 31).

¿Durante cuánto tiempo debe conservarse esta fe para proporcionar la salvación final?

"Mas *el que persevere hasta el fin*, éste será salvo" (S. Mateo 24: 13. Véase Santiago 1: 12; Apocalipsis 2: 10).

¿Debido a qué hecho puede regocijarse todo creyente?

"Regocijaos de que vuestros nombres están escritos en los cielos" (S. Lucas 10: 20).

¿Los nombres de quiénes serán mantenidos en el libro de la vida?

"El que venciere será vestido de vestiduras blancas; ... y no borraré su nombre del libro de la vida" (Apocalipsis 3: 5).

LA ELECCION DE DIOS Y LA DEL HOMBRE

¿Qué escritura se cita a veces como evidencia de que Dios es arbitrario en su trato con los hombres?

"De manera que de quien quiere, tiene misericordia, y al que quiere endurecer, endurece" (Romanos 9: 18).

¿Pero qué otro pasaje de la Escritura muestra con quién quiere Dios ser misericordioso, y con quién trata de otra manera?

"Con el misericordioso te mostrarás misericordioso, y recto para con el hombre íntegro. Limpio te mostrarás para con el limpio, y severo serás para con el perverso" (Salmo 18: 25, 26. Véase también Isaías 55: 7).

Nota.—Dios quiere que los hombres sean salvos. Dios ha predestinado los caracteres que harán idóneos a los hombres para la salvación, pero no obliga a nadie a recibir a Cristo, poseer ese carácter y ser salvo. Este es un asunto de elección individual. Por sus poderosos hechos y juicios en Egipto, Dios "endureció el corazón de Faraón" (Exodo 7: 3, 13, 22). Pero los mismos prodigios ablandaron los corazones de otros. La diferencia estaba en los corazones, y en la manera en que se recibían el mensaje y el trato de Dios; no en Dios. El mismo sol que ablanda la cera endurece la arcilla. Exodo 8: 32 dice que Faraón endureció su corazón.

¿Cuántos quiere Dios que sean salvos?

"El cual quiere que todos los hombres sean salvos y vengan al conocimiento de la verdad" (1 Timoteo 2: 4)

¿Qué es esencial, de parte del hombre, para la salvación?

"Escogeos hoy a quién sirváis" (Josué 24: 15). "El que quiera hacer la voluntad de Dios, conocerá si la doctrina es de Dios" (S. Juan 7: 17). "Cree en el Señor Jesucristo, y serás salvo" (Hechos 16: 31). "El que quiera, tome del agua de la vida gratuitamente" (Apocalipsis 22: 17).

EL QUE DECIDE LA ELECCION

Un hombre una vez deseaba unirse a cierta iglesia, pero dijo que no podía hacerlo debido al criterio que esa iglesia sostenía respecto a la "elección". El ministro a quien fue enviado en busca de ayuda y de iluminación no pudo aclararle el asunto, pero un viejo hombre de color, un laico, acudió en su auxilio. "Hermano —le dijo—, ésta es la cosa más fácil de la iglesia. Podríamos decirlo así: Las votaciones están en marcha todo el tiempo; Dios vota por Ud., y el diablo vota contra Ud.; pero según como Ud. vote se determinará el resultado de la elección". Comentando este incidente, el Rev. Wilbur Chapman, el notable evangelista, dice: "Yo he estudiado algo de teología, y me gradué en un seminario teológico; pero nunca escuché nada tan bueno como esto".

¡Feliz el día en que escogí
servirte, mi Señor y Dios!
Preciso es que mi gozo en ti
lo muestre hoy con obra y voz.

¡Soy feliz! ¡Soy feliz!
Y en tu favor me gozaré.
En libertad y luz me vi
cuando triunfó en mí la fe,
y el raudal carmesí,
salud de mi alma enferma fue.

T. M. Westrup

La Santificación Bíblica

SEGUN la opinión popular, sólo unos pocos religiosos llegan a la santidad, excelencia moral y espiritual que se les reconoce después de muertos. Pero la Biblia enseña que todos los cristianos están llamados a ser santos. ¿También nosotros? ¿Cómo?

EL LLAMAMIENTO A LA SANTIFICACION

¿Con qué inspiradas palabras señala el apóstol Pablo la norma de la vida cristiana?

"Y el mismo Dios de paz *os santifique por completo; y todo vuestro ser, espíritu, alma y cuerpo,* sea guardado *irreprensible* para la venida de nuestro Señor Jesucristo" (1 Tesalonicenses 5: 23).

¿Cuán necesaria es la santificación?

"Seguid la paz con todos, y la santidad, *sin la cual nadie verá al Señor*" (Hebreos 12: 14).

Nota.—La santificación es el proceso por el cual se llega a la santidad.

¿Con qué definido propósito se entregó Cristo a la iglesia?

"Maridos, amad a vuestras mujeres, así como Cristo amó a la iglesia, y se entregó a sí mismo por ella, *para santificarla,* habiéndola purificado en el lavamiento del agua por la palabra" (Efesios 5: 25, 26).

¿Qué clase de iglesia quisiera él poder presentársela a sí mismo?

"A fin de presentársela a sí mismo, una iglesia *gloriosa, que no tuviese mancha ni arruga ni cosa semejante, sino que fuese santa y sin mancha*" (vers. 27).

LA SANGRE DE CRISTO Y LA TRANSFORMACION

¿Por qué medio se realiza esta limpieza del pecado y esta capacitación para el servicio de Dios?

"Porque si la sangre de los toros y de los machos cabríos, y las cenizas de la becerra rociadas a los inmundos, santifican para la purificación de la carne, ¿cuánto más *la sangre de Cristo,* el cual mediante el Espíritu eterno se ofreció a sí mismo sin mancha a Dios, *limpiará vuestras conciencias de obras muertas para que sirváis al Dios vivo?*" (Hebreos 9: 13, 14. Véase también el capítulo 10: 29).

¿Qué cambio se realiza así?

"No os conforméis a este siglo, sino *transformaos por medio de la renovación de vuestro entendimiento,* para que comprobéis cuál sea la buena voluntad de Dios, agradable y perfecta" (Romanos 12: 2).

¿Qué estímulo se ofrece como ayuda para obtener esta experiencia?

"*Pues la voluntad de Dios es vuestra santificación*" (1 Tesalonicenses 4: 3).

LA SANTIFICACION ES CRECIMIENTO EN LA GRACIA

En el proceso de la santificación, ¿qué actitud debe asumir uno hacia la verdad?

"Debemos dar siempre gracias ... de que Dios os haya escogido desde el principio para salvación, mediante la santificación por el Espíritu y la *fe en la verdad*" (2 Tesalonicenses 2: 13).

¿Qué instrucción indica que la santificación es una obra progresiva?

"Antes bien, *creced en la gracia* y el conocimiento de nuestro Señor y Salvador Jesucristo" (2 S. Pedro 3: 18. Véase el capítulo 1: 5-7).

¿Qué experiencia de Pablo está de acuerdo con esto?

"Hermanos, *yo mismo no pretendo haberlo ya alcanzado;* pero una cosa hago: olvidando ciertamente lo que queda atrás, y extendiéndome a lo que está delante, *prosigo a la meta,* al premio del supremo llamamiento de Dios en Cristo Jesús" (Filipenses 3: 13, 14).

¿Puede alguno jactarse de que no peca?

"Si decimos que no tenemos pecado, a nosotros mismos nos engañamos, y la verdad no está en nosotros" (1 S. Juan 1: 8, VM).

¿Qué nos exhorta el profeta a buscar?

"Buscad a Jehová todos los humildes de la tierra, los que pusisteis por obra su juicio; *buscad justicia, buscad mansedumbre;* quizás seréis guardados en el día del enojo de Jehová" (Sofonías 2: 3).

¿En el nombre de quién deberían hacerse todas las cosas?

"Y todo lo que hacéis, sea de palabra o de hecho, *hacedlo todo en el nombre del Señor Jesús*" (Colosenses 3: 17).

En todo lo que hagamos, ¿la gloria de quién deberíamos tener en vista?

"Si, pues, coméis o bebéis, o hacéis otra cosa, *hacedlo todo para la gloria de Dios*" (1 Corintios 10: 31).

EXCLUIDOS O INCLUIDOS

¿Qué clase de personas son excluidas necesariamente del reino de Dios?

"Porque sabéis esto, que ningún fornicario, o inmundo, o avaro, que es idólatra, tiene herencia en el reino de Cristo y de Dios" (Efesios 5: 5). "¿No sabéis que los injustos no heredarán el reino de Dios? No erréis; ni los fornicarios, ni los idólatras, ni los adúlteros, ni los afeminados, ni los que se echan con varones, ni los ladrones, ni los avaros, ni los borrachos, ni los maldicientes, ni los estafadores, heredarán el reino de Dios" (1 Corintios 6: 9, 10).

¿Qué cosas debemos crucificar y eliminar de nuestras vidas si queremos ser santos?

"Haced morir, pues, lo terrenal en vosotros: fornicación, impureza, pasiones desordenadas, malos deseos y avaricia, que es idolatría; cosas por las cuales la ira de Dios viene sobre los hijos de desobediencia" (Colosenses 3: 5, 6).

Cuando se limpia de estos pecados, ¿en qué condición se halla un hombre, y para qué está preparado?

"Así que, si alguno se limpia de estas cosas, será instrumento para honra, santificado, útil al Señor, y dispuesto para toda buena obra" (2 Timoteo 2: 21).

HABLA UN MINISTRO ANGLICANO

"*Santificación es el término que se usa para describir la obra del Espíritu Santo en el carácter de los que son justificados. Somos justificados a fin de poder ser santificados, y somos santificados a fin de poder ser glorificados. 'A los que justificó, a éstos también glorificó' (Romanos 8: 30). Se nos da la gracia de Dios para hacernos santos y ser aptos así para estar en la presencia de Dios en la eternidad; porque sin la santidad 'nadie verá al Señor' (Hebreos 12: 14)*" (Rev. Vernon Staley, la Religión Católica [Anglicana], pág. 327).

ESTUDIO 29

Importancia de la Sana Doctrina

SOLAMENTE los irresponsables y los cobardes prefieren vivir en el error o en el engaño antes que conocer la verdad, practicarla y defenderla. Pero los espíritus superiores consideran la verdad como una de sus mayores riquezas. ¿Cómo podemos descubrirla en materia religiosa, en relación con Dios y la eternidad? Este capítulo y el siguiente contestan en síntesis estas preguntas.

¿QUE IMPORTANCIA TIENE?

¿Importa lo que uno cree, o basta que sea sincero?

Dios os ha "escogido desde el principio para salvación, mediante la santificación por el Espíritu y *la fe en la verdad*" (2 Tesalonicenses 2: 13).

Nota.—La doctrina influye en *la vida*. La verdad guía a la vida y a Dios; el error, a la muerte y la destrucción. Algunos piensan o dicen que no importa qué Dios se adore, con tal que se lo haga con sinceridad. Eso es como pensar o decir que no importa lo que se *coma o beba*, con tal que *guste*; o que da lo mismo tomar una carretera que otra, siempre que se *piense* que es la carretera correcta. La sinceridad es una virtud; pero no es la piedra de toque de la sana doctrina. Dios quiere que nosotros conozcamos la *verdad*, y ha hecho provisión mediante la cual podemos *saber qué es la verdad*.

¿Pensaba Josué que no importaba a qué dios sirviera Israel?

"Ahora, pues, temed a Jehová, y servidle con integridad y en verdad; y *quitad de entre vosotros los dioses a los cuales sirvieron vuestros padres al otro lado del río, y en Egipto; y servid a Jehová*. Y si mal os parece servir a Jehová, escogeos hoy a quién sirváis; si a los dioses a quienes sirvieron vuestros padres, cuando estuvieron al otro lado del río, o a los dioses de los amorreos en cuya tierra habitáis; pero *yo y mi casa serviremos a Jehová*" (Josué 24: 14, 15).

Nota.—La influencia de todo culto idolátrico es degradante (véase Romanos 1: 21-32; Números 15; 1 Corintios 10: 20; 1 S. Juan 5: 21).

¿Qué consejo se le dio a Timoteo mientras se preparaba para el ministerio evangélico?

"Entre tanto que voy, ocúpate en la lectura, la exhortación y la enseñanza... Ten *cuidado* de ti mismo y de *la doctrina* (1 Timoteo 4: 13, 16).

¿Qué se le encargó solemnemente en cuanto a su obra pública?

"Te encarezco delante de Dios y del Señor Jesucristo, que juzgará a los vivos y a los muertos en su manifestación y en su reino, *que prediques la palabra; ... redarguye, reprende, exhorta con toda paciencia y doctrina*" (2 Timoteo 4: 1, 2).

¿Qué instrucción similar se le dio a Tito?

"Mas tú enseña lo que es conforme a *la sana doctrina*... Muéstrate dechado de buenas obras: *pureza de doctrina, dignidad, palabra sana, intachable*" (Tito 2: 1, 7, 8, BJ).

AMONESTACION CONTRA LAS FALSAS DOCTRINAS

¿De qué clase de doctrina debemos precavernos?

"No seamos niños fluctuantes, llevados por doquiera de *todo viento de doctrina*" (Efesios 4: 14. Véase también Hebreos 13: 9).

¿Qué es un "viento de doctrina"?

"Y los profetas *no son más que viento, la Palabra en ellos no se alberga*" (Jeremías 5: 13, EP).

Nota.—Una doctrina no es un viento de doctrina porque se la llame así. Es un viento de doctrina cuando no se basa en la Palabra de Dios.

100

Los creyentes de Berea dejaron a la posteridad un ejemplo digno, "pues recibieron la palabra con toda solicitud, escudriñando cada día las Escrituras para ver si estas cosas eran así" (Hechos 17: 11).

¿Qué peligro entraña la enseñanza de falsas doctrinas?

"Se desviaron de la verdad, diciendo que la resurrección ya se efectuó, y *trastornan la fe de algunos*" (2 Timoteo 2: 18).

¿Qué clase de culto es resultado de las falsas doctrinas?

"*¡En vano me rinden culto*, enseñando doctrinas que son preceptos de los hombres!" (S. Mateo 15: 9, VM).

¿Por qué doctrinas serán extraviados algunos en los últimos días?

"Pero el Espíritu dice claramente que en los postreros tiempos algunos apostatarán de la fe, escuchando a espíritus engañadores y a *doctrinas de demonios*" (1 Timoteo 4: 1. Véase 2 S. Pedro 2: 1).

¿De qué apartarían los hombres sus oídos?

"*Porque vendrá tiempo cuando no sufrirán la sana doctrina*, sino que teniendo comezón de oír, se amontonarán maestros conforme a sus propias concupiscencias, y *apartarán de la verdad el oído y se volverán a las fábulas*" (2 Timoteo 4: 3, 4).

LA PRUEBA DE LO VERDADERO Y LO FALSO

¿Cómo podemos determinar la veracidad de cualquier doctrina?

"*Examinadlo todo*; retened lo bueno" (1 Tesalonicenses 5: 21).

Nota.—"La Biblia es la piedra de toque de toda doctrina. Cualquier cosa que no armonice y concuerde con ella, no debe aceptarse. No hay sino una norma de lo eternamente verdadero y de lo eternamente falso, y ella es la Biblia" (T. De Witt Talmage).

¿Para qué es útil toda la Escritura?

"Toda la Escritura es inspirada por Dios, y útil *para enseñar*" (2 Timoteo 3: 16).

¿Para qué capacitará al maestro fiel la sana doctrina?

"Reteniendo firme la palabra fiel, que es conforme a la enseñanza, para que pueda así *exhortar en la sana doctrina, y convencer a los que contradicen*" (Tito 1: 9, VM).

NUESTRA ACTITUD PERSONAL HACIA LA VERDAD

¿Quiénes son discípulos de Jesús, y qué hará la verdad en favor de los que la reciban?

"*Si vosotros permaneciereis en mi palabra, seréis verdaderamente mis discípulos; y conoceréis la verdad, y la verdad os hará libres*" (S. Juan 8: 31, 32).

¿Por medio de qué serán ellos santificados?

"Santifícalos en *tu verdad*; tu palabra es verdad (S. Juan 17: 17).

¿Podemos cerrar nuestros oídos a la verdad y ser inocentes delante de Dios?

"El que aparta su oído para no oír la ley, *su oración también es abominable*" (Proverbios 28: 9).

¿Qué dijo Cristo acerca de los que quieren hacer la voluntad de Dios?

"El que quiera hacer la voluntad de Dios, *conocerá si la doctrina es de Dios*, o si yo hablo por mi propia cuenta" (S. Juan 7: 17. Véase también Salmo 25: 9; S. Juan 8: 12).

RESULTADOS DE NUESTRA ELECCION

¿Qué permitirá Dios que sobrevenga a los que rechazan la verdad?

"Por cuanto no recibieron el amor de la verdad para ser salvos. Por esto Dios les envía un *poder engañoso*, para que crean la mentira, a fin de que sean condenados todos los que no creyeron a la verdad, sino que se complacieron en la injusticia" (2 Tesalonicenses 2: 10-12).

¿Qué suerte aguarda a los guías ciegos y a sus seguidores?

"Dejadlos; son ciegos guías de ciegos; y si el ciego guiare al *ciego, ambos caerán en el hoyo*" (S. Mateo 15: 14).

¿A quiénes se abrirán finalmente las puertas del cielo?

"Abrid las puertas, y entrará *la gente justa, guardadora de verdades*" (Isaías 26: 2. Véase también Apocalipsis 22: 14).

ESTUDIO 30

La Verdad Presente

ENTRE las verdades que al cristiano le conviene conocer y tomar en cuenta para orientar su vida ocupa un lugar de sobresaliente importancia la que se ha dado en llamar "la verdad presente". ¿Qué se entiende por "la verdad presente", y cuál es la que corresponde a nuestros días?

¿Con qué son santificados los hombres?

"Santifícalos con la verdad: tu palabra es la verdad" (S. Juan 17: 17, VM).

¿A qué conocimiento quiere Dios que arriben todos los hombres?

"El cual quiere que todos los hombres sean salvos y vengan al conocimiento de la verdad" (1 Timoteo 2: 4).

Después de recibir el conocimiento de la verdad, ¿qué debe hacer uno para ser santificado por ella?

"Dios os ha escogido desde el principio para la salvación mediante la acción santificadora del Espíritu y la fe en la verdad" (2 Tesalonicenses 2: 13, BJ).

¿Qué se necesita además de una mera creencia en la verdad?

"Elegidos según la presciencia de Dios Padre en santificación del Espíritu, para obedecer" (1 S. Pedro 1: 2).

¿Qué efecto tiene la obediencia de la verdad?

"Habiendo purificado vuestras almas por la obediencia a la verdad, mediante el Espíritu" (vers. 22).

¿Cómo debe ser abrigada siempre la verdad?

"Compra la verdad, y no la vendas" (Proverbios 23: 23).

Nota.—Eso es, comprar la verdad a cualquier costo o sacrificio, y no venderla por ningún precio.

MENSAJES ESPECIALES PARA OCASIONES ESPECIALES

¿Es bíblica la idea de que hay una "verdad presente"? ¿Qué significa esta expresión?

"Por esto, yo no dejaré de recordaros siempre estas cosas, aunque vosotros las sepáis, y estéis confirmados en la verdad presente" (2 S. Pedro 1: 12).

Nota.—Algunas verdades se aplican a todos los tiempos, y son por lo tanto verdad presente para cada generación; otras son de un carácter especial y son aplicables a una sola generación. Estas no son de menos importancia, sin embargo, por causa de eso; porque de su aceptación o rechazamiento depende la salvación o la perdición de la gente de esa generación. A esta clase pertenecía el mensaje de Noé acerca del diluvio. Para la generación a la cual se predicó ese mensaje era la verdad presente; para las generaciones posteriores ha sido verdad pasada, y no un mensaje presente, probatorio. De igual manera, si el mensaje de Juan el Bautista en cuanto al primer advenimiento del Mesías, que estaba cerca, hubiera sido proclamado en la generación anterior o en la posterior a Juan, no hubiera sido aplicable, no habría sido la verdad presente. La gente de la generación anterior no hubiera vivido para ver su cumplimiento, y para la generación posterior el mensaje hubiera sido anacrónico. No ocurre así con las verdades generales, como el amor, la fe, la esperanza, el arrepentimiento, la obediencia, la justicia y la misericordia. Estas son siempre oportunas, y de naturaleza salvadora en todos los tiempos. Las verdades presentes, sin embargo, incluyen a todas éstas.

¿Cuál era el mensaje especial para los días de Noé?

"Dijo, pues, Dios a Noé: He decidido el fin de todo ser, porque la tierra está llena de violencia a causa de ellos; y he aquí que yo los destruiré con la tierra. Hazte un arca de madera de gofer" (Génesis 6: 13, 14).

¿Cómo mostró Noé su fe en este mensaje?

"Por la fe Noé, cuando fue advertido por Dios acerca de cosas que aún no se veían, con temor preparó el arca en que su casa se salvase; y por esa fe condenó al mundo, y fue hecho heredero de la justicia que viene por la fe" (Hebreos 11: 7).

¿Cuántos se salvaron en el arca?

"Esperaba la paciencia de Dios en los días de Noé, mientras se preparaba el arca, en la cual pocas personas, es decir, ocho, fueron salvadas por agua" (1 S. Pedro 3: 20).

Nota.—Sin duda muchos de los que se perdieron en el diluvio profesaban tener fe en Dios, pero la genuinidad de esa fe fue puesta a prueba por el mensaje especial de Noé; y la diferencia entre la fe de ellos y la de Noé se puso de manifiesto cuando ellos rechazaron la verdad salvadora para aquel tiempo, es decir el mensaje de amonestación concerniente al diluvio venidero.

JONAS Y NINIVE

¿Qué mensaje especial le fue encomendado a Jonás para Nínive?

"Y se levantó Jonás, y fue a Nínive conforme a la palabra de Jehová... Y comenzó Jonás a entrar por la ciudad, camino de un día, y predicaba diciendo: De aquí a cuarenta días Nínive será destruida" (Jonás 3: 3, 4).

¿Qué salvó al pueblo de la ruina predicha?

"Y los hombres de Nínive creyeron a Dios, y proclamaron ayuno, y se vistieron de cilicio desde el mayor hasta el menor de ellos ... Y vio Dios lo que hicieron, que se convirtieron de su mal camino; y se arrepintió del mal que había dicho que les haría, y no lo hizo" (vers. 5, 10. Véase Jeremías 18: 7-10).

Nota.—De igual manera Dios hubiera perdonado al mundo antediluviano si ellos hubiesen recibido el mensaje de Noé, y se hubieran convertido de sus malos caminos.

LA PREDICACION DE JUAN EL BAUTISTA

¿Cuál era la misión especial de Juan el Bautista?

"Hubo un hombre enviado de Dios, el cual se llamaba Juan. Este vino por testimonio, para que diese testimonio de la luz, a fin de que todos creyesen por él" (S. Juan 1: 6, 7).

¿Qué contestó él cuando le preguntaron acerca de su misión?

Dijo: *Yo soy la voz de uno que clama en el desierto: Enderezad el camino del Señor, como dijo el profeta Isaías"* (vers. 23).

¿Qué dijo Cristo acerca de los que rechazaron el mensaje de Juan?

"Los fariseos empero y los doctores de la ley, desecharon contra sí mismos el consejo de Dios, no habiendo sido bautizados por Juan" (S. Lucas 7: 30. VM).

¿Qué hicieron los que fueron bautizados por Juan?

"Y todo el pueblo y los publicanos, cuando lo oyeron, justificaron a Dios, bautizándose con el bautismo de Juan" (vers. 29).

Nota.—Es decir, honraron a Dios por este acto de fe.

CRISTO Y SU RECEPCION

¿Recibió el pueblo escogido de Dios al Mesías prometido cuando él vino?

"A lo suyo vino, y los suyos no le recibieron" (S. Juan 1: 11).

¿Qué razón adujeron para no recibirle?

"Nosotros sabemos que Dios ha hablado a Moisés; pero respecto a ése, no sabemos de dónde sea" (S. Juan 9: 29).

Nota.—Ese era el problema; ellos no tenían fe en nada nuevo. Sabían que Dios había hablado por medio de Moisés; requería poca fe el creer eso. Se sentían perfectamente seguros en aceptarlo, porque todas las cosas habían demostrado que Dios lo había enviado. Todos podían comprender eso. Pero aquí había Uno que, aunque había venido en cumplimiento de las profecías de Moisés y los profetas como el Mesías que por largo tiempo habían esperado, ellos sentían que era un riesgo aceptarlo, porque no comprendían las profecías acerca de él, y el tiempo no había producido a satisfacción de ellos las evidencias de que las pretensiones de Jesús eran veraces. Requería demasiada fe, en oposición a su deseo de caminar por vista, el aceptar a Cristo. También requería un cambio de conceptos en cuanto a algunas cosas, y una reforma de la vida. Por eso lo rechazaron. Creían en el diluvio como había creído Noé y se había salvado; creían también en Elías, y profesaban tener fe en todos los profetas; pero al tratarse de esta verdad especial para su tiempo, se negaron a aceptarla. Eso ha ocurrido en todas las épocas, y podemos esperar que continúe ocurriendo lo mismo hasta el fin.

¿Cómo dijo Cristo que razonaban los que lo rechazaban?

Vosotros "edificáis los sepulcros de los profetas, y adornáis los monumentos de los justos, y decís: Si hubiésemos vivido en los días de nuestros padres, no hubiéramos sido sus cómplices en la sangre de los profetas" (S. Mateo 23: 29, 30).

Nota.—Mientras condenaban el hecho que sus padres hubieran matado a los profetas que Dios había enviado con mensajes de reprensión y amonestación aplicables a aquellos tiempos, ellos pronto llenarían la copa de la iniquidad de sus padres dando muerte al Hijo de Dios. Así mostraban que hubieran hecho como sus padres si hubiesen vivido en los días de ellos. Y, por otra parte, vemos que las verdades presentes son verdades probatorias.

¿Cuál fue el resultado del rechazamiento de Cristo por parte de los judíos?

"Y cuando llegó cerca de la ciudad, al verla, lloró sobre ella, diciendo: ¡Oh, si también tú conocieses, a lo menos en este tu día, lo que es para tu paz! *Mas ahora está encubierto de tus ojos*" (S. Lucas 19: 41, 42). "*He aquí vuestra casa os es dejada desierta*" (S. Mateo 23: 38).

MENSAJE ESPECIAL PARA LOS ULTIMOS DIAS

¿Hay un mensaje especial para los últimos días?

"Por tanto, también vosotros estad preparados; porque el Hijo del Hombre vendrá a la hora que no pensáis. *¿Quién es, pues, el siervo fiel y prudente,* al cual puso su señor sobre su casa *para que les dé el alimento a tiempo?*" (S. Mateo 24: 44, 45).

Nota.—En los últimos días se publicará un mensaje que será "alimento a tiempo" para la gente. Este debe ser la amonestación concerniente a la pronta venida de Cristo, y a la preparación necesaria para recibirle. El hecho de que tal mensaje no haya sido siempre predicado no es evidencia de que ahora no deba proclamárselo. En su discurso de despedida de los Padres Peregrinos que partían de Holanda hacia Norteamérica, John Robinson dijo: "El Señor sabe si viviré para volver a ver jamás vuestros rostros, pero sea que el Señor lo permita o no, yo os pido delante de Dios y de sus santos ángeles que no me sigáis a mí más que hasta donde yo he seguido a Cristo. Si Dios os revelare cualquier cosa por cualquier otro ins-

trumento suyo, estad tan dispuestos a recibirla como estuvisteis para recibir toda verdad a través de mi ministerio; porque tengo plena confianza en que el Señor tiene más verdad y luz todavía para hacer irradiar de su santa Palabra. Por mi parte, no puedo deplorar suficientemente la condición de las iglesias reformadas que han llegado en su posición religiosa al punto de no avanzar un paso más que los instrumentos que las reformaron. Los luteranos no pueden ser inducidos a ir más allá de lo que Lutero entendía, ... y los calvinistas, lo sabéis, se plantaron firmemente donde los dejó el gran hombre de Dios, quien sin embargo no comprendía todas las cosas. Esta es una calamidad muy lamentable; porque aunque ellos eran luces que ardían y brillaban en su tiempo, no penetraron en todo el consejo de Dios; pero si vivieran hoy estarían dispuestos a abrazar verdades adicionales a las que recibieron primeramente".

¿Qué dice Cristo en cuanto al siervo que, cuando él venga, se halle dando "el alimento a tiempo"?

"*Bienaventurado* aquel siervo al cual, cuando su señor venga, le halle haciendo así" (vers. 46).

Nota.—La venida de Cristo en gloria ha sido la esperanza de los fieles en todos los tiempos.

¿Cuál será la nota tónica del mensaje evangélico final?

"Temed a Dios, y dadle gloria, porque la hora de su juicio ha llegado; y adorad a aquel que hizo el cielo y la tierra, el mar y las fuentes de las aguas... Ha caído, ha caído Babilonia... Si alguno adora a la bestia y a su imagen, y recibe la marca en su frente o en su mano, él también beberá del vino de la ira de Dios" (Apocalipsis 14: 7-10).

¿Cómo se describe a los que aceptan este mensaje?

"Aquí está la paciencia de los santos, los que guardan los mandamientos de Dios y la fe de Jesús" (vers. 12).

¿Cuán fervientemente ha de llevarse adelante esta obra?

"Dijo el señor al siervo: Ve por los caminos y por los vallados, y *fuérzalos a entrar,* para que se llene mi casa" (S. Lucas 14: 23).

Nota.—Esta obra está en marcha ahora. En todas partes del mundo se está oyendo este último mensaje evangélico, y se está instando a la gente a aceptarlo, y a prepararse para la venida y el reino de Cristo. Véanse los capítulos de las páginas 195-205.

ESTUDIO 31

La Obediencia por la Fe

EN TIEMPOS de rebelión o crisis de autoridad es más necesario que nunca recalcar la importancia de la obediencia a las leyes de la vida, y comprender que esas leyes son expresión de la voluntad y el carácter de Dios, el manantial de la vida. Y es también importante conocer la relación entre la fe y la obediencia.

¿Qué le ordenó Dios a Abrahán que hiciera?

"Pero Jehová había dicho a Abram: *Vete de tu tierra y de tu parentela, y de la casa de tu padre, a la tierra que te mostraré*" (Génesis 12: 1).

¿Cómo respondió Abrahán a esta orden?

"*Y se fue Abram*, como Jehová le dijo; y Lot fue con él. Y era Abram de edad de setenta y cinco años cuando salió de Harán" (vers. 4).

¿De qué era fruto la obediencia de Abrahán?

"*Por la fe* Abraham, siendo llamado, obedeció para salir al lugar que había de recibir como herencia; y salió sin saber a dónde iba" (Hebreos 11: 8).

LA SUPREMA PRUEBA DE ABRAHAN

¿Qué orden le dio más tarde el Señor a Abrahán?

"Y dijo: *Toma ahora tu hijo, tu único, Isaac, a quien amas,* y vete a tierra de Moriah, y *ofrécelo allí en holocausto* sobre uno de los montes que yo te diré" (Génesis 22: 2).

¿Sobre qué base fueron entonces renovadas a Abrahán las promesas que se le hicieron previamente?

"Y dijo: Por mí mismo he jurado, dice Jehová, que *por cuanto has hecho esto, y no me has rehusado tu hijo, tu único hijo;* de cierto te bendeciré, y multiplicaré tu descendencia como las estrellas del cielo y como la arena que está a la orilla del mar; y tu descendencia poseerá las puertas de tus enemigos. En tu simiente serán benditas todas las naciones de la tierra, *por cuanto obedeciste a mi voz*" (vers. 16-18).

¿Qué lo capacitó a Abrahán para soportar esta prueba?

"*Por la fe* Abraham, cuando fue probado, ofreció a Isaac; y el que había recibido las promesas ofrecía su unigénito" (Hebreos 11: 17).

¿De qué eran una evidencia las obras de Abrahán?

"¿No fue *justificado* por las obras Abraham nuestro padre, cuando ofreció a su hijo Isaac sobre el altar?" (Santiago 2: 21).

¿La perfección de qué cosa se manifestó por las obras?

"¿No ves que la fe actuó juntamente con sus obras, y que *la fe se perfeccionó por las obras?*" (vers. 22).

LA FE GENUINA

¿Qué clase de fe tiene valor a la vista de Dios?

"Porque en Cristo Jesús ni la circuncisión vale algo, ni la incircuncisión, sino *la fe que obra por el amor*" (Gálatas 5: 6).

Nota.—La fe que justifica es la fe que obra. Los que dicen y no hacen, no son hombres de fe. La obediencia que agrada a Dios es el fruto de la fe que acepta el compromiso asumido por Dios en su palabra, y somete el obrar a su divino poder, plenamente seguro

El profeta Samuel expresó una verdad religiosa fundamental al declarar con valentía ante el rey Saúl: "Ciertamente el obedecer es mejor que los sacrificios" (1 Samuel 15: 22).

JOHN STEEL

de que lo que él ha prometido es capaz también de hacerlo. Esta es la fe que es contada por justicia. (Véase Romanos 4: 21, 22.)

¿Para qué se recibe la gracia de Cristo?

"Por quien recibimos la gracia y el apostolado, *para la obediencia a la fe* en todas las naciones por amor de su nombre" (Romanos 1: 5).

¿Qué efecto tenía en los oyentes la predicación de los apóstoles?

"Y crecía la palabra del Señor, y *el número de los discípulos se multiplicaba* grandemente en Jerusalén; también *muchos de los sacerdotes obedecían a la fe*" (Hechos 6: 7).

¿Cuán altamente estima Dios la obediencia?

"Y Samuel dijo: ¿Se complace Jehová tanto en los holocaustos y víctimas, como en que se obedezca a las palabras de Jehová? Ciertamente *el obedecer es mejor que los sacrificios, y el prestar atención que la grosura de los carneros*" (1 Samuel 15: 22).

EL EJEMPLO DE JESUS

¿Qué ejemplo de obediencia a la voluntad del Padre nos dejó Jesús?

"Y estando en la condición de hombre, se humilló a sí mismo, *haciéndose obediente hasta la muerte, y muerte de cruz*" (Filipenses 2: 8).

¿A qué precio aprendió él la lección de obediencia?

"Y aunque era Hijo, *por lo que padeció aprendió la obediencia*" (Hebreos 5: 8).

Nota.—No quiere decir este texto que, antes de padecer, Jesús desobedecía, sino que el sufrimiento lo preparaba para obedecer cada vez en condiciones más difíciles, hasta culminar en el Getsemaní y en el Calvario.

¿Para quiénes llegó a ser Cristo el autor de la salvación?

"Y habiendo sido perfeccionado, vino a ser autor de eterna salvación *para todos los que le obedecen*" (vers. 9).

¿Cuán completa debe ser esta obediencia?

"Derribando argumentos y toda altivez que se levanta contra el conocimiento de Dios, y *llevando cautivo todo pensamiento a la obediencia a Cristo*" (2 Corintios 10: 5).

¿De qué acusó Jesús a los fariseos?

"Les decía también: Bien *invalidáis el mandamiento de Dios para guardar vuestra tradición*" (S. Marcos 7: 9).

Nota.—La tradición humana es simplemente la voz del hombre conservada en la iglesia. Seguir las tradiciones de los hombres en lugar de obedecer los mandamientos de Dios es repetir el pecado de Saúl.

SUERTE Y DESTINO

¿Cuál será la suerte de los que no obedecen el Evangelio de Cristo?

"Y a vosotros que sois afligidos, daros descanso juntamente con nosotros, en el tiempo de la revelación del Señor Jesús, desde el cielo, con sus poderosos ángeles, en llamas de fuego, *tomando venganza en los que no conocen a Dios y en los que no obedecen al evangelio de nuestro Señor Jesús*" (2 Tesalonicenses 1: 7, 8, VM).

¿Qué condición se logra mediante la obediencia de la verdad?

"*Habiendo purificado vuestras almas por la obediencia a la verdad*, mediante el Espíritu, para el amor fraternal no fingido, amaos unos a otros entrañablemente, de corazón puro" (1 S. Pedro 1: 22).

¿Qué se promete a los obedientes?

"Si fuereis bien dispuestos y obedientes, *de lo mejor de la tierra comeréis*" (Isaías 1: 19, VM).

LA VIDA Y LAS ENSEÑANZAS DE CRISTO

ESTUDIO

"Y estaban maravillados de las palabras de gracia que salían de su boca", porque "¡jamás hombre alguno ha hablado como este hombre!"

(S. Lucas 4: 22; S. Juan 7: 46).

Nacimiento, Niñez y Vida Temprana de Cristo

EL NACIMIENTO de Cristo es el acontecimiento más revolucionario de la historia. No puede ser explicado por la ciencia, pero fue predicho claramente por los profetas bíblicos, y su influencia se extendió, hacia el pasado y el futuro, a todas las generaciones. También tiene para nosotros un significado extraordinario.

ANTIGUAS PROMESAS DE LIBERACION

¿Cuál fue la primera promesa de un Salvador del pecado?

"Y Jehová Dios dijo a la serpiente: ... Pondré enemistad entre ti y la mujer, y entre tu simiente y *la simiente suya;* ésta te herirá en la cabeza, y tú le herirás en el calcañar" (Génesis 3: 14, 15).

¿Por medio de quién se le prometió a Abraham la restauración del dominio perdido?

"Porque toda la tierra que ves, te la daré a ti y a tu *simiente,* para siempre" (Génesis 13: 15, VM).

¿Quién era esta simiente prometida?

"No dice: Y a las simientes, como si hablase de muchos, sino como de uno: Y a tu simiente, la cual es *Cristo"* (Gálatas 3: 16).

EL NACIMIENTO DE JESUS

¿Dónde iba a nacer el Cristo?

"Y [Herodes] ... les preguntó dónde había de nacer el Cristo. Ellos le dijeron: En *Belén de Judea"* (S. Mateo 2: 4, 5. Véase Miqueas 5: 2).

¿De quién habría de nacer?

"He aquí que *la virgen* concebirá, y dará a luz un hijo, y llamará su nombre Emanuel" (Isaías 7: 14).

> Nota.—Emanuel significa "Dios con nosotros". (Véase S. Mateo 1: 23.)

Antes de su nacimiento, ¿qué le dijo el ángel a José concerniente al nombre del niño?

"Y dará a luz un hijo, y *llamarás su nombre JESUS,* porque él salvará a su pueblo de sus pecados" (S. Mateo 1: 21).

En ocasión de su nacimiento, ¿qué mensaje les trajo el ángel a los pastores que estaban en el campo?

"Pero el ángel les dijo: No temáis; porque he aquí os doy *nuevas de gran gozo,* que será para todo el pueblo: que os ha nacido hoy, en la ciudad de David, un Salvador, que es CRISTO el Señor" (S. Lucas 2: 10, 11).

¿En qué canto de alabanza se unió una hueste de ángeles?

"Y repentinamente apareció con el ángel una multitud de las huestes celestiales, que alababan a Dios, y decían: *¡Gloria a Dios en las alturas, y en la tierra paz, buena voluntad para con los hombres!"* (vers. 13, 14).

¿Qué profecía de Isaías se cumplió al nacer Cristo?

"*Porque un niño nos es nacido, hijo nos es dado, y el principado sobre su hombro"* (Isaías 9: 6).

El Rey del cielo se humilló y tomó la forma humana. Aunque nació en un tosco pesebre de Belén, algunos pastores de la zona y sabios del Oriente lo reconocieron como el Mesías y lo adoraron.

R. AYRES

¿Cómo dijo el profeta que se lo llamaría?

"Y se llamará su nombre *Admirable, Consejero, Dios fuerte, Padre eterno, Príncipe de paz. Lo dilatado de su imperio y la paz no tendrán límite*" (vers. 6, 7).

¿Qué dijo el piadoso Simeón cuando vio a Jesús?

"Y cuando los padres del niño Jesús lo trajeron al templo, para hacer por él conforme al rito de la ley, él le tomó en sus brazos, y bendijo a Dios, diciendo: Ahora, Señor, despides a tu siervo en paz, conforme a tu palabra; porque han visto mis ojos tu salvación, la cual has preparado en presencia de todos los pueblos; luz para revelación a los gentiles, y gloria de tu pueblo Israel" (S. Lucas 2: 27-32).

¿Cómo se expresó la anciana profetisa Ana al ver a Jesús?

"Esta, presentándose en la misma hora, *daba gracias a Dios*, y hablaba del niño a todos los que esperaban la redención en Jerusalén" (vers. 38).

¿Qué hicieron los sabios del oriente cuando hallaron a Jesús?

"Y al entrar en la casa, vieron al niño con su madre María, y *postrándose, lo adoraron*; y abriendo sus tesoros, *le ofrecieron presentes: oro, incienso y mirra*" (S. Mateo 2: 11).

EL VIAJE A EGIPTO Y EL REGRESO

¿Qué circunstancia permitió que Jesús viviera un tiempo en Egipto?

"Después que partieron ellos, he aquí un ángel del Señor apareció en sueños a José y dijo: Levántate, y toma al niño y a su madre, y huye a Egipto, y permanece allá hasta que yo te diga; porque acontecerá que Herodes buscará al niño para matarlo" (vers. 13).

¿Cómo describe San Juan este satánico deseo de destruir a Cristo?

"Y el dragón se paró frente a la mujer que estaba para dar a luz, a fin de devorar a su hijo tan pronto como naciese" (Apocalipsis 12: 4).

¿De qué manera trató Herodes de destruir a Jesús?

"Herodes entonces, cuando se vio burlado por los magos, se enojó mucho, y *mandó matar a todos los niños menores de dos años que había en Belén* y en todos sus alrededores" (S. Mateo 2: 16).

Después de la muerte de Herodes, ¿dónde fueron a vivir José y su familia?

"*Y vino y habitó en la ciudad que se llama Nazaret*, para que se cumpliese lo que fue dicho por los profetas, que habría de ser llamado nazareno" (vers. 23).

EN NAZARET Y JERUSALEN

¿Qué se dice de la niñez y vida temprana de Cristo?

"*Y el niño crecía y se fortalecía, y se llenaba de sabiduría; y la gracia de Dios era sobre él*" (S. Lucas 2: 40).

Mientras volvían de una fiesta en Jerusalén, ¿cómo perdieron José y María a Jesús cuando él tenía doce años?

"*Y pensando que estaba entre la compañía*, anduvieron camino de un día; y le buscaban entre los parientes y los conocidos; pero como no le hallaron, volvieron a Jerusalén buscándole" (vers. 44, 45).

> *Nota.*—Así es como muchos pierden hoy a Jesús. Suponen que él está en su *compañía*, pero no se preocupan por asegurarse de que él esté con ellos *personalmente*. Por el descuido no se necesita más de un día para perderlo; pero después de perderlo, el volver a encontrarlo a veces cuesta días de penosa búsqueda, como les pasó a José y a María.

¿Qué estaba haciendo Jesús cuando lo encontraron?

"Y aconteció que tres días después le hallaron en el templo, *sentado en medio de los doctores de la ley, oyéndoles y preguntándoles*" (vers. 46).

¿Cómo impresionaban sus preguntas y respuestas a los que le oían?

"Y todos los que le oían, *se maravillaban de su inteligencia y de sus respuestas*" (vers. 47).

Como niño, Jesús manifestó siempre una disposición bondadosa. Sus manos voluntarias estaban listas para servir a los demás, y su vida reveló la virtud de la cortesía desinteresada.

JIM PADGETT

¿Con qué palabras terminan las Escrituras el informe de la vida temprana de Cristo?

"Y Jesús crecía en sabiduría y en estatura, y en gracia para con Dios y los hombres". "Y descendió con ellos, y volvió a Nazaret, y estaba sujeto a ellos" (vers. 52, 51).

EL MODELO DEL CIELO
PARA EL JOVEN DE LA TIERRA

La vida temprana de Cristo es un modelo para todos los niños y jóvenes. Estaba caracterizada por el respeto y el amor a su madre. Era obediente a sus padres, y bondadoso para con todos. Odiaba el pecado, y hacía oídos sordos a toda tentación. Trataba de comprender la razón de las cosas, y así crecía en conocimiento y sabiduría. Era simpático y tierno de corazón, y estaba siempre dispuesto a aliviar a los oprimidos, los tristes y los dolientes. Si amamos a Cristo nos deleitaremos en hablar de él; nuestros pensamientos más dulces se referirán a él, y contemplándolo seremos transformados a su misma imagen.

Soneto de la Encarnación

Para que el alma viva en armonía
con la materia consuetudinaria
y, pagando la deuda originaria,
la noche humana se convierta en día;

para que a la pobreza tuya y mía
suceda una riqueza extraordinaria,
y para que la muerte necesaria
se vuelva sempiterna lozanía,

lo que no tiene iniciación empieza,
el día se transforma en noche oscura.
Lo que no tiene espacio se limita,

se convierte en pobreza la riqueza.
El modelo de todo nos imita,
el Creador se vuelve criatura.

Francisco Luis Bernárdez

ESTUDIO 33

Una Vida sin Pecado

NO MENOS significativo y de vital importancia que el nacimiento de Cristo es, para nosotros, su vida sin pecado. ¿Cuáles son algunos de los beneficios que nos proporciona su impecabilidad y cómo podemos disfrutarlos?

TESTIMONIO PERSONAL

¿Qué testimonio se da en cuanto a la vida terrenal de Cristo?

"*El cual no hizo pecado*, ni se halló engaño en su boca" (1 S. Pedro 2: 22).

¿Qué afirma la Biblia respecto a todos los demás miembros de la familia humana?

"Por cuanto *todos pecaron*, y están destituidos de la gloria de Dios" (Romanos 3: 23).

¿Con qué pregunta desafió Cristo a sus enemigos?

"¿Quién de vosotros me redarguye de pecado?" (S. Juan 8: 46).

LA HUMANIDAD Y LA TENTACION DE CRISTO

¿En qué medida fue tentado Cristo?

"[El] fue *tentado en todo según nuestra semejanza*, pero sin pecado" (Hebreos 4: 15).

Como ser humano, ¿de qué naturaleza participó Jesús?

"Así que, por cuanto los hijos participaron de carne y sangre, *él también participó de lo mismo*, para destruir por medio de la muerte al que tenía el imperio de la muerte, esto es, al diablo" (Hebreos 2: 14).

¿Cuán plenamente participó Cristo de nuestra naturaleza humana?

"Por lo cual *debía ser en todo semejante a sus hermanos*, para venir a ser misericordioso y fiel sumo sacerdote en lo que a Dios se refiere, para expiar los pecados del pueblo" (vers. 17).

Nota.—Jesucristo es tanto Hijo de Dios como Hijo del hombre. Como miembro de la familia humana "debía ser en todo semejante a sus hermanos", "en semejanza de carne de pecado". Precisamente hasta dónde va la semejanza es un misterio de la encarnación que el hombre nunca podrá resolver. La Biblia enseña con toda claridad que Cristo fue tentado justamente como son tentados los hombres; "tentado en todo punto, así como nosotros". Tales tentaciones debían incluir necesariamente la posibilidad de pecar; pero Cristo fue sin pecado. No tiene base bíblica la enseñanza de que la madre de Cristo, por una concepción inmaculada, estaba libre de la herencia pecaminosa de la raza y que, por lo tanto, su divino Hijo era incapaz de pecar. Concerniente a esta errónea doctrina el Dean F. W. Farrar ha dicho acertadamente:

"Algunos, movidos por un celo desmedido e ignorante a la vez, han reclamado para él no solamente una real impecabilidad sino también una naturaleza en la cual el pecado era divino y milagrosamente imposible. ¿Entonces qué? Si su gran conflicto fue meramente una engañosa fantasmagoría, ¿cómo puede beneficiarnos su narración? Si *nosotros* tenemos que pelear la batalla vestidos con la armadura de la libre voluntad humana, ... ¿qué aliento es para nosotros si nuestro gran Capitán peleó no sólo victoriosamente, sino sin real peligro; no sólo resultando ileso, sino aun sin la posibilidad de ser herido? ... Cuidémonos de no contradecir la expresa enseñanza de las Escrituras, ... suponiendo que él no estaba expuesto a tentaciones reales" (*The Life of Christ*, edición 1883, tomo 1, pág. 57).

DIVINA DEMOSTRACION DE VICTORIA

¿Dónde condenó Dios en Cristo al pecado, y ganó para nuestro beneficio la victoria sobre la tentación y el pecado?

"Porque lo que era imposible para la ley, por cuanto era débil por la carne, Dios, enviando a su Hijo en semejanza de carne de pecado y a causa del pecado, *condenó al pecado en la carne*" (Romanos 8: 3).

Nota.—Dios, en Cristo, condenó el pecado, no meramente por fallar contra él como un juez sentado en la silla del juicio, sino viniendo y viviendo *en la carne*, pero sin pecar. En Cristo el demostró que es posible, por su gracia y poder, resistir la tentación, vencer el pecado, y *vivir una vida sin pecado en la carne*.

¿Por el poder de quién vivió Cristo una vida perfecta?

"Las palabras que yo os hablo, no las hablo por mi propia cuenta, sino que *el Padre que mora en mí, él hace las obras*" (S. Juan 14: 10).

Nota.—En su humanidad Cristo dependía tanto del poder divino para hacer las obras de Dios como cualquier hombre para hacer las mismas cosas. Para vivir la vida santa, él no empleaba medios que no estén al alcance de todo ser humano. Por medio de él, cada uno puede tener a Dios morando y practicando en él "*el querer como el hacer*, por su buena voluntad" (1 S. Juan 4: 15; Filipenses 2: 13).

¿Qué abnegado propósito tenía Jesús siempre en vista?

"Porque he descendido del cielo, *no para hacer mi voluntad, sino la voluntad del que me envió*" (S. Juan 6: 38).

A. SCHEFFER

Nuestro Modelo, Ayudador y Amigo

EL MODELO que admiramos deja en nosotros su estampa. Cuanto más entusiasta y constantemente lo admiramos, tanto más nos inspira. Pero a estas consideraciones debe añadirse otra al tratarse de Cristo: Cuanto más se lo conoce y mejor se lo imita, más inteligente y amorosamente se lo adora. He aquí algunas de sus excelencias como nuestro ejemplo, ayudador y amigo.

EN PENSAMIENTOS Y ACCIONES

¿Cómo debería andar el cristiano?

"El que dice que permanece en él, debe andar como él anduvo" (1 S. Juan 2: 6).

¿Qué sentir deberíamos tener nosotros?

"Haya, pues, en vosotros este sentir que hubo también en Cristo Jesús" (Filipenses 2: 5).

Nota.—El sentir de Cristo se caracterizó por la humildad (vers. 6-8); la dependencia de Dios (S. Juan 5: 19, 30); la determinación de hacer solamente la voluntad del Padre (S. Juan 5: 30; 6: 38); la consideración por los demás (Hechos 10: 38); y buena voluntad para sacrificarse y sufrir, y aun para morir, para el bien de otros (2 Corintios 8: 9; Romanos 5: 6-8; 1 S. Pedro 2: 24).

EN LA NIÑEZ Y JUVENTUD

Como niño, ¿qué ejemplo dio Jesús en cuanto a la obediencia a sus padres?

"Y descendió con ellos, y volvió a Nazaret, y estaba sujeto a ellos" (S. Lucas 2: 51).

¿Cómo eran su niñez y juventud?

"Y Jesús crecía en sabiduría y en estatura, y en gracia para con Dios y los hombres" (vers. 52).

DEVOCION Y CEREMONIA

¿Qué ejemplo dio Jesús concerniente al bautismo?

"Entonces Jesús vino de Galilea a Juan al Jordán, para ser bautizado por él. Mas Juan se le oponía, diciendo: Yo necesito ser bautizado por ti, ¿y tú vienes a mí? Pero Jesús le respondió: Deja ahora, porque así conviene que cumplamos toda justicia. Entonces le dejó" (S. Mateo 3: 13-15).

¿Cómo enseñó Cristo a vivir una vida de oración?

"En aquellos días él fue al monte a orar, y pasó la noche orando a Dios" (S. Lucas 6: 12). "Tomó a Pedro, a Juan y a Jacobo, y subió al monte a orar" (S. Lucas 9: 28).

MODELO DE AMOR

¿A qué clase de trabajo dedicó Jesús su vida?

"El pasó haciendo el bien" (Hechos 10: 38, BJ).

¿Por quiénes y para qué dejó Cristo las riquezas del cielo?

"Porque ya conocéis la gracia de nuestro Señor Jesucristo, que por amor a vosotros se hizo pobre, siendo rico, para que vosotros con su pobreza fueseis enriquecidos" (2 Corintios 8: 9).

Cuando se lo injuriaba y maltrataba, ¿qué hacía él?

"Quien cuando le maldecían, no respondía con maldición; cuando padecía, no amenazaba, sino encomendaba la causa al que juzga justamente" (1 S. Pedro 2: 23).

¿Cómo oró por los que lo crucificaban?

"Y Jesús decía: *Padre, perdónalos, porque no saben lo que hacen*" (S. Lucas 23: 34. Véase Hechos 3: 17).

¿Qué inspirado testimonio se da de él?

"*Has amado la justicia, y aborrecido la maldad, por lo cual te ungió Dios, el Dios tuyo, con óleo de alegría más que a tus compañeros*" (Hebreos 1: 9).

EL AYUDADOR PERFECTO

¿Qué se ha abierto a la casa de David por medio de Cristo?

"En aquel tiempo habrá un *manantial abierto para la casa de David y para los habitantes de Jerusalén, para la purificación del pecado y de la inmundicia*" (Zacarías 13: 1).

¿Quién cargó nuestros pecados, y está dispuesto a ayudarnos?

"¡Yo, que hablo en justicia, *poderoso para salvar!*" (Isaías 63: 1, ú. p., VM).

¿Con qué propósito vino Cristo a este mundo?

"Porque el Hijo del Hombre *vino a buscar y a salvar lo que se había perdido*" (S. Lucas 19: 10).

¿Por medio de qué fue hecho Cristo un Salvador completo y perfecto?

"Porque convenía a aquel por cuya causa son todas las cosas, y por quien todas las cosas subsisten, que habiendo de llevar muchos hijos a la gloria, perfeccionase *por aflicciones* al autor de la salvación de ellos" (Hebreos 2: 10).

SU PERFECTA SALVACION

Debido a esto, ¿qué es capaz de hacer Cristo?

"Pues en cuanto él mismo padeció siendo tentado, *es poderoso para socorrer a los que son tentados*" (vers. 18).

¿Cuán completamente puede salvar él?

"Por lo cual también, *puede salvar hasta lo sumo a los que se acercan a Dios por medio de él*, viviendo siempre para interceder por ellos" (Hebreos 7: 25, VM).

¿De qué puede guardarnos él?

"Y a aquel que es poderoso para guardaros sin caída, y presentaros sin mancha delante de su gloria con gran alegría, al único y sabio Dios, nuestro Salvador, sea gloria y majestad, imperio y potencia, ahora y por todos los siglos. Amén" (S. Judas 24, 25).

EL AMIGO PERFECTO

¿Cómo llama él a aquellos que lo aceptan?

"Ya no os llamaré siervos, ... pero os he llamado *amigos*" (S. Juan 15: 15).

¿Qué clase de amigo es él?

"Hay un amigo que es más apegado que el hermano" (Proverbios 18: 24, VM).

¿Cuál es el distintivo de un verdadero amigo?

"El amigo ama en todo tiempo, y el hermano es nacido para la adversidad" (Proverbios 17: 17, VM).

Semejante al Modelo

Imitar a Jesús ha de ser mi afán.
En Jesús quiero mi dechado ver.
Sin mirar a Jesús, nada bueno puedo hacer,
mas fijándome en él, todo es bien.

El Ministerio de Cristo

EL APOSTOL Pedro resumió el ministerio de Cristo en once palabras: "Anduvo haciendo bienes y sanando a todos los oprimidos del diablo". Jesús lo expuso en ocho: "Buscar y salvar lo que se había perdido"; y otra vez definió el objeto de su vida terrenal así: "Servir, y dar su vida en rescate por muchos".

PREDICCION Y PREPARACION

¿Con qué palabras anunció Juan el Bautista el ministerio de Cristo?

"El que viene tras mí, cuyo calzado yo no soy digno de llevar, es más poderoso que yo; él os bautizará en Espíritu Santo y fuego" (S. Mateo 3: 11).

¿Alrededor de qué edad tenía Jesús cuando comenzó su ministerio?

"Jesús mismo al comenzar su ministerio *era como de treinta años*" (S. Lucas 3: 23).

¿Con qué acto y milagrosas manifestaciones se inició su ministerio?

"Aconteció en aquellos días, que Jesús vino de Nazaret de Galilea, y fue *bautizado por Juan en el Jordán. Y luego, cuando subía del agua, vio abrirse los cielos, y al Espíritu como paloma que descendía sobre él. Y vino una voz de los cielos que decía: Tú eres mi Hijo amado; en ti tengo complacencia*" (S. Marcos 1: 9-11).

Antes de emprender su ministerio, ¿por qué experiencia pasó Jesús?

"Y luego el Espíritu le impulsó al desierto. Y *estuvo allí en el desierto cuarenta días, y era* tentado por Satanás, y estaba con las fieras; y los ángeles le servían" (vers. 12, 13. Véase también S. Mateo 4: 1-11; S. Lucas 4: 1-13).

¿Con qué fue ungido Jesús para su obra?

"Cómo Dios ungió *con el Espíritu Santo y con poder* a Jesús de Nazaret, y cómo éste anduvo haciendo bienes y sanando a todos los oprimidos por el diablo, porque Dios estaba con él" (Hechos 10: 38).

EL ANUNCIO EN NAZARET

¿Dónde realizó Jesús una gran parte de su ministerio?

"Y Jesús volvió en el poder del Espíritu a *Galilea,* y se difundió su fama por toda la tierra de alrededor. Y enseñaba en las sinagogas de ellos, y era glorificado por todos" (S. Lucas 4: 14, 15).

¿Cómo anunció él su misión cuando vino a Nazaret?

"Vino a Nazaret, donde se había criado; y en el día de reposo entró en la sinagoga, conforme a su costumbre, y se levantó a leer. Y se le dio el libro del profeta Isaías; y habiendo abierto el libro, halló el lugar donde estaba escrito: El Espíritu del Señor está sobre mí, por cuanto me ha ungido para dar buenas nuevas a los pobres; me ha enviado a *sanar a los quebrantados de corazón; a pregonar libertad a los cautivos, y vista a los ciegos; a poner en libertad a los oprimidos; a predicar el año agradable del Señor... y comenzó a decirles: Hoy se ha cumplido esta Escritura delante de vosotros*" (vers. 16-19, 21).

121

¿Cómo fue impresionado el pueblo por su predicación?

"Y todos daban buen testimonio de él, y estaban maravillados de las palabras de gracia que salían de su boca" (vers. 22).

¿Por qué los moradores de Capernaúm estaban admirados de su doctrina?

"Descendió Jesús a Capernaum, ciudad de Galilea; y les enseñaba en los días de reposo. Y se admiraban de su doctrina; *porque su palabra era con autoridad*" (vers. 31, 32).

¿En qué difería su enseñanza de la de los escribas?

"Y cuando terminó Jesús estas palabras, la gente se admiraba de su doctrina; *porque les enseñaba como quien tiene autoridad, y no como los escribas*" (S. Mateo 7: 28, 29).

¿Cómo recibía a Cristo el pueblo común?

"Y gran multitud del pueblo le oía de *buena gana*" (S. Marcos 12: 37).

UN MEDICO COMPASIVO

En su ministerio, ¿qué obra asociaba Jesús estrechamente con la predicación?

"Y recorrió Jesús toda Galilea, enseñando en las sinagogas de ellos, y predicando el evangelio del reino, y *sanando toda enfermedad y toda dolencia en el pueblo*" (S. Mateo 4: 23).

Nota.—En su ministerio, Cristo combinaba la enseñanza sencilla y práctica con la obra práctica y saludable de auxilio.

¿Cuán extensa era su fama, y cuántos eran atraídos a él?

"Y se difundió su fama por toda Siria; y le trajeron todos los que tenían dolencias, los afligidos por diversas enfermedades y tormentos, los endemoniados, lunáticos y paralíticos; y los sanó. Y *le siguió mucha gente de Galilea, de Decápolis, de Jerusalén, de Judea y del otro lado del Jordán*" (vers. 24, 25).

LA PREOCUPACION DOMINANTE DE JESUS

¿En qué pocas palabras sintetizó Cristo el objeto de su ministerio?

"Porque el Hijo del Hombre vino a *buscar y a salvar lo que se había perdido*" (S. Lucas 19: 10).

¿Cómo expresó Cristo sus sentimientos frente a la impenitencia de Jerusalén?

"Y cuando llegó cerca de la ciudad, al verla, *lloró sobre ella*" (vers. 41).

¿Qué expresión usada frecuentemente al narrar el ministerio de Cristo muestra su profunda simpatía hacia la humanidad?

"Y al ver las multitudes, *tuvo compasión de ellas*; porque estaban desamparadas y dispersas como ovejas que no tienen pastor" (S. Mateo 9: 36). "Y saliendo Jesús, vio una gran multitud, y *tuvo compasión de ellos*, y sanó a los que de ellos estaban enfermos" (cap. 14: 14).

UN REFORMADOR EN EL CENTRO DE OPERACIONES

En ningún otro lugar se manifestó Cristo como un reformador tanto como en Jerusalén, el centro de operaciones de la religión judía, religión que, aunque había procedido de Cristo mismo, había degenerado en un mero formalismo y en una rutina de ceremonias. Tanto el comienzo como el fin de su ministerio aquí fueron señalados por la limpieza del templo (S. Juan 2: 13-18; S. Mateo 21: 12-16).

Cristo el Gran Maestro

LOS más distinguidos estudiantes de las enseñanzas de Cristo lo reconocen como el Maestro de los maestros. Expone las verdades de interés vital con tanta sencillez que hasta los niños pueden comprenderlas, sin que por eso los sabios puedan dominar totalmente su contenido. Sus lecciones, formativas de la personalidad de los estudiantes como las de ningún otro maestro, preparan para el tiempo y la eternidad. Este capítulo explica en parte la razón de su excelencia.

SU REPUTACION Y PODER

¿Qué informe trajeron los oficiales que fueron enviados por los principales sacerdotes y por los fariseos para prender a Jesús?

"¡Jamás hombre alguno ha hablado como este hombre!" (S. Juan 7: 46).

¿Cómo enseñaba Cristo a la gente?

"Les enseñaba *como quien tiene autoridad,* y no como los escribas" (S. Mateo 7: 29).

Nota.—"La enseñanza de los escribas y ancianos era fría y formalista, como una lección aprendida de memoria. Para ellos, la Palabra de Dios no tenía poder vital. Habían sustituido sus enseñanzas por sus propias ideas y tradiciones. En la rutina de las ceremonias profesaban explicar la ley, pero ninguna inspiración de Dios conmovía su corazón ni el de sus oyentes".

¿Por qué la predicación de Cristo era tan impresionante?

"*Porque su palabra era con autoridad*" (S. Lucas 4: 32).

¿De qué estaba lleno él?

"Jesús, lleno *del Espíritu Santo,* volvió del Jordán, y fue llevado por el Espíritu al desierto" (vers. 1).

¿Cuán abundantemente se le dio el Espíritu Santo?

"Aquel a quien Dios ha enviado habla las palabras de Dios, porque le da el Espíritu *sin medida*" (S. Juan 3: 34, BJ).

PARABOLAS PREDICHAS QUE ASOMBRAN A LOS HOMBRES

¿Cómo había sido predicha la enseñanza de Cristo por parábolas?

"Voy a abrir mi boca *en parábolas,* a evocar los misterios del pasado" (Salmo 78: 2, BJ).

¿Cómo se cumplió esto?

"Todo esto habló Jesús por parábolas a la gente, y sin parábolas no les hablaba" (S. Mateo 13: 34).

¿Qué pregunta suscitaban las maravillosas enseñanzas de Cristo?

"Y venido a su tierra, les enseñaba en la sinagoga de ellos, de tal manera que se maravillaban, y decían: ¿De dónde tiene éste esta sabiduría y estos milagros?" (vers. 54).

JESUS EXALTA LA LEY

¿Qué dijo Isaías que Cristo haría con la ley?

"Jehová se complació por amor de su justicia en *magnificar la ley* y *engrandecerla*" (Isaías 42: 21).

Debido a que algunos pensaban que él había venido para destruir la ley, ¿qué dijo Cristo?

"No penséis que he venido para abrogar la ley o los profetas; no he venido para abrogar, sino para cumplir. Porque de cierto os digo que hasta que pasen el cielo y la tierra, ni una jota ni una tilde pasará de la ley, hasta que todo se haya cumplido. De manera que cualquiera que quebrante uno de estos mandamientos muy pequeños, y así enseñe a los hombres, muy pequeño será llamado en el reino de los cielos; mas cualquiera que los haga y los enseñe, éste será llamado grande en el reino de los cielos. Porque os digo que si vuestra justicia no fuere mayor que la de los escribas y fariseos, no entraréis en el reino de los cielos" (S. Mateo 5: 17-20).

SU ARDIENTE TESTIMONIO

¿Qué testimonio dio Nicodemo concerniente a Jesús?

"Rabí, *sabemos que has venido de Dios como maestro;* porque nadie puede hacer estas señales que tú haces, si no está Dios con él" (S. Juan 3: 2).

Tras su diálogo con Jesús junto al pozo de Jacob, ¿qué preguntó la mujer samaritana?

"Entonces la mujer dejó su cántaro, y fue a la ciudad, y dijo a los hombres: venid, ved a un hombre que me ha dicho todo cuanto he hecho. ¿No será éste el Cristo?" (S. Juan 4: 28, 29).

¿Cómo fueron afectados los dos discípulos que iban a Emaús por la conversación de Cristo con ellos?

"Y se decían el uno al otro: ¿*No ardía nuestro corazón en nosotros, mientras nos hablaba en el camino, y cuando nos abría las Escrituras?*" (S. Lucas 24: 32).

En su enseñanza, ¿a qué dirigía Cristo la atención de sus oyentes?

"Y comenzando desde Moisés, y siguiendo por todos los profetas, les declaraba en todas las Escrituras lo que de él decían ... Y les dijo: Estas son las palabras que os hablé, estando aún con vosotros: que era necesario que se cumpliese todo lo que está escrito de mí en *la ley de Moisés,* en *los profetas* y en *los salmos.* Entonces les abrió el entendimiento, para que comprendiesen *las Escrituras*" (vers. 27, 44, 45).

¿Cómo animó él a sus discípulos a prestar atención al cumplimiento de las profecías?

"Cuando veáis en el lugar santo la abominación desoladora de que habló el profeta Daniel *(el que lee, entienda),* entonces los que estén en Judea, huyan a los montes" (S. Mateo 24: 15, 16).

Cristo y la Biblia

Cristo fue un diligente estudiante, un fiel observador y un perfecto expositor de las Escrituras. Enfrentó la tentación con las Escrituras; probó su propio carácter mesiánico mediante las Escrituras; enseñó en base a las Escrituras, y les dijo a sus discípulos que acudiesen a las Escrituras como su consejero y guía para el futuro.

Cristo enseñó sus grandes
ecciones de verdad a vastas multitudes
que estaban en la ignorancia y el error.
Siendo la encarnación de la verdad, siempre trató
de elevar a los que acudían a él.

. BAERG

ESTUDIO 37

Las Parábolas de Cristo

LA ENSEÑANZA en parábolas era popular en los días de Cristo, pero el Señor perfeccionó este método y lo usó en forma tan extensa y efectiva que se lo ha llegado a considerar como el método típico del Maestro. Sus parábolas estaban generalmente basadas en incidentes corrientes de la vida diaria, y servían para aclarar y grabar indeleblemente verdades de carácter espiritual.

LA NATURALEZA DE LAS PARABOLAS

¿Qué referencia profética encontramos en los Salmos sobre el hecho de que Cristo enseñaría en parábolas?

"Voy a abrir mi boca en *parábolas*, a evocar los misterios del pasado" (Salmo 78: 2, BJ).

> Nota.—Básicamente una parábola es una *comparación o similitud*; específicamente es una *historia o narración* breve extraída de la vida o de la naturaleza, mediante la cual se enseña alguna lección importante o se extrae algún principio moral.

Por lo general, ¿de qué fuentes extraía Cristo sus parábolas?

De la naturaleza y de los incidentes de la vida cotidiana.

¿Por qué se destacan las parábolas del Maestro?

"Las parábolas de nuestro Salvador se distinguen por encima de todas las demás debido a su claridad, pureza, inteligibilidad, sencillez e importancia de su enseñanza. Están tomadas mayormente de los asuntos de la vida común, y por lo tanto son comprensibles para todas las personas" (Dr. A. Barnes, sobre S. Mateo 13: 3).

Al terminar una de sus parábolas, ¿qué dijo Cristo?

"El que tiene oídos para oír, oiga" (S. Mateo 13: 9).

EL PORQUE Y EL PARA QUE DE LAS PARABOLAS

¿Qué pregunta le formularon los discípulos al Maestro?

"Entonces, acercándose los discípulos, le dijeron: ¿*Por qué les hablas por parábolas?*" (vers. 10).

¿Qué contestó Cristo?

"El respondiendo, les dijo: *Porque a vosotros os es dado saber los misterios del reino de los cielos; mas a ellos no les es dado. Porque a cualquiera que tiene, se le dará, y tendrá más; pero al que no tiene, aun lo que tiene le será quitado. Por eso les hablo por parábolas: porque viendo no ven y oyendo no oyen, ni entienden*" (vers. 11-13).

> Nota.—Vemos entonces que el objeto de Cristo al usar las parábolas era enseñar los misterios o verdades del reino de los cielos —verdades no necesariamente difíciles para entender, pero que por largo tiempo habían estado ocultas u oscurecidas por el pecado, la apostasía y la tradición— en tal forma que las personas que tenían una actitud espiritual y estaban deseosas de aprender la verdad pudiesen comprenderlas, lo que no ocurriría con las de mente mundana y reacias al Evangelio. Cuando se le pedía el significado de una parábola, Cristo inmediatamente lo explicaba a sus discípulos. (Véase S. Lucas 8: 9-15; S. Mateo 13: 36-43; S. Marcos 4: 33-34.)

Después de haber enseñado mediante parábolas, ¿qué les preguntó Jesús a sus discípulos?

"Jesús les dijo: ¿Habéis entendido todas estas cosas? Ellos respondieron: Sí, Señor" (vers. 51).

¿Cuán extensamente empleaba Cristo las parábolas?

"Todo esto habló Jesús por parábolas a la gente, y sin parábolas no les hablaba" (vers. 34).

Nota.—Las parábolas son sencillamente historias. A todos, no importa la edad, les gusta oír una historia. La narración de historias es uno de los medios más exitosos para despertar el interés, asegurar la atención, y enseñar, ilustrar y subrayar las verdades importantes. Cristo, el mayor de todos los maestros, reconoció esto, y por lo tanto usó constantemente este método de instrucción.

USO SUGERENTE DE LAS PARABOLAS

¿Cómo sugirió Cristo que sus discípulos imitasen su ejemplo al enseñar las verdades del Evangelio?

"El les dijo: Por eso todo escriba docto en el reino de los cielos es semejante a un padre de familia, que saca de su tesoro cosas nuevas y cosas viejas" (vers. 52).

¿Cuáles son algunas de las más conmovedoras parábolas de Cristo?

La parábola de la oveja perdida y la del hijo pródigo (S. Lucas 15: 3-7, 11-32).

"Tan amplia era la visión que Cristo tenía de la verdad, tan vasta su enseñanza, que cada aspecto de la naturaleza era empleado en ilustrar la verdad. Las escenas sobre las cuales la vista reposaba diariamente, se hallaban relacionadas con alguna verdad espiritual, de manera que la naturaleza se halla vestida con las parábolas del Maestro.

"En la primera parte de su ministerio, Cristo había hablado a la gente en palabras tan claras, que todos sus oyentes podían haber entendido las verdades que los hubieran hecho sabios para la salvación. Pero en muchos corazones la verdad no había echado raíces y había sido prestamente arrancada...

"Jesús quiso incitar el espíritu de investigación. Trató de despertar a los descuidados,

e imprimir la verdad en el corazón. La enseñanza en parábolas era popular, y suscitaba el respeto y la atención, no solamente de los judíos, sino de la gente de otras nacionalidades. No podía él haber empleado un método de instrucción más eficaz. Si sus oyentes hubieran anhelado un conocimiento de las cosas divinas habrían podido entender sus palabras; porque él siempre estaba dispuesto a explicarlas a los investigadores sinceros.

"Otra vez Cristo tenía verdades para presentar, que la gente no estaba preparada para aceptar, ni aun para entender. Por esta razón también les enseñó en parábolas. Relacionando sus enseñanzas con las escenas de la vida, la experiencia o la naturaleza, cautivaba su atención e impresionaba sus corazones. Más tarde, cuando ellos miraban los objetos que ilustraban sus lecciones, recordaban las palabras del divino Maestro.

"Jesús buscaba un camino hacia cada corazón. Usando una variedad de ilustraciones, no solamente presentaba la verdad en sus diferentes fases, sino que hablaba al corazón de los distintos oidores. Suscitaba su atención mediante figuras sacadas de las cosas que los rodeaban en la vida diaria. Nadie que escuchara al Salvador podía sentirse descuidado u olvidado. El más humilde, el más pecador, oía en sus enseñanzas una voz que le hablaba con simpatía y ternura" (E. G. de White, *Palabras de vida del gran Maestro*, págs. 10-11).

LECCIONES ENSEÑADAS POR LAS PARABOLAS

Cada parábola tiene el propósito de enseñar alguna verdad importante. Las primeras doce parábolas que figuran en la lista de la página 132 procuran enseñar las siguientes lecciones, respectivamente: (1) El carácter de lo bueno y de lo malo, y el juicio. (2) El valor del Evangelio. (3) En busca de la salvación. (4) La iglesia visible de Cristo. (5) Verdades nuevas y antiguas. (6) El deber de perdonar a otros. (7) Llamado divino en diferentes épocas. (8) Insinceridad y arrepentimiento. (9) Necesidad de justicia. (10) Una profesión de fe vigilante y cuidadosa. (11) Uso de las aptitudes y talentos. (12) Separación final entre los buenos y los malos.

Los Milagros de Cristo

LOS Evangelios mencionan decenas de milagros realizados por Cristo. Todos ellos estaban destinados a satisfacer necesidades reales de sus beneficiarios; a despertar o fortalecer la fe de los observadores en Jesús como enviado de Dios, y a enseñar lecciones de gran trascendencia. También a nosotros puede beneficiarnos el familiarizarnos con ellos; pero nos producirá el máximo beneficio un conocimiento experimental del mayor milagro de Cristo: su vida, su carácter, su misión redentora.

SE LE RECONOCE PODER MILAGROSO

¿Qué testimonio dieron los jefes de los sacerdotes respecto a las obras de Cristo?

"Por tanto los jefes de los sacerdotes y los fariseos reunieron el Sinedrio, y dijeron: ¿Qué hacemos? porque *este hombre hace muchos milagros*" (S. Juan 11: 47, VM).

¿Mediante qué cosas dijo el apóstol Pedro el día de Pentecostés que Cristo había sido aprobado por Dios?

"Varones israelitas, oíd estas palabras: Jesús nazareno, varón aprobado por Dios entre vosotros con las *maravillas, prodigios y señales que Dios hizo entre vosotros por medio de él,* como vosotros mismos sabéis" (Hechos 2: 22).

¿Por qué medios sostenía Cristo que él expulsaba los demonios?

"Mas si *por el dedo de Dios* echo yo fuera los demonios, ciertamente el reino de Dios ha llegado a vosotros" (S. Lucas 11: 20. S. Mateo 12: 28 dice "por el *Espíritu de Dios*").

Nota.—Bajo la tercera plaga de Egipto, que convirtió el polvo en piojos, los magos, al no poder reproducirla, dijeron a Faraón: "Dedo de Dios es éste" (Exodo 8: 18, 19).

¿En qué basaba Nicodemo su creencia de que Cristo era un maestro proveniente de Dios?

"Rabí, sabemos que has venido de Dios como maestro; *porque nadie puede hacer estas señales que tú haces, si no está Dios con él*" (S. Juan 3: 2).

SE LEVANTA LA OPOSICION

Después de la curación de un ciego, ¿con qué acusación trataron los fariseos de probar que Cristo no procedía de Dios?

"Algunos de los fariseos decían: Ese hombre no procede de Dios, porque *no guarda el día de reposo*" (S. Juan 9: 16, p. p.).

Nota.—Esta era una falsa acusación. Cristo guardaba el sábado, pero no de acuerdo con las ideas de los fariseos. (Véase el capítulo sobre "Cristo y el sábado", página 320.)

¿Qué pregunta hicieron otros en oposición a este criterio?

"Otros decían: ¿*Cómo puede un hombre pecador hacer estas señales?* Y había disensión entre ellos". (El mismo versículo, ú. p.)

LA FE DE MUCHOS

¿Cuál fue el resultado de la realización de los milagros de Cristo en ocasión de su primera Pascua?

"Y estando en Jerusalén, en la Pascua, durante la fiesta, *muchos creyeron en su nombre, viendo los milagros que hacía*" (S. Juan 2: 23, VM).

¿Qué pregunta indujo a hacer a muchos la realización de estos milagros?

"Y de entre el pueblo muchos creyeron en él; y decían: *Cuando venga el Cristo, ¿hará por ventura más milagros que los que ha hecho este hombre?*" (S. Juan 7: 31, VM).

¿Por qué seguían muchos a Cristo?

"Y le siguió una gran muchedumbre de gentes, *porque veían los milagros que hacía en los enfermos*" (S. Juan 6: 2, VM).

> Nota.—Un milagro es la manifestación de un poder divino o sobrehumano de alguna manera inusitada o extraordinaria; de aquí su capacidad de llamar la atención. Cristo alimentó a cinco mil mediante la multiplicación de panes y peces, y todos los hombres se asombraron. Todos los días Dios alimenta a millones de seres humanos multiplicando los frutos de la tierra, y nadie se maravilla. Cristo, por un proceso abreviado, convirtió el agua en vino, y todos quedaron atónitos; pero cada año Dios hace esto de la manera usual —por medio de la vid— en cantidades casi ilimitadas, y nadie se asombra. Un milagro, por lo tanto, cuandoquiera se produzca, se realiza para sanar y salvar, y llama la atención a la fuente del poder divino.

¿Qué dijeron las gentes cuando vieron estas cosas?

"*Bien lo ha hecho todo*; hace a los sordos oír, y a los mudos hablar" (S. Marcos 7: 37).

¿Qué clase de enfermedades y dolencias curaba Jesús?

"Y recorrió Jesús toda Galilea, enseñando en las sinagogas de ellos, y predicando el evangelio del reino, y *sanando toda enfermedad y toda dolencia en el pueblo*". "Y le siguió mucha gente, y *sanaba a todos*" (S. Mateo 4: 23; 12: 15).

¿Quiénes eran llevados a él para que los sanara?

"Y se difundió su fama por toda Siria; y le trajeron *todos los que tenían dolencias, los afligidos por diversas enfermedades y tormentos, los endemoniados, lunáticos y paralíticos*; y los sanó" (S. Mateo 4: 24).

A la mujer que se había sanado por tocar su manto, ¿qué le dijo Cristo que la había sanado?

"*Tu fe te ha sanado*" (S. Mateo 9: 22, VM).

¿Qué dijo él a dos ciegos mientras los sanaba?

"*Conforme a vuestra fe, os sea hecho*" (vers. 29).

¿Qué le dijo Cristo a otro, cuya vista había restaurado?

"*Tu fe te ha salvado*" (S. Lucas 18: 42).

¿Por qué no hizo Cristo muchos milagros en Nazaret?

"Y no hizo allí muchos milagros, *a causa de la incredulidad de ellos*" (S. Mateo 13: 58).

¿Qué lección quiso enseñar Cristo al sanar al paralítico?

"Pues *para que sepáis que el Hijo del Hombre tiene potestad en la tierra para perdonar pecados* (dijo al paralítico): A ti te digo: Levántate, toma tu lecho, y vete a tu casa" (S. Lucas 5: 24).

> Nota.—Por sus milagros, por lo tanto, Cristo se proponía inspirar fe en el poder de Dios no solamente *para restaurar el cuerpo sino también para sanar el alma*.

¿Qué efecto tenían los milagros de Cristo en las personas restauradas y en los testigos de ellos?

"Y luego vio, y *le seguía, glorificando a Dios; y todo el pueblo, cuando vio aquello, dio alabanza a Dios*". "Todo el pueblo *se regocijaba* por todas las cosas gloriosas hechas por él" (S. Lucas 18: 43; 13: 17).

¿Qué mensaje envió Cristo a Juan el Bautista mientras éste se hallaba en la cárcel, para fortalecer su vacilante fe?

"Id, y haced saber a Juan las cosas que oís y veis. *Los ciegos ven, los cojos andan, los leprosos son limpiados, los sordos oyen, los muertos son resucitados, y a los pobres es anunciado el evangelio*; y bienaventurado es el que no halle tropiezo en mí" (S. Mateo 11: 4-6).

SU MILAGRO CULMINANTE

¿Con qué milagro culminaron las obras de Cristo en la tierra?

"Y habiendo dicho esto, clamó a gran voz: ¡Lázaro, ven fuera! Y el que había muerto salió, atadas las manos y los pies con vendas, y el rostro envuelto en un sudario. Jesús les dijo: Desatadle, y dejadle ir" (S. Juan 11: 43, 44).

¿Cuál fue el resultado de este gran milagro?

"Entonces muchos de los judíos que habían

venido para acompañar a María, y vieron lo que hizo Jesús, *creyeron en él''* (vers. 45).

Debido al interés en él que este milagro despertó, ¿qué dijeron los fariseos?

"Mirad, *el mundo se va tras él''* (S. Juan 12: 19).

¿Qué presentó Cristo a la gente como un fundamento de la confianza en él?

"Si no hago las obras de mi Padre, no me creáis. Mas si las hago, aunque no me creáis a mí, *creed a las obras,* para que conozcáis y creáis que el Padre está en mí, y yo en el Padre". "Creedme que yo soy en el Padre, y el Padre en mí; de otra manera, *creedme por las mismas obras''* (S. Juan 10: 37, 38; 14: 11).

¿Por qué fueron registrados los milagros de Cristo por los escritores inspirados?

"Hizo además Jesús muchas otras señales en presencia de sus discípulos, las cuales no están escritas en este libro. Pero *éstas se han escrito para que creáis que Jesús es el Cristo, el Hijo de Dios, y para que creyendo, tengáis vida en su nombre''* (S. Juan 20: 30, 31).

Señor, en Ti Confío

Señor, en ti confío y siempre confiaré;
pues brilla en mi alma la antorcha de la fe.
Al cielo, cuántas veces la vista en mi aflicción
alcé, y consuelo dulce halló mi corazón.

La fe que al hombre anima, tu más precioso don,
es luz en las tinieblas, alivio en la aflicción,
amparo al desvalido, al náufrago, salud,
tesoro de alegría, cimiento de virtud.

Por eso te adoro, por eso creo en ti,
de quien preciosos dones sin precio recibí.
Confirma y acrecienta, Señor, mi humilde fe;
y siendo tuyo ahora, por siempre lo seré.

J. B. Cabrera

Jesús, el Dador de la vida, se deleitaba en ayudar a los necesitados y sanar a los enfermos. El registro bíblico dice que le seguía "mucha gente, y sanaba a todos" (S. Mateo 12: 15).

H. HOFMANN

Las Parábolas de Cristo

PARABOLAS	S. MATEO	S. MARCOS	S. LUCAS	LUGA
I. REGISTRADAS SOLO EN UN EVANGELIO				
El trigo y la cizaña	13: 24-30	....	....	Geneza
El tesoro escondido	13: 44	....	....	Geneza
La perla de gran precio	13: 45-46	....	....	Geneza
La red	13: 47-50	....	....	Geneza
Tesoros nuevos y viejos	13: 52	....	....	Geneza
Los dos deudores	18: 23-35	....	....	Caperna
Los obreros de la viña	20: 1-16	....	....	Jerusal
Los dos hijos	21: 28-32	....	....	Jerusal
La fiesta de bodas	22: 1-14	....	....	Monte d Olivo
Las diez vírgenes	25: 1-13	....	....	Monte d Olivo
Los diez talentos	25: 14-30	....	....	Monte d Olivo
Las ovejas y los cabritos	25: 31-46	....	....	Monte d Olivo
El crecimiento de la semilla	....	4: 26-29	....	Geneza
El dueño de casa y los siervos	....	13: 34-37	....	Geneza
Los dos deudores	....	....	7: 40-47	Galile
El buen samaritano	....	....	10: 25-37	Jerusal
El amigo que llama a medianoche	....	....	11: 5-13	Jerusal
El rico insensato	....	....	12: 16-21	Jerusal
El siervo vigilante	....	....	12: 35-40	Jerusal
El siervo infiel	....	....	12: 42-48	Jerusal
La higuera estéril	....	....	13: 6-9	Jerusal
Los convidados a las bodas	....	....	14: 7-11	Jerusal
La gran cena	....	....	14: 15-24	Jerusal
La torre; el rey que va a la guerra	....	....	14: 28-33	Jerusal
La moneda perdida	....	....	15: 8-10	Jerusal
El hijo pródigo	....	....	15: 11-32	Jerusal
El mayordomo infiel	....	....	16: 1-12	Jerusal
El rico y Lázaro	....	....	16: 19-31	Jerusal
El siervo inútil	....	....	17: 7-10	Jerusal
La viuda importuna	....	....	18: 1-8	Jerusal
El fariseo y el publicano	....	....	18: 9-14	Jerusal
Las diez minas	....	....	19: 11-27	Jerusal
II. REGISTRADAS EN DOS EVANGELIOS				
Las dos casas	7: 24-27	....	6: 47-49	Galile
La levadura	13: 33	....	13: 20-21	Geneza
La oveja perdida	18: 12-14	....	15: 3-7	Jerusal
III. REGISTRADAS EN TRES EVANGELIOS				
Tela nueva en vestido viejo	9: 16	2: 21	5: 36	Caperna
Vino nuevo en odres viejos	9: 17	2: 22	5: 37	Caperna
El sembrador	13: 3-9	4: 3-9	8: 4-15	Geneza
La semilla de mostaza	13: 31-32	4: 30-32	13: 18-19	Geneza
Los labradores malvados	21: 33-43	12: 1-9	20: 9-16	Jerusal
La higuera	24: 32-33	13: 28-29	21: 29-31	Monte d Olivo

Los Milagros de Cristo

MILAGROS	S. MATEO	S. MARCOS	S. LUCAS	S. JUAN
I. REGISTRADOS SOLO EN UN EVANGELIO				
Curación de dos ciegos	9: 27-31	....	....	....
Curación de un mudo endemoniado	9: 32-33	....	....	....
Moneda en la boca de un pez	17: 24-27	....	....	....
Curación de un sordomudo	....	7: 31-37	....	....
Sanamiento de un ciego	....	8: 22-26	....	....
Liberación de manos de una turba	....	....	4: 28-30	....
La pesca milagrosa	....	....	5: 1-11	....
Resurrección del hijo de la viuda de Naín	....	....	7: 11-17	....
Curación de una mujer enferma 18 años	....	....	13: 11-17	....
Sanamiento de un hidrópico	....	....	14: 1-6	....
Sanamiento de diez leprosos	....	....	17: 11-19	....
Sanamiento de la oreja de Malco	....	....	22: 50-51	....
Transformación del agua en vino	....	....	....	2: 1-11
Curación del hijo del noble	....	....	....	4: 46-54
Sanamiento del paralítico de Betesda	....	....	....	5: 1-16
Sanamiento del ciego de nacimiento	....	....	....	9
Resurrección de Lázaro	....	....	....	11: 1-46
La pesca milagrosa	....	....	....	21: 1-11
II. REGISTRADOS EN DOS EVANGELIOS				
Curación del siervo del centurión	8: 5-13	....	7: 1-10	....
Curación del endemoniado ciego y mudo	12: 22-30	....	11: 14-26	....
Sanamiento de la hija de la mujer cananea	15: 21-28	7: 24-30	....	....
Alimentación de los cuatro mil	15: 32-39	8: 1-9	....	....
Maldición de la higuera estéril	21: 18-22	11: 12-14	....	....
Curación de un endemoniado	....	1: 23-28	4: 33-37	....
III. REGISTRADOS EN TRES EVANGELIOS				
Sanamiento de un leproso	8: 2-3	1: 40-42	5: 12-13	....
Curación de la suegra de Pedro	8: 14-15	1: 29-31	4: 38-39	....
Apaciguamiento de la tempestad	8: 23-27	4: 35-41	8: 22-25	....
Curación de los endemoniados gadarenos	8: 28-34	5: 1-20	8: 26-37	....
Curación de un paralítico	9: 1-8	2: 1-12	5: 17-26	....
Curación de la mujer enferma por doce años	9: 20-22	5: 25-34	8: 43-48	....
Resurrección de la hija de Jairo	9: 18-26	5: 22-43	8: 41-56	....
Sanamiento del hombre con la mano seca	12: 10-13	3: 1-5	6: 6-10	....
Caminata sobre el mar	14: 22-33	6: 45-51	....	6: 16-21
Sanamiento de un niño endemoniado o lunático	17: 14-21	9: 14-29	9: 37-43	....
Curación del ciego Bartimeo y de otro ciego	20: 30-34	10: 46-52	18: 35-43	....
IV. REGISTRADOS EN LOS CUATRO EVANGELIOS				
Alimentación de los cinco mil	14: 15-21	6: 35-44	9: 12-17	6: 5-14

Los Sufrimientos de Cristo

LOS sufrimientos de Cristo en el jardín de Getsemaní y en el Calvario constituyen el drama más emocionante de la historia del mundo y del universo. Ningún hombre normal puede contemplarlo sin asombrarse y enternecerse. Muchos millones han reorientado su vida al pie de la cruz. Han obtenido una visión nueva y cautivante del amor de Dios, y de su necesidad y posibilidad personal de responder a ese amor y participar de la vida que se proyectará en la eternidad. Ojalá sea ésa la experiencia de todo lector de este capítulo.

¿Con qué propósito vino Cristo al mundo?

"Palabra fiel y digna de ser recibida por todos: que Cristo Jesús vino al mundo *para salvar a los pecadores*, de los cuales yo soy el primero" (1 Timoteo 1: 15).

¿Qué lo constriñó a Dios a dar a su Hijo para que muriera por el hombre?

"Porque *de tal manera amó Dios al mundo*, que ha dado a su Hijo unigénito, para que todo aquel que en él cree, no se pierda, mas tenga vida eterna" (S. Juan 3: 16. Véase 1 S. Juan 4: 9, 10; Romanos 5: 8).

¿Qué dijo el profeta que Cristo sería llamado a soportar?

"*Angustiado* él, y *afligido*, no abrió su boca; como cordero fue llevado al matadero; y como oveja delante de sus trasquiladores, enmudeció, y no abrió su boca. Por cárcel y por juicio fue quitado; y su generación, ¿quién la contará? Por que *fue cortado de la tierra de los vivientes*, y por la rebelión de mi pueblo fue herido" (Isaías 53: 7, 8).

¿Conocía Cristo con anterioridad el trato que iba a recibir?

"Tomando Jesús a los doce, les dijo: *He aquí subimos a Jerusalén, y se cumplirán todas las cosas escritas por los profetas acerca del Hijo del Hombre. Pues será entregado a los gentiles, y será escarnecido, y afrentado, y escupido. Y después que le hayan azotado, le matarán*" (S. Lucas 18: 31-33).

SU AGONIA EN EL JARDIN

¿Cuán pesada era la carga que oprimía su alma la noche cuando fue traicionado?

"Y tomando a Pedro, y a los dos hijos de Zebedeo, comenzó a entristecerse y a angustiarse en gran manera. Entonces Jesús les dijo: *Mi alma está muy triste, hasta la muerte*; quedaos aquí, y velad conmigo" (S. Mateo 26: 37, 38).

¿Qué oración de Cristo muestra que la redención de un mundo perdido temblaba en la balanza en esa hora terrible?

"Yendo un poco adelante, se postró sobre su rostro, orando y diciendo: *Padre mío, si es posible, pase de mí esta copa; pero no sea como yo quiero, sino como tú*" (vers. 39).

¿Cuán grande era la agonía de su alma?

"Y estando en agonía, oraba más intensamente; y era su sudor como grandes gotas de sangre que caían hasta la tierra" (S. Lucas 22: 44).

Después de haber hecho tres veces esta notable oración, ¿qué ocurrió?

"Mientras él aún hablaba, se presentó una

134

turba; y el que se llamaba Judas, uno de los doce, iba al frente de ellos; y se acercó hasta Jesús para besarle. Entonces Jesús le dijo: Judas, ¿con un beso entregas al Hijo del Hombre?" (vers. 47, 48).

ANTE LOS SACERDOTES Y EL CONCILIO

¿A qué lugar fue llevado Cristo?

"Y prendiéndole, le llevaron, y le condujeron a casa del sumo sacerdote. Y Pedro le seguía de lejos" (vers. 54).

Mientras estaba en la casa del sumo sacerdote, ¿cómo le negó Pedro?

"Otro afirmaba, diciendo: Verdaderamente también éste estaba con él, porque es galileo. Y Pedro dijo: Hombre, no sé lo que dices. Y en seguida, mientras él todavía hablaba, el gallo cantó. Entonces, vuelto el Señor, miró a Pedro" (vers. 59-61).

¿A qué insultos fue sometido Cristo en la casa del sumo sacerdote?

"Y los hombres que custodiaban a Jesús se burlaban de él y le golpeaban; y vendándole los ojos, le golpeaban el rostro, y le preguntaban, diciendo: Profetiza, ¿quién es el que te golpeó?" (vers. 63, 64).

¿A dónde fue llevado Cristo después?

"Cuando era de día, se juntaron los ancianos del pueblo, los principales sacerdotes y los escribas, y le trajeron al concilio" (vers. 66).

¿Qué admisión obtuvieron de él como razón para condenarlo?

"Dijeron todos: ¿Luego eres tú el Hijo de Dios? Y él les dijo: Vosotros decís que lo soy. Entonces ellos dijeron: ¿Qué más testimonio necesitamos? porque nosotros mismos lo hemos oído de su boca" (vers. 70, 71).

A PILATO Y HERODES

¿Cuál fue el siguiente paso en su plan destinado a obtener autorización legal para cumplir su propósito ilegal?

"Levantándose entonces toda la muchedumbre de ellos, llevaron a Jesús a Pilato" (S. Lucas 23: 1).

Cuando Pilato quiso dejar en libertad a Cristo, ¿cómo protestaron ellos?

"Pero ellos porfiaban, diciendo: Alborota al pueblo, enseñando por toda Judea, comenzando desde Galilea hasta aquí" (vers. 5).

Nota.—Esta ha sido siempre una acusación favorita de los enemigos de la verdad contra la obra de los verdaderos reformadores. Los romanos tenían en ese preciso tiempo una ley que prohibía la enseñanza de cualquier nueva religión "con la cual las mentes de los hombres pudieran ser perturbadas".

Cuando Pilato oyó que Cristo era de Galilea, ¿qué hizo?

"Y al saber que era de la jurisdicción de Herodes, le remitió a Herodes, que en aquellos días también estaba en Jerusalén" (vers. 7).

¿Quiénes se presentaron ante Herodes para acusar a Cristo?

"Y estaban los principales sacerdotes y los escribas acusándole con gran vehemencia" (vers. 10).

¿A qué ultrajes sometió Herodes al Salvador?

"Entonces Herodes con sus soldados le menospreció y escarneció, vistiéndole de una ropa espléndida; y volvió a enviarle a Pilato" (vers. 11).

¿Qué propuso hacer Pilato cuando Cristo fue llevado de nuevo ante él?

"Ningún delito digno de muerte he hallado en él; le castigaré, pues, y le soltaré" (vers. 22).

En vez de consentir en su liberación, ¿qué demandaron entonces los acusadores de Cristo?

"Mas ellos instaban a grandes voces, pidiendo que fuese crucificado. Y las voces de ellos y de los principales sacerdotes prevalecieron" (vers. 23).

Aunque Pilato había declarado que creía en la inocencia de Cristo, ¿qué cruel castigo le infligió?

"Así que, entonces tomó Pilato a Jesús, y le azotó" (S. Juan 19: 1).

¿Qué trato vergonzoso recibió Cristo de los soldados?

"Y pusieron sobre su cabeza una corona tejida de espinas, y una caña en su mano derecha; e

hincando la rodilla delante de él, le escarnecían, diciendo: ¡Salve, Rey de los judíos! Y escupiéndole, tomaban la caña y le golpeaban en la cabeza" (S. Mateo 27: 29, 30).

EL CALVARIO

Después de haberlo llevado al lugar de la crucifixión, ¿qué bebida se le ofreció a Cristo para entorpecerlo?

"Le dieron a beber vinagre mezclado con hiel; pero después de haberlo probado, no quiso beberlo" (vers. 34).

¿En qué oración por aquellos que lo crucificaban manifestó Cristo el verdadero espíritu del Evangelio, a saber, amor por los pecadores?

"Y Jesús decía: Padre, perdónalos, porque no saben lo que hacen" (S. Lucas 23: 34).

¿Con qué palabras los principales sacerdotes y otros se mofaban de Jesús mientras estaba en la cruz?

"De esta manera también los principales sacerdotes, escarneciéndole con los escribas y los fariseos y los ancianos, decían: A otros salvó, a sí mismo no se puede salvar; si es el Rey de Israel, descienda ahora de la cruz, y creeremos en él" (S. Mateo 27: 41, 42).

Nota.—En su ceguera eran incapaces de comprender que Cristo no podía salvar a otros y al mismo tiempo salvarse a sí mismo.

Cuando en agonía dijo, mientras pendía de la cruz: "Tengo sed", ¿qué se le dio a beber?

"Y al instante, corriendo uno de ellos, tomó una esponja, y la empapó de vinagre, y poniéndola en una caña, le dio a beber" (vers. 48. Véase S. Juan 19: 28, 29).

¿Cómo terminó esta terrible escena?

"Cuando Jesús hubo tomado el vinagre, dijo: Consumado es. Y habiendo inclinado la cabeza, entregó el espíritu" (S. Juan 19: 30).

¿Por medio de qué milagros y fenómenos de la naturaleza indicó Dios el carácter del hecho que acababa de consumarse?

"Cuando era como la hora sexta [mediodía], hubo tinieblas sobre toda la tierra hasta la hora novena. Y el sol se oscureció, y el velo del templo se rasgó por la mitad" (S. Lucas 23: 44, 45).

EL PROPOSITO DIVINO

¿Qué propósito divino se cumplió en los sufrimientos de Cristo?

"Porque convenía a aquel por cuya causa son todas las cosas, y por quien todas las cosas subsisten, que habiendo de llevar muchos hijos a la gloria, perfeccionase por aflicciones al autor de la salvación de ellos" (Hebreos 2: 10).

¿Por quiénes sufrió Cristo todas estas cosas?

"Mas él herido fue por nuestras rebeliones, molido por nuestros pecados; el castigo de nuestra paz fue sobre él, y por su llaga fuimos nosotros curados" (Isaías 53: 5).

¿Cuánto se incluyó en el don de Cristo para la salvación del hombre?

"El que no escatimó ni a su propio Hijo, sino que lo entregó por todos nosotros, ¿cómo no nos dará también con él todas las cosas?" (Romanos 8: 32).

Al morir por nosotros en la cruz, Jesús experimentó la angustia que sentirá el pecador cuando haya terminado el tiempo de gracia en favor de una raza culpable. Eso fue lo que quebrantó el corazón del Salvador.

THIELE

ESTUDIO 40

La Resurrección de Cristo

LOS escépticos del tiempo de Cristo, los saduceos, no creían en la resurrección. Tampoco creen en ella los escépticos de nuestros días. Pero la resurrección es una piedra angular de la fe cristiana. Sin ella el cristianismo carecería de sentido. Sería la religión de los ilusos. Felizmente la resurrección de Cristo es uno de los pilares más sólidos de la historia y de la fe. "Con gran poder los apóstoles daban testimonio de la resurrección del Señor Jesús, y abundante gracia era sobre todos ellos". Y también hoy los que conocen a Cristo dan testimonio de su resurrección.

¿En qué salmo se predijo la resurrección de Cristo?

"Porque no dejarás mi alma entre los muertos, ni permitirás que tu Santo vea corrupción" (Salmo 16: 10, VM).

¿De qué manera fue Jonás un símbolo de Cristo?

"Porque como estuvo Jonás en el vientre del gran pez tres días y tres noches, así estará el Hijo del Hombre en el corazón de la tierra tres días y tres noches" (S. Mateo 12: 40).

¿Con qué sencillas palabras predijo Cristo su resurrección?

"Desde entonces comenzó Jesús a declarar a sus discípulos que le era necesario ir a Jerusalén y padecer mucho de los ancianos, de los principales sacerdotes y de los escribas; y ser muerto, y resucitar al tercer día" (S. Mateo 16: 21). "Estando ellos en Galilea, Jesús les dijo: El Hijo del Hombre será entregado en manos de hombres, y le matarán; mas al tercer día resucitará" (S. Mateo 17: 22, 23).

Nota.—De acuerdo con el cómputo de los judíos, un día entero junto con una porción del día precedente y otra del día siguiente se consideraba como "tres días".

Cuando los judíos le pidieron una señal de su mesianismo, ¿qué dijo Jesús?

"Respondió Jesús y les dijo: Destruid este templo, y en tres días lo levantaré" (S. Juan 2: 19).

¿A qué templo se refirió?

"Dijeron luego los judíos: En cuarenta y seis años fue edificado este templo, ¿y tú en tres días lo levantarás? Mas él hablaba del templo de su cuerpo" (S. Juan 2: 20, 21).

DESPUES DE LA RESURRECCION

Después de su resurrección, ¿qué efecto tuvo esta predicción en sus discípulos?

"Por tanto, cuando resucitó de entre los muertos, sus discípulos se acordaron que había dicho esto; y creyeron la Escritura y la palabra que Jesús había dicho" (vers. 22).

¿Cómo trataron de evitar los principales sacerdotes y los fariseos el cumplimiento de las palabras de Cristo concernientes a su resurrección?

"Al día siguiente, que es después de la preparación, se reunieron los principales sacerdotes y los fariseos ante Pilato, diciendo: Señor, nos acordamos que aquel engañador dijo, viviendo aún: Después de tres días resucitaré. Manda, pues, que se asegure el sepulcro hasta el tercer día, no sea que vengan sus discípulos de noche, y lo hurten, y digan al pueblo: Resucitó de entre los muertos. Y será el postrer error peor que el primero" (S. Mateo 27: 62-64).

¿Cómo cumplió Pilato el pedido de ellos?

"Y Pilato les dijo: Ahí tenéis una guardia; id, aseguradlo como sabéis. Entonces ellos fueron y aseguraron el sepulcro, sellando la piedra y poniendo la guardia" (vers. 65, 66).

138

El Cristo resucitado proclamó sobre el sepulcro: "Yo soy la resurrección y la vida" (S. Juan 11: 25), y "tengo las llaves de la muerte y del Hades" (Apocalipsis 1: 18).

R. AYRES

© R.T. AYRES 1962

¿Cuán inútil fue todo esto?

"Pasado el día de reposo, al amanecer del primer día de la semana, vinieron María Magdalena y la otra María, a ver el sepulcro. Y hubo un gran terremoto; porque un ángel del Señor, descendiendo del cielo y llegando, removió la piedra, y se sentó sobre ella. Su aspecto era como un relámpago, y su vestido blanco como la nieve. Y de miedo de él los guardas temblaron y se quedaron como muertos. Mas el ángel, respondiendo, dijo a las mujeres: No temáis vosotras; porque yo sé que buscáis a Jesús, el que fue crucificado. No está aquí, *pues ha resucitado, como dijo.* Venid, ved el lugar donde fue puesto el Señor" (S. Mateo 28: 1-6).

¿Era posible que Cristo "fuese retenido" por la muerte?

"A éste, entregado por el determinado consejo y anticipado conocimiento de Dios, prendisteis y matasteis por manos de inicuos, crucificándole; al cual Dios levantó, sueltos los dolores de la muerte, *por cuanto era imposible que fuese retenido por ella"* (Hechos 2: 23, 24).

COMENTARIOS DIVINOS DE LA RESURRECCION

¿De qué manera habla el apóstol Pablo de la resurrección de Cristo?

"Porque primeramente os he enseñado lo que asimismo recibí: Que Cristo murió por nuestros pecados, conforme a las Escrituras; y que fue sepultado, *y que resucitó al tercer día, conforme a las Escrituras"* (1 Corintios 15: 3, 4).

¿Quiénes dice el apóstol que vieron a Cristo después que resucitó?

"Y que apareció *a Cefas,* y después a *los doce.* Después apareció *a más de quinientos hermanos a la vez,* de los cuales muchos viven aún, y otros ya duermen. Después apareció *a Jacobo;* después

a *todos los apóstoles;* y al último de todos, como a un abortivo, me apareció *a mí"* (vers. 5-8).

¿Qué importancia se atribuye a la resurrección de Cristo?

"Y si Cristo no resucitó, vana es entonces nuestra predicación, vana es también vuestra fe... Aún estáis en vuestros pecados. Entonces también los que durmieron en Cristo perecieron" (vers. 14, 17-18).

¿Qué positiva seguridad se da de la resurrección?

"Mas *ahora* Cristo ha resucitado *de los muertos;* primicias de los que durmieron es hecho" (vers. 20).

¿Qué gran verdad por lo tanto se desprende?

"Porque así como en Adán todos mueren, también en Cristo todos serán vivificados" (vers. 22).

¿Qué alegre mensaje ha enviado Cristo a sus seguidores tocante a su resurrección?

"Yo soy el Viviente; y yo estuve muerto, y *he aquí que vivo por los siglos de los siglos; y tengo las llaves de la muerte y del sepulcro"* (Apocalipsis 1: 18, VM).

¿Cuál es la medida del poder de Dios que los creyentes pueden experimentar en su vida diaria?

"Para que conozcáis cuál sea ... la soberana grandeza de su poder para con nosotros que creemos, *conforme a aquella operación de la potencia de su fortaleza, que obró en Cristo, cuando le levantó de entre los muertos"* (Efesios 1: 18-20, VM).

¿Qué ceremonia cristiana se ha dado para recordar la sepultura y resurrección de Cristo?

El bautismo, el símbolo del nuevo nacimiento (Romanos 6: 3-5).

EL ESPIRITU SANTO

ESTUDIO

ESTUDIO 41

El Espíritu Santo y su Obra

EL HOMBRE no puede describir al Espíritu Santo. Su naturaleza esencial escapa a la comprensión del entendimiento humano. Como la vida misma y muchas otras realidades innegables y trascendentales, la tercera persona de la Deidad es invisible e intangible, pero su influencia es poderosa y de vital y decisiva importancia para la felicidad y la salvación de los hombres. Los lectores de este capítulo pueden familiarizarse con ella.

EL CONSOLADOR

¿Qué preciosa promesa hizo Cristo a sus discípulos poco antes de su crucifixión?

"Y yo rogaré al Padre, y *os dará otro Consolador*, para que esté con vosotros para siempre" (S. Juan 14: 16).

¿Por qué era necesario que Cristo se fuese?

"Pero yo os digo la verdad: Os conviene que yo me vaya; *porque si no me fuese, el Consolador no vendría a vosotros*, mas si me fuere, os lo enviaré" (S. Juan 16: 7).

¿Quién es el Consolador, y qué habría de hacer él?

"Mas el Consolador, el Espíritu Santo, a quien el Padre enviará en mi nombre, *él os enseñará todas las cosas,* y os recordará todo lo que yo os he dicho" (S. Juan 14: 26).

¿Qué otra cosa haría el Consolador?

"Y cuando él venga, *convencerá* al mundo de *pecado, de justicia y de juicio*" (S. Juan 16: 8).

EL ESPIRITU DE VERDAD

¿Con qué otro título se designa al Consolador?

"Pero cuando venga el Consolador, a quien yo os enviaré del Padre, *el Espíritu de verdad*, el cual procede del Padre, él dará testimonio acerca de mí" (S. Juan 15: 26).

¿Qué dijo Cristo que haría el Espíritu de verdad?

"Pero cuando venga el Espíritu de verdad, *él os guiará a toda la verdad*; porque no hablará por su propia cuenta, sino que hablará todo lo que oyere, y os hará saber las cosas que habrán de venir" (S. Juan 16: 13).

Nota.—El Espíritu *habla* (1 Timoteo 4: 1); *enseña* (1 Corintios 2: 13); *da testimonio* (Romanos 8: 16); *intercede* (vers. 26); *reparte los dones* (1 Corintios 12: 11); e *invita al pecador* (Apocalipsis 22: 17).

¿Por qué el mundo no lo puede recibir?

"El Espíritu de verdad, al cual el mundo no puede recibir, *porque no le ve, ni le conoce*" (S. Juan 14: 17).

¿Qué dijo Cristo que el Espíritu Santo revelaría?

"El me glorificará; porque *tomará de lo mío*, y os lo hará saber" (S. Juan 16: 14).

Nota.—Según estos pasajes bíblicos es claro que el Espíritu Santo es el representante personal de Cristo en la tierra, y permanece en la iglesia morando en el corazón de los creyentes. Es evidente entonces que cualquier intento de constituir a un hombre como vicegerente de Cristo en lugar de la tercera persona de la Deidad es un intento de colocar al hombre en el lugar de Dios.

¿Cómo ha revelado Dios las cosas profundas de su reino?

143

El descenso del Espíritu Santo sobre los discípulos en el día de Pentecostés estuvo acompañado de manifestaciones impresionantes. Fue evidente que Cristo había cumplido su promesa.

"Pero a nosotros nos las ha revelado Dios *por medio de su Espíritu*; porque el Espíritu escudriña todas las cosas, y aún las cosas profundas de Dios" (1 Corintios 2: 10, VM).

¿Por quién fueron inspirados los profetas al dar sus mensajes?

"Porque nunca la profecía fue traída por voluntad humana, sino que los santos hombres de Dios hablaron siendo inspirados por *el Espíritu Santo*" (2 S. Pedro 1: 21).

Después de Pentecostés, ¿cómo fue predicado el Evangelio a los hombres?

"Por el Espíritu Santo enviado del cielo" (1 S. Pedro 1: 12).

LA UNION DEL CIELO CON LOS CREYENTES

¿Cuán íntima es su unión con los creyentes?

"Pero vosotros le conocéis, porque *mora con vosotros, y estará en vosotros*" (S. Juan 14: 17).

¿Quién viene a los creyentes mediante el Espíritu Santo?

"No os dejaré huérfanos; *vendré a vosotros*" (vers. 18).

¿Qué promesa se cumple así?

"Y *he aquí yo estoy con vosotros todos los días*, hasta el fin del mundo" (S. Mateo 28: 20. Véase también S. Juan 14: 21-23).

¿Qué triple unión se establece así?

"En aquel día vosotros conoceréis que *yo estoy en mi Padre, y vosotros en mí, y yo en vosotros*" (S. Juan 14: 20).

Nota.—Romanos 8: 9 muestra que el espíritu de cada una de las tres personas de la Deidad es uno y el mismo espíritu.

UNA AMONESTACION

¿Qué amonestación por lo tanto se da?

"Y *no contristéis al Espíritu Santo de Dios*, con el cual fuisteis sellados para el día de la redención" (Efesios 4: 30).

¿Tienen límites las luchas del Espíritu de Dios con el corazón del hombre?

"Y dijo Jehová: Mi Espíritu no contenderá para siempre con el hombre en su error" (Génesis 6: 3, VM).

Nota.—El límite lo determina la criatura más bien que el Creador. Lo hace cuando se entrega enteramente al mal, y los llamamientos adicionales serían inútiles. Dios, previendo todas las cosas, puede asignarle al hombre un período definido de gracia, como en el caso de los ciento veinte años anteriores al diluvio (Génesis 6: 3); pero su Espíritu nunca cesa de luchar con el hombre mientras haya para él esperanza de salvación.

¿Qué pidió David en oración?

"No me eches de delante de ti, y *no quites de mí tu santo Espíritu*" (Salmo 51: 11).

LA BUENA VOLUNTAD E INVITACION DEL CIELO

¿Cuán dispuesto está Dios a darnos el Espíritu Santo?

"Pues si vosotros, siendo malos, sabéis dar buenas dádivas a vuestros hijos, ¿cuánto más vuestro Padre celestial dará el Espíritu Santo a los que se lo pidan?" (S. Lucas 11: 13).

¿Cómo trata Jesús, mediante el Espíritu, de entrar en cada corazón?

"*He aquí, yo estoy a la puerta y llamo; si alguno oye mi voz y abre la puerta, entraré a él, y cenaré con él, y él conmigo*" (Apocalipsis 3: 20).

Plegaria

Santo Espíritu de Cristo,
mora en este corazón,
lléname de tu presencia,
cólmame de bendición.

ESTUDIO 42

El Fruto del Espíritu

EN EL Sermón del Monte el Maestro dijo que por sus frutos se conocen los hombres, como los árboles se conocen por sus frutos. La apariencia engaña, sobre todo en el orden moral y religioso. Pero nadie necesita engañarse ni dejarse engañar. El fruto del Espíritu, como un todo, identifica inconfundiblemente al cristiano verdadero; y está al alcance de todo el que quiera ser henchido de él, siempre que esté dispuesto a someterse a la conducción del Espíritu de Dios.

¿Cuál es el fruto del Espíritu?

"Mas el fruto del Espíritu es amor, gozo, paz, paciencia, benignidad, bondad, fe, mansedumbre, templanza" (Gálatas 5: 22, 23).

¿Cuáles son las obras de la carne?

"Y manifiestas son las obras de la carne, que son: adulterio, fornicación, inmundicia, lascivia, idolatría, hechicerías, enemistades, pleitos, celos, iras, contiendas, disensiones, herejías, envidias, homicidios, borracheras, orgías, y cosas semejantes a éstas" (vers. 19-21).

Nota.—Los males mencionados aquí son muy semejantes a los que se indican en S. Mateo 15: 18, 19; S. Marcos 7: 20-23; Romanos 1: 29-31; y 2 Timoteo 3: 1-5.

¿Cómo pueden evitarse las obras de la carne?

"*Andad en el Espíritu*, y no satisfagáis los deseos de la carne" (Gálatas 5: 16).

EL AMOR

¿Por quién es derramado el amor de Dios en el corazón?

"El amor de Dios ha sido derramado en nuestros corazones *por el Espíritu Santo* que nos fue dado" (Romanos 5: 5).

¿Qué se declara que es el amor?

"Y sobre todas estas cosas, revestíos de amor, que es *el vínculo de la perfección*" (Colosenses 3: 14, VM).

¿Cuál es la fuerza impulsora de la fe genuina?

"Porque en Cristo Jesús ni la circuncisión vale algo, ni la incircuncisión, sino *la fe que obra por el amor*" (Gálatas 5: 6).

¿Qué hace el amor?

"El odio suscita rencillas; *mas el amor cubre toda suerte de ofensas*" (Proverbios 10: 12, VM). "Y ante todo, tened entre vosotros ferviente amor; porque *el amor cubrirá multitud de pecados*" (1 S. Pedro 4: 8).

¿De qué manera se manifiesta el amor mismo?

"El amor es sufrido, es benigno; el amor no tiene envidia, el amor no es jactancioso, no se envanece; no hace nada indebido, no busca lo suyo, no se irrita, no guarda rencor" (1 Corintios 13: 4, 5).

EL REINO DE DIOS

¿En qué consiste el reino de Dios?

"Porque el reino de Dios no es comida ni bebida, sino *justicia, paz y gozo en el Espíritu Santo*" (Romanos 14: 17).

Nota.—Es privilegio del cristiano tener justicia, paz y gozo: la justicia que es de Dios por la fe (Romanos 3: 21, 22); la paz que sobrepasa todo entendimiento (Filipenses 4: 7), y que el mundo no puede dar ni quitar; y el gozo que produce permanente regocijo (1 Tesalonicenses 5: 16; Filipenses 4: 4).

BENIGNIDAD, BONDAD, FE

¿Qué hace la benignidad de Dios para nuestro beneficio?

"Tu benignidad *me ha engrandecido*" (Salmo 18: 35).

¿Qué espíritu deberíamos manifestar los unos para con los otros?

"Antes *sed benignos unos con otros*, misericordiosos, perdonándoos unos a otros, como Dios también os perdonó a vosotros en Cristo" (Efesios 4: 32).

¿Qué hace la bondad o benignidad de Dios?

"¿O menosprecias las riquezas de su benignidad, paciencia y longanimidad, ignorando que su benignidad te *guía al arrepentimiento?*" (Romanos 2: 4).

¿Cómo debemos tratar a los que nos han agraviado?

"No *os venguéis vosotros mismos*, amados míos, sino dejad lugar a la ira de Dios; porque escrito está: Mía es la venganza, yo pagaré, dice el Señor. Así que, *si tu enemigo tuviere hambre, dale de comer; si tuviere sed, dale de beber; pues haciendo esto, ascuas de fuego amontonarás sobre su cabeza*" (Romanos 12: 19, 20).

¿Cómo determina la fe nuestra posición frente a Dios?

"Pero *sin fe es imposible agradar a Dios*; porque es necesario que el que se acerca a Dios crea que le hay, y que es galardonador de los que le buscan" (Hebreos 11: 6).

LA MANSEDUMBRE Y LA TEMPLANZA

¿Cómo considera Dios el espíritu manso y sosegado?

"Mas sea adornado el hombre interior del corazón, con la ropa imperecedera de un *espíritu manso y sosegado, que es de gran precio delante de Dios*" (1 S. Pedro 3: 4, VM).

En nuestro crecimiento y experiencia cristiana, ¿qué virtud debería acompañar a la fe, la fortaleza y la ciencia o conocimiento?

"Poniendo de vuestra parte todo empeño, añadid a vuestra fe el poder; y al poder, la ciencia; y a la ciencia, *la templanza*" (2 S. Pedro 1: 5, 6, VM).

Nota.—Una de las más breves y mejores definiciones de temperancia es *dominio propio*. En el texto la palabra significa mucho más que la mera abstención de bebidas intoxicantes, que es el limitado sentido que ahora se le da. Significa dominio propio, fuerza, poder, o ascendiente sobre toda clase de pasiones excitantes y malas. Indica el dominio que el hombre vencedor o convertido tiene sobre las malas propensiones de su naturaleza. Al comentar este pasaje, el Dr. Alberto Barnes dice: "Las influencias del Espíritu Santo en el corazón lo hacen *moderado* a un hombre en todas las complacencias; le enseñan a reprimir sus pasiones, y a gobernarse a sí mismo".

¿Cuán altamente se alaba al que se enseñorea de su espíritu?

"*Mejor es el que tarda en airarse que el fuerte; y el que se enseñorea de su espíritu, que el que toma una ciudad*" (Proverbios 16: 32).

DE LA CONDENACION A LA PAZ

¿Qué se dice de todas estas distintas virtudes?

"Contra tales cosas no hay ley" (Gálatas 5: 23, ú.p.).

Nota.—La ley condena al pecado. Pero todas estas cosas, siendo virtudes, están en armonía con la ley. Son producidas por el Espíritu; y la ley, que es espiritual, no puede, por lo tanto, condenarlas.

¿Qué unidad se amonesta a los cristianos que guarden?

"Solícitos en guardar *la unidad del Espíritu* en el vínculo de la paz" (Efesios 4: 3).

Los Dones del Espíritu

EL GRAN teólogo de la fe cristiana, el apóstol Pablo, escribiendo a los corintios sostiene que nada tiene el hombre que no lo haya recibido, y que por lo tanto no debe vanagloriarse. Esto es cierto respecto a los dones naturales, transmitidos generalmente por las leyes de la herencia, y es más cierto aún respecto a los dones del Espíritu. La parte que a nosotros nos toca hacer es cultivarlos, para nuestro propio beneficio, para el bien de nuestros semejantes y para la gloria de Dios, el gran Dador.

DONES DE LA DEIDAD

¿Acerca de qué debemos estar informados?

"No quiero, hermanos, que ignoréis acerca de los dones espirituales" (1 Corintios 12: 1).

Cuando Cristo ascendió al cielo, ¿qué dio a los hombres?

"Por lo cual dice: Subiendo a lo alto, llevó cautiva la cautividad, y dio dones a los hombres" (Efesios 4: 8).

¿Cuáles eran los dones que Cristo dio a los hombres?

"Y él mismo constituyó a unos, apóstoles; a otros, profetas; a otros, evangelistas; a otros, pastores y maestros" (vers. 11).

¿Cómo se habla de estos dones en otra parte?

"Y a unos puso Dios en la iglesia, primeramente apóstoles, luego profetas, lo tercero maestros, luego los que hacen milagros, después los que sanan, los que ayudan, los que administran, los que tienen don de lenguas" (1 Corintios 12: 28).

EL PROPOSITO DE LOS DONES

¿Con qué propósito fueron concedidos estos dones a la iglesia?

"Para el perfeccionamiento de los santos, para la obra del ministerio, para la edificación del cuerpo de Cristo: ... para que ya no seamos niños, fluctuando de acá para allá, y llevados en derredor por todo viento de enseñanza, por medio de las tretas de los hombres, y su astucia en las artes sutiles del error; sino que, hablando la verdad con amor, vayáis creciendo en todos respectos en el que es la cabeza, es decir, en Cristo" (Efesios 4: 12, 14, 15, VM).

¿Qué resultado ha de lograrse por el ejercicio de los dones en la iglesia?

"Hasta que todos lleguemos a la unidad de la fe y del conocimiento del Hijo de Dios, al estado del hombre perfecto, a la medida de la estatura de la plenitud de Cristo" (vers. 13, VM).

¿Cómo se preserva la unidad en la diversidad de dones?

"Ahora bien, hay diversidad de dones, pero el Espíritu es el mismo" (1 Corintios 12: 4).

¿Con qué propósito se da la manifestación de este Espíritu?

"Pero a cada uno le es dada la manifestación del Espíritu para provecho. Porque a éste es dada por el Espíritu palabra de sabiduría; a otro, palabra de ciencia (o conocimiento) según el mismo espíritu; a otro, fe por el mismo Espíritu; y a otro, dones de sanidades por el mismo Espíritu. A otro, el hacer milagros; a otro, profecía; a otro, discernimiento de espíritus; a otro, diversos géneros de lenguas; y a otro, interpretación de lenguas" (vers. 7-10).

¿Quién controla la distribución de los dones del Espíritu?

"Pero todas estas cosas las hace uno y el mismo Espíritu, repartiendo a cada uno en particular como él quiere" (vers. 11).

¿Era el designio de Dios que todos poseyesen los mismos dones?

"¿Son todos apóstoles? ¿son todos profetas? ¿todos maestros? ¿hacen todos milagros? ¿tienen todos dones de sanidad? ¿hablan todos lenguas? ¿interpretan todos?" (vers. 29, 30).

EL TIEMPO DE LOS DONES

¿Habrán de continuar siempre los dones del Espíritu?

"Pero las profecías se acabarán, y cesarán las lenguas, y la ciencia acabará" (1 Corintios 13: 8).

¿Cuándo no se necesitarán más los dones del Espíritu?

"Mas cuando venga lo perfecto, entonces lo que es en parte se acabará" (vers. 10).

MEDIOS DE COMUNICACION

¿Cómo se comunicaba Dios con el hombre en el Edén?

"Mas Jehová Dios llamó al hombre, y le dijo: ¿Dónde estás tú?" (Génesis 3: 9).

Desde la caída de Adán y Eva en el pecado, ¿por qué medios generalmente ha dado a conocer Dios su voluntad al hombre?

"Y he hablado a los profetas, y aumenté la profecía, y por medio de los profetas usé parábolas" (Oseas 12: 10).

¿Qué cosas pertenecen a Dios, y cuáles a nosotros?

"Las cosas secretas pertenecen a Jehová nuestro Dios; mas las reveladas son para nosotros y para nuestros hijos para siempre" (Deuteronomio 29: 29).

¿Cuán plenamente y a quiénes revela Dios sus propósitos?

"Porque no hará nada Jehová el Señor, sin que revele su secreto a sus siervos los profetas" (Amós 3: 7).

EL DON DE PROFECIA

¿Cómo se manifiesta el Señor a sus profetas?

"Cuando haya entre vosotros profeta de Jehová, le apareceré en visión, en sueños hablaré con él" (Números 12: 6).

¿Bajo qué influencia hablaban los profetas de la antigüedad?

"Porque nunca la profecía fue traída por voluntad humana, sino que los santos hombres de Dios hablaron siendo inspirados por el Espíritu Santo" (2 S. Pedro 1: 21. Véase 2 Samuel 23: 2).

¿Cómo se muestra además tanto el origen de las profecías como los medios por los cuales se las comunica?

"La revelación de Jesucristo, que Dios le dio, para manifestar a sus siervos las cosas que deben suceder pronto; y la declaró enviándola por medio de su ángel a su siervo Juan" (Apocalipsis 1: 1).

¿Qué ángel reveló a Daniel sus visiones y sueños?

"Aún estaba hablando en oración, cuando el varón Gabriel, a quien había visto en la visión al principio, volando con presteza, vino a mí como a la hora del sacrificio de la tarde. Y me hizo entender, y habló conmigo, diciendo: Daniel, ahora he salido para darte sabiduría y entendimiento" (Daniel 9: 21, 22. Véase también el capítulo 10, y Apocalipsis 22: 9, 10).

¿Qué espíritu estaba en los profetas cuando redactaban sus declaraciones?

"Los profetas que profetizaron de la gracia destinada a vosotros, inquirieron y diligentemente indagaron acerca de esta salvación, escudriñando qué persona y qué tiempo indicaba el Espíritu de Cristo que estaba en ellos, el cual anunciaba de antemano los sufrimientos de Cristo, y las glorias que vendrían tras ellos" (1 S. Pedro 1: 10, 11).

¿Cómo eran conservadas las palabras que el Señor hablaba a los profetas?

"Tuvo Daniel un sueño, y visiones de su cabeza mientras estaba en su lecho; luego escribió el sueño, y relató lo principal del asunto" (Daniel 7: 1. Véase Jeremías 51: 60; Apocalipsis 1: 10, 11).

¿Por quién nos ha hablado Dios en estos últimos días?

"Dios, habiendo hablado muchas veces y de muchas maneras en otro tiempo a los padres por los profetas, en estos postreros días nos ha hablado por el Hijo" (Hebreos 1: 1, 2).

¿Cuál era una de las funciones que desempeñaría el Mesías?

"Profeta de en medio de ti, de tus hermanos, como yo, te levantará Jehová tu Dios; a él oiréis" (Deuteronomio 18: 15).

LA PREDICCION DEL FUTURO

¿Pueden los sabios del mundo predecir el futuro?

"Daniel respondió delante del rey, diciendo: El misterio que el rey demanda, ni sabios, ni astrólogos, ni magos ni adivinos lo pueden revelar al rey" (Daniel 2: 27).

¿Quién dijo Daniel que podría revelar los misterios?

"Pero hay un Dios en los cielos, el cual revela los misterios, y él ha hecho saber al rey Nabucodonosor lo que ha de acontecer en los postreros días" (vers. 28).

¿Cómo reconoció el profeta Daniel la insuficiencia de la sabiduría humana?

"Y a mí me ha sido revelado este misterio, no porque en mí haya más sabiduría que en todos los vivientes, sino para que se dé a conocer al rey la interpretación, y para que entiendas los pensamientos de tu corazón" (vers. 30).

Después de revelar y de interpretar el sueño, ¿qué dijo Daniel?

"El gran Dios ha mostrado al rey lo que ha de acontecer en lo por venir" (vers. 45).

¿Cómo muestra Dios su conocimiento?

"He aquí se cumplieron las cosas primeras, y yo anuncio cosas nuevas; antes que salgan a luz, yo os las haré notorias" (Isaías 42: 9).

¿Qué fue predicho por el profeta Joel?

"Y después de esto derramaré mi Espíritu sobre toda carne, y profetizarán vuestros hijos y vuestras hijas; vuestros ancianos soñarán sueños, y vuestros jóvenes verán visiones" (Joel 2: 28).

¿Cuándo comenzó a cumplirse esta predicción?

"Mas esto es lo dicho por el profeta Joel: Y en los postreros días, dice Dios, derramaré de mi Espíritu sobre toda carne, y vuestros hijos y vuestras hijas profetizarán; y vuestros jóvenes verán visiones, y vuestros ancianos soñarán sueños" (Hechos 2: 16, 17).

LA CONDUCCION PROFETICA

¿Cuáles eran algunos de los dones que Cristo dio a su iglesia?

"Subiendo a lo alto, llevó cautiva la cautividad, y dio dones a los hombres... Y él mismo constituyó a unos, apóstoles; a otros, profetas; a otros, evangelistas; a otros, pastores y maestros" (Efesios 4: 8, 11).

¿Por qué medio libertó y guardó Dios a Israel?

"Y por un profeta Jehová hizo subir a Israel de Egipto, y por un profeta fue guardado" (Oseas 12: 13).

Cuando Moisés se quejó de su torpeza de lengua, ¿qué dijo Dios que Aarón sería para él?

"Y él hablará por ti al pueblo; él te será a ti en lugar de boca, y tú serás para él en lugar de Dios" (Exodo 4: 16).

¿Cómo llamó Dios después a Aarón?

"Jehová dijo a Moisés: Mira, yo te he constituido dios para Faraón, y tu hermano Aarón será tu profeta" (Exodo 7: 1).

PRUEBAS DE VERDADEROS Y FALSOS PROFETAS

¿Cuál es una de las pruebas que identifica a los profetas falsos?

"Si el profeta hablare en nombre de Jehová, y no se cumpliere lo que dijo, ni aconteciere, es palabra que Jehová no ha hablado; con presunción la habló el tal profeta; no tengas temor de él" (Deuteronomio 18: 22).

¿Qué otra prueba debería aplicarse para determinar la validez de las pretensiones de un profeta?

"Cuando se levantare en medio de ti profeta, o soñador de sueños, y te anunciare señal o prodigios, y si se cumpliere la señal o prodigio que él te anunció, diciendo: *Vamos en pos de dioses ajenos, que no conociste, y sirvámosles;* no darás oído a las palabras de tal profeta, ni al tal soñador de sueños; porque Jehová vuestro Dios os está probando, para saber si amáis a Jehová vuestro Dios con todo vuestro corazón, y con toda vuestra alma. *En pos de Jehová vuestro Dios andaréis; a él temeréis, guardaréis sus mandamientos y escucharéis su voz, a él serviréis, y a él seguiréis"* (Deuteronomio 13: 1-4).

Nota.—Por estos pasajes bíblicos se nota que, en primer lugar, si las palabras de un profeta no demuestran ser verdaderas, ello es evidencia de que Dios no lo ha enviado. Por otra parte, aunque acontezcan las cosas predichas, si el presunto profeta trata de inducir a otros a quebrantar los mandamientos de Dios, esto, a pesar de todas las señales, debe ser evidencia positiva de que él no es un profeta verdadero.

¿Qué regla dio Cristo para distinguir entre los profetas verdaderos y los falsos?

"Por sus frutos los conoceréis" (S. Mateo 7: 20).

ACTITUD HACIA LOS PROFETAS DE DIOS

¿Cómo usaban los antiguos profetas de Dios las palabras de los profetas anteriores para exhortar al pueblo a la obediencia?

"¿No son éstas las palabras que proclamó Jehová por medio de los profetas primeros, cuando Jerusalén estaba habitada y tranquila?"(Zacarías 7: 7).

¿Qué se les promete a los que creen en los profetas de Dios?

"Creed en Jehová vuestro Dios, y estaréis seguros; *creed a sus profetas, y seréis prosperados"* (2 Crónicas 20: 20).

¿Qué amonestación se da acerca del don de profecía?

"No menospreciéis las profecías. Examinadlo todo; retened lo bueno" (1 Tesalonicenses 5: 20, 21).

¿Qué caracterizará a la iglesia postrera o remanente?

"Entonces el dragón se llenó de ira contra la mujer; y se fue a hacer guerra contra el resto de la descendencia de ella, *los que guardan los mandamientos de Dios y tienen el testimonio de Jesucristo"* (Apocalipsis 12: 17).

¿Qué es el testimonio de Jesucristo?

"El testimonio de Jesús es *el espíritu de profecía"* (Apocalipsis 19: 10, VM. Véase Apocalipsis 1: 9).

¿Qué sucede cuando falta este don?

"Sin profecía *el pueblo se desenfrena;* mas el que guarda la ley es bienaventurado" (Proverbios 29: 18).

Promesa Celestial

Cristo nos dio la promesa
del Santo Consolador;
paz y perdón y pureza,
para su gloria y honor.

Dios nuestro, a todo creyente
muestra tu amor y poder;
tú eres de gracia la fuente,
llenas de paz nuestro ser.

Obra en tus siervos piadosos
celo, virtud y valor;
del tentador victoriosos
salgan contigo, Señor.

E. Nathan

En una de sus cartas al joven Timoteo, San Pablo declaró que "toda la Escritura es inspirada por Dios, y útil para enseñar, para redargüir ... para instruir en justicia" (2 Timoteo 3: 16).

ESTUDIO 44

El Derramamiento del Espíritu

EL PRIMERO de nuestra era fue el siglo de oro del cristianismo. Una doctrina impopular y revolucionaria, basada en la vida, muerte y resurrección de su Fundador, se abrió paso a través de las murallas del fanatismo, el escepticismo o la oposición armada de judíos, griegos y romanos, y fue proclamada por un puñado de hombres sin recursos materiales ni influencias políticas, sin que las llamas de la hoguera ni las fieras del circo de Roma pudieran impedirlo. ¿Cuál fue el secreto de su dinamismo? ¿Se repetirán esos triunfos de la fe cristiana? ¿Cuánto, y en virtud de qué recursos?

LA PROMESA Y PREPARACION DEL PENTECOSTES

Justamente antes de su ascensión, ¿qué les dijo Jesús a sus discípulos que esperaran?

"He aquí, yo enviaré la promesa de mi Padre sobre vosotros; pero quedaos vosotros en la ciudad de Jerusalén, *hasta que seáis investidos de poder desde lo alto*" (S. Lucas 24: 49).

¿Con qué dijo que ellos serían bautizados?

"Vosotros seréis bautizados *con el Espíritu Santo* dentro de no muchos días" (Hechos 1: 5).

Nota.—Juan el Bautista había predicho este bautismo. El dijo: "Yo a la verdad os bautizo en agua para arrepentimiento; pero el que viene tras mí, cuyo calzado yo no soy digno de llevar, es más poderoso que yo; él os bautizará en Espíritu Santo y fuego" (S. Mateo 3: 11).

¿Para qué obra los prepararía este bautismo?

"Pero recibiréis poder, cuando haya venido sobre vosotros el Espíritu Santo, y *me seréis testigos* en Jerusalén, en toda Judea, en Samaria, y hasta lo último de la tierra" (Hechos 1: 8).

RESULTADOS DEL PENTECOSTES

¿Cuáles fueron algunos de los resultados de la predicación del Evangelio bajo el derramamiento del Espíritu?

"Al oír esto, se compungieron de corazón, y dijeron...: Varones hermanos, ¿qué haremos? Pedro les dijo: Arrepentíos, y bautícese cada uno de vosotros en el nombre de Jesucristo para perdón de los pecados; y recibiréis el don del Espíritu Santo... Así que, los que recibieron su palabra fueron bautizados; *y se añadieron aquel día como tres mil personas*" (Hechos 2: 37, 38, 41). "Y por la mano de los apóstoles se hacían muchas señales y prodigios en el pueblo; ... *y los que creían en el Señor aumentaban más*, gran número así de hombres como de mujeres" (Hechos 5: 12, 14). "Y crecía la palabra del Señor, *y el número de los discípulos se multiplicaba grandemente en Jerusalén*; también muchos de los sacerdotes obedecían a la fe" (Hechos 6: 7).

¿Cómo afectó la persecución a la predicación del Evangelio?

"En aquel día hubo una gran persecución contra la iglesia que estaba en Jerusalén; y todos fueron esparcidos por las tierras de Judea y de Samaria, salvo los apóstoles... *Pero los que fueron esparcidos iban por todas partes anunciando el evangelio*" (Hechos 8: 1, 4).

Nota.—"La persecución ha tenido sólo la tendencia de extender y establecer la fe que se proponía destruir... No hay lección que los hombres han sido tan lentos en aprender como la de que, oponerse y perseguir a los hombres, es precisamente la manera de confirmarlos en sus opiniones, y extender sus doctrinas" (Dr. Alberto Barnes, sobre Hechos 4: 4).

152

UN DERRAMAMIENTO EN NUESTROS DIAS

¿Qué profecía se cumplió en el derramamiento pentecostal del Espíritu en el tiempo de los apóstoles?

"Entonces Pedro, poniéndose en pie con los once, alzó la voz y les habló diciendo:... Estos no están ebrios, como vosotros suponéis... *Mas esto es lo dicho por el profeta Joel:* Y en los postreros días, dice Dios, derramaré de mi Espíritu sobre toda carne, y vuestros hijos y vuestras hijas profetizarán; vuestros jóvenes verán visiones, y vuestros ancianos soñarán sueños; y de cierto sobre mis siervos y sobre mis siervas en aquellos días derramaré de mi Espíritu, y profetizarán" (Hechos 2: 14:18. Véase Joel 2: 28, 29).

¿Qué expresiones de la profecía de Joel parecen implicar un doble cumplimiento de este derramamiento del Espíritu?

"Vosotros también, hijos de Sion, alegraos y gozaos en Jehová vuestro Dios; porque os ha dado *la primera lluvia* a su tiempo, y hará descender sobre vosotros *lluvia temprana y tardía* como al principio" (Joel 2: 23. Véase también Oseas 6: 3).

Nota.—En Palestina la lluvia temprana prepara el terreno para la siembra de la semilla, y la lluvia tardía madura el grano para la siega. Así la efusión temprana del Espíritu preparó al mundo para la amplia siembra de la semilla del Evangelio, y la efusión final vendrá para madurar el dorado grano para la siega de la tierra, que Cristo dijo que "es el fin del mundo" (S. Mateo 13: 37-39, BJ; Apocalipsis 14: 14, 15).

¿Qué se nos dice que debemos pedir en el tiempo de la "lluvia tardía"?

"¡Pedid a Jehová la lluvia en la sazón de la lluvia tardía! pues Jehová es el que da los relámpagos; y él os dará lluvias abundantes; a cada uno las plantas del campo" (Zacarías 10: 1, VM).

Nota.—Antes que los apóstoles recibieran el bautismo del Espíritu en la lluvia temprana el día de Pentecostés, todos ellos "perseveraban unánimes en oración y ruego" (Hechos 1: 14). Durante ese tiempo ellos confesaron sus faltas, eliminaron sus diferencias, renunciaron a sus ambiciones egoístas y a sus contenciones por la posición y el poder, de modo que cuando llegó el tiempo de la efusión del Espíritu, "estaban todos unánimes juntos", listos para recibirlo. A fin de estar preparados para el derramamiento final del Espíritu, debe quitarse de nuevo todo pecado y ambición egoísta, y similarmente debe realizarse una obra de gracia en el corazón de los hijos de Dios.

LA AMONESTACION DEL ANGEL DE APOCALIPSIS

¿Cómo fue descrita por el revelador la obra final del Evangelio bajo el derramamiento del Espíritu?

"Después de esto vi a otro ángel descender del cielo con gran poder; y *la tierra fue alumbrada con su gloria*" (Apocalipsis 18: 1).

¿Qué dice este ángel?

"Y clamó con voz potente, diciendo: *Ha caído, ha caído la gran Babilonia,* y se ha hecho habitación de demonios y guarida de todo espíritu inmundo, y albergue de toda ave inmunda y aborrecible" (vers. 2).

Nota.—El mundo religioso estará entonces en la misma condición en que estaba la nación judía después de haber rechazado a Cristo en su primer advenimiento (véase 2 Timoteo 3: 1-5).

¿Qué dijo San Pedro el día de Pentecostés que hicieran sus oyentes?

"Y con otras muchas palabras testificaba y les exhortaba, diciendo: *Sed salvos de esta perversa generación*" (Hechos 2: 40).

¿Qué similar llamamiento y exhortación se hará antes del derramamiento final del Espíritu?

"Y oí otra voz del cielo, que decía: *Salid de ella, pueblo mío,* para que no seáis partícipes de sus pecados, ni recibáis parte de sus plagas; porque sus pecados han llegado hasta el cielo, y Dios se ha acordado de sus maldades" (Apocalipsis 18: 4, 5).

Nota.—Bajo el derramamiento final del Espíritu se hará una gran obra en poco tiempo. Muchas voces harán sonar en toda la tierra el clamor de amonestación. Se obrarán por los creyentes señales y prodigios, y, como en Pentecostés, miles se convertirán en un día.

Los que a semejanza de los incrédulos judíos no presten atención a la invitación final del Evangelio, serán condenados a la destrucción. Las siete últimas plagas los alcanzarán, así como la guerra, el hambre, la muerte y la destrucción sobrecogieron a los judíos que, al no creer en Cristo, no prestaron atención a su amonestación a huir y se encerraron en Jerusalén para su propia ruina. Los que presten atención a la amonestación y se aparten del pecado y de los pecadores, se salvarán.

Santo Espíritu de Cristo

E. L. MAXWELL

JUAN R. SWENEY

1. San - to Es-pí - ri - tu de Cris-to, mo - ra en es - te co - ra - zón,
2. San - to Es-pí - ri - tu, lo pue-des, aun-que có - mo, no lo sé;
3. Dé - bil soy, fla - que-za to - do, mas me pos - tro a tus pies,
4. Lá - va - me, ben-di - ce y sal - va cuer-po, al - ma, es-pí - ri - tu;

lle - na - me de tu pre-sen-cia, cól - ma - me de ben-di - ción.
mas si tú mis rue-gos o - yes, sé que pu - ro yo se - ré.
pa - ra que tu a-mor e - ter - no, fuer - te, pu - ro y fiel me des.
ya me sal - vas, me con-sue-las, de bon-dad me col - mas tú.

Coro

¡Cól - ma - me! ¡Cól-ma - me! ¡Ven a - ho - ra y cól - ma - me!

¡Cól - ma - me de tu pre-sen-cia! ¡Ven, oh ven y cól - ma - me!

(CH:212)

LA SEGURA
PALABRA PROFETICA

ESTUDIO

¿Por qué fue Dada la Profecía?

LAS profecías de la Biblia no responden a ningún género literario, ni a ninguna escuela filosófica. Sus autores, los profetas, eran personajes incomprendidos por el hombre del montón y subestimados por los filósofos. Pero sus mensajes estaban destinados tanto al hombre común como al sabio. Eran revelaciones del Dios que conoce el futuro como el pasado. Su estudio y comprensión es de importancia vital para el hombre del siglo XX, como lo podemos comprobar en esta sección.

EL DON DE PROFECIA

¿Por qué fueron dadas las Sagradas Escrituras?

"Porque las cosas que se escribieron antes, *para nuestra enseñanza se escribieron, a fin de que por la paciencia y la consolación de las Escrituras, tengamos esperanza*" (Romanos 15: 4).

¿Cómo se dio toda la Escritura?

"Toda la Escritura *es inspirada por Dios*" (2 Timoteo 3: 16, p.p.).

¿Para qué es útil?

Es "útil para *enseñar, para redargüir, para corregir, para instruir en justicia*" (el mismo versículo, ú. p.).

¿Cómo se dieron las profecías?

"Porque nunca la profecía fue traída por voluntad humana, sino que *los santos hombres de Dios hablaron siendo inspirados por el Espíritu Santo*" (2 S. Pedro 1: 21).

LOS SECRETOS DEL FUTURO

¿Qué puede hacer Dios en cuanto al futuro?

"He aquí se cumplieron las cosas primeras, y yo anuncio cosas nuevas; *antes que salgan a luz, yo os las haré notorias*" (Isaías 42: 9).

¿Cuánto alcance tiene la habilidad de Dios para revelar el futuro?

"Acordaos de las cosas pasadas desde los tiempos antiguos; porque yo soy Dios, ... y nada hay semejante a mí, que *anuncio lo por venir desde el principio, y desde la antigüedad lo que aún no era hecho*" (Isaías 46: 9, 10).

Nota.—Siendo que Dios conoce todas las cosas, el futuro es presente para Dios. Quizá más que ninguna otra cosa, las profecías de la Biblia y su cumplimiento dan testimonio de su inspiración divina.

¿A quiénes revela Dios los secretos del futuro?

"Porque no hará nada Jehová el Señor, sin que revele su secreto a *sus siervos los profetas*" (Amós 3: 7).

¿A quiénes pertenecen las cosas que han sido reveladas?

"Las cosas secretas pertenecen a Jehová nuestro Dios; mas las reveladas *son para nosotros y para nuestros hijos para siempre*" (Deuteronomio 29: 29).

MAS SEGURAS QUE LA VISTA

¿Qué testimonio dio el apóstol Pedro concerniente a su experiencia en el monte de la transfiguración?

156

En su misericordia Dios ha dado a los hombres la profecía bíblica, la que ofrece de antemano un cuadro infalible y notablemente detallado de la historia humana.

"Porque *no fuimos seguidores alucinados de fábulas ingeniosas,* cuando os dimos a conocer el poder y advenimiento de nuestro Señor Jesucristo, *sino que fuimos testigos de vista de su majestad"* (2 S. Pedro 1: 16, VM).

¿Dónde dijo él que vio la majestad de Cristo, y oyó la voz del cielo?

"Y nosotros oímos esta voz enviada del cielo, *cuando estábamos con él en el monte santo"* (vers. 18).

¿Cómo destaca él la confiabilidad de las profecías?

"Tenemos también la palabra profética *más segura"* (vers. 19).

JESUS Y LAS PROFECIAS

¿Cuál ha sido siempre el tema de los profetas de Dios?

"Recibiendo el fin de vuestra fe, *la salvación de vuestras almas.* Respecto de la cual salvación, buscaron e inquirieron diligentemente los profetas, que profetizaron de la gracia que estaba reservada para vosotros" (1 S. Pedro 1: 9, 10, VM).

¿El Espíritu de quién inspiraba sus declaraciones?

"Escudriñando qué persona y qué tiempo indicaba el *Espíritu de Cristo que estaba en ellos,* el cual anunciaba de antemano los sufrimientos de Cristo, y las glorias que vendrían tras ellos" (vers. 11).

¿En qué profecía reconoció Cristo a Daniel como profeta?

"Por tanto, cuando veáis en el lugar santo *la abominación desoladora* de que habló el *profeta Daniel* (el que lee, entienda)" (S. Mateo 24: 15).

¿Hasta qué tiempo estarían selladas las profecías de Daniel como un todo?

"Pero, tú, Daniel, cierra las palabras y sella el libro *hasta el tiempo del fin.* Muchos correrán de aquí para allá, y la ciencia se aumentará" (Daniel 12: 4).

¿Qué seguridad dio el ángel de que estas profecías se entenderían en los últimos días?

"El respondió: Anda, Daniel, pues estas palabras están cerradas y selladas hasta el tiempo del fin. Muchos serán limpios, y emblanquecidos y purificados; los impíos procederán impíamente, y ninguno de los impíos entenderá, *pero los entendidos comprenderán"* (vers. 9, 10).

¿Cómo se llama el último libro de la Biblia?

"La revelación de Jesucristo, que Dios le dio" (Apocalipsis 1: 1).

¿Qué se dice de los que leen, oyen y guardan las palabras de este libro?

"Bienaventurado el que lee, y los que oyen las palabras de esta profecía, y guardan las cosas en ella escritas" (vers. 3).

El Yunque de la Palabra de Dios

El incrédulo Voltaire dijo con arrogancia en cierta ocasión: "Estoy cansado de oír de continuo que doce hombres establecieron la religión cristiana. Yo he de probar que un solo hombre basta para destruirla". Han transcurrido varias generaciones desde que Voltaire murió y millones de hombres han secundado su obra de propaganda contra la Biblia. Pero lejos de agotarse la circulación del precioso Libro, allí donde había cien ejemplares en tiempo de Voltaire hay diez mil hoy día, por no decir cien mil. Como dijo uno de los primitivos reformadores hablando de la iglesia cristiana: "La Biblia es un yunque sobre el cual se han gastado muchos martillos".

ESTUDIO 46

El Sueño de Nabucodonosor

LA PROFECIA comentada en este capítulo ha sido denominada por algunos como "el bosquejo profético de la historia". Es un mapa caminero de la humanidad a lo largo de los siglos, trazado con anticipación. Presta al viajero de la vida el mismo servicio que una guía de trenes al pasajero que quiere saber cuáles serán las próximas estaciones. Pero la trascendencia de sus informaciones es de un valor incomparablemente superior. Las profecías de Daniel son de especial interés "en el tiempo del fin", cuando las "entenderán los entendidos" (Daniel 12: 9, 10).

LA GRAN IMAGEN DE DANIEL 2

¿Qué declaró Nabucodonosor, rey de Babilonia, a los sabios a quienes había reunido?

"Y el rey les dijo: *He tenido un sueño, y mi espíritu se ha turbado por saber el sueño*" (Daniel 2: 3).

Después de haber sido amenazados con la muerte si no daban a conocer el sueño y su interpretación, ¿qué dijeron los sabios al rey?

"Los caldeos respondieron delante del rey, y dijeron: *No hay hombre sobre la tierra que pueda declarar el asunto del rey; además de esto, ningún rey, príncipe ni señor preguntó cosa semejante a ningún mago ni astrólogo ni caldeo. Porque el asunto que el rey demanda es difícil y no hay quien lo pueda declarar al rey, salvo los dioses cuya morada no es con la carne*" (vers. 10, 11).

DANIEL Y EL SUEÑO

Después que los sabios hubieron confesado así su incapacidad de hacer lo que el rey requería, ¿quién se ofreció para interpretar el sueño?

"Y *Daniel* entró y pidió al rey que le diese tiempo, y que él mostraría la interpretación al rey" (vers. 16).

Después que Daniel y sus compañeros hubieron buscado fervientemente a Dios, ¿cómo se le reveló a Daniel el sueño y su interpretación?

"Entonces el secreto fue revelado a Daniel *en visión de noche*, por lo cual bendijo Daniel al Dios del cielo" (vers. 19).

Cuando fue llevado a la presencia del rey, ¿qué dijo Daniel?

"Daniel respondió delante del rey, diciendo: El misterio que el rey demanda, ni sabios, ni astrólogos, ni magos ni adivinos lo pueden revelar al rey. *Pero hay un Dios en los cielos, el cual revela los misterios*, y él ha hecho saber al rey Nabucodonosor lo que ha de acontecer en los postreros días. He aquí tu sueño, y las visiones que has tenido en tu cama" (vers. 27, 28).

¿Qué dijo Daniel que el rey había visto en su sueño?

"He aquí tu sueño, y las visiones que has tenido en tu cama: ... Tú, oh rey, veías, y he aquí *una gran imagen*. Esta imagen, que era muy grande, y cuya gloria era muy sublime, estaba en pie delante de ti, y su aspecto era terrible" (vers. 28, 31).

¿De qué estaban compuestas las diferentes partes de la imagen?

"La cabeza de esta imagen era de oro fino; su pecho y sus brazos, de plata; su vientre y sus muslos, de bronce; sus piernas, de hierro; sus pies, en parte de hierro y en parte de barro cocido" (vers. 32, 33).

¿Por medio de qué fue rota en pedazos la imagen?

"Estabas mirando, hasta que una piedra fue cortada, no con mano, e hirió a la imagen en sus pies de hierro y de barro cocido, y los desmenuzó" (vers. 34).

¿Qué sucedió con las diversas partes de la imagen?

"Entonces fueron desmenuzados también el hierro, el barro cocido, el bronce, la plata y el oro, y fueron como tamo de las eras del verano, y se los llevó el viento sin que de ellos quedara rastro alguno. Mas la piedra que hirió a la imagen fue hecha un gran monte que llenó toda la tierra" (vers. 35).

DANIEL Y LA INTERPRETACION

¿Con qué palabras comenzó Daniel la interpretación del sueño?

"Tú, oh rey, eres rey de reyes; porque el Dios del cielo te ha dado reino, poder, fuerza y majestad. Y dondequiera que habitan hijos de hombres, bestias del campo y aves del cielo, él los ha entregado en tu mano, y te ha dado el dominio sobre todo; tú eres aquella cabeza de oro" (vers. 37, 38).

Nota.—La naturaleza del Imperio Neobabilónico está indicada adecuadamente por el material que componía la porción de la imagen que lo simbolizaba; la cabeza de oro. Era "el áureo reino de un siglo de oro". La metrópoli, Babilonia, alcanzó un grado de sin igual magnificencia.

¿Cuál sería la naturaleza del siguiente reino?

"Y después de ti se levantará otro reino inferior al tuyo" (vers. 39, p.p.).

¿Quién fue el último rey de Babilonia?

"La misma noche fue muerto Belsasar rey de los caldeos. Y Darío de Media tomó el reino, siendo de sesenta y dos años" (Daniel 5: 30, 31).

¿A quiénes se dio el reino de Belsasar?

"Tu reino ha sido dividido y entregado a los medos y los persas" (vers. 28, BJ).

¿Qué parte de la gran imagen representaba a los medos y persas, el Imperio Persa?

El pecho y los brazos de plata (Daniel 2: 32).

¿Qué parte de la imagen representa al Imperio Griego, o Macedónico, que sucedió al reino de los medos y persas?

"Su vientre y sus muslos, de bronce" (Daniel 2: 32). "Un tercer reino de bronce, el cual dominará sobre toda la tierra" (vers. 39).

Nota.—Que el imperio que reemplazó al de Persia era el de los griegos se afirma claramente en Daniel 8: 5-8, 20, 21. Concerniente a los dos períodos del Imperio Greco-Macedónico —el primero, unido bajo Alejandro Magno, pero luego dividido bajo sus sucesores (véanse las págs. 174-176).

¿Qué se dice del cuarto reino?

"Y el cuarto reino será fuerte como hierro; y como el hierro desmenuza y rompe todas las cosas, desmenuzará y quebrantará todo" (vers. 40).

Nota.—Es bien sabido que el gran poder mundial que absorbió los fragmentos del imperio de Alejandro Magno fue Roma.

¿Cómo se refieren las Escrituras a los emperadores de Roma como gobernantes del mundo?

"Aconteció en aquellos días, que se promulgó un edicto de parte de Augusto César, que todo el mundo fuese empadronado" (S. Lucas 2: 1).

Nota.—Al describir las conquistas de los romanos, Gibbon usa las mismas imágenes empleadas en la visión de Daniel 2. El dice: "Las armas de la república, algunas veces vencidas en la batalla, siempre victoriosas en la guerra, avanzaban con pasos rápidos hacia el Eufrates, el Danubio, el Rin y el océano; y las imágenes de oro o plata o bronce, que podían servir para representar a las naciones y a sus reyes, eran quebradas sucesivamente por la férrea monarquía de Roma" (The History of the Decline and Fall of the Roman Empire [Historia de la decadencia y caída del Imperio Romano], cap. 38, párr. 1, bajo "Observaciones generales", al final del capítulo).

LOS FRACASOS DEL HOMBRE PARA UNIR LAS NACIONES

¿Qué se indicaba por la mezcla del barro cocido y el hierro en los pies y dedos de la imagen?

El asombroso sueño que tuvo Nabucodonosor de la enorme imagen de metal, presentaba un bosquejo exacto de la historia mundial desde sus días hasta nuestro tiempo y aún más allá.

"Y lo que viste de los pies y los dedos, en parte de barro cocido de alfarero y en parte de hierro, *será un reino dividido*" (Daniel 2: 41).

Nota.—Las tribus bárbaras que invadieron el Imperio Romano formaron los reinos que se desarrollaron en las naciones de la Europa moderna. Véanse las págs. 168, 169.

¿Con qué lenguaje profético se indicó la variada fortaleza de los diez reinos del imperio dividido?

"Y por ser los dedos de los pies en parte de hierro y en parte de barro cocido, el reino *será en parte fuerte, y en parte frágil*" (vers. 42).

¿Se harían esfuerzos para unir los fragmentos del Imperio Romano?

"Así como viste el hierro mezclado con barro, *se mezclarán por medio de alianzas humanas; pero no se unirán el uno con el otro, como el hierro no se mezcla con el barro*" (vers. 43).

Nota.—Carlomagno, Carlos V, Luis XIV, Napoleón, el Káiser Guillermo II y últimamente Hitler, trataron todos de volver a unir los fragmentos rotos del Imperio Romano y fracasaron. Se han formado vínculos de parentesco entre familias reales mediante casamientos con el propósito de fortalecer y cimentar la unión del imperio fragmentado, pero sin éxito. Los elementos de desunión subsisten todavía. Se han producido muchas revoluciones políticas y cambios territoriales en Europa desde el fin del Imperio Romano Occidental en 476 DC; pero su estado dividido aún permanece.

Este notable sueño, como fue interpretado por Daniel, presenta en la forma más breve y sin embargo con inconfundible claridad una serie de imperios mundiales desde el tiempo de Nabucodonosor hasta el fin de la historia terrenal y el establecimiento del eterno reino de Dios. La historia confirma la profecía. Babilonia era el poder dominante del mundo en los días de este sueño, 603 AC. El Imperio Persa, que la sucedió y que incluía también a los medos, comenzó en 538 AC. (La mayoría de los historiadores datan la caída de la ciudad en la parte final del año precedente, 539 AC.) La victoria de las fuerzas griegas en la batalla de Arbela, en 331 AC, marca la caída del Imperio Persa, y los grecomace-

donios llegaron a ser la indisputada potencia mundial de aquel tiempo. Después de la batalla de Pidna, en Macedonia, en 168 AC, ningún poder del mundo era bastante fuerte para hacer frente a los romanos; y puede decirse, por lo tanto, que entonces la conducción mundial pasó de los griegos a los romanos, y el cuarto reino fue plenamente establecido. La división de Roma en diez reinos, predicha definidamente en la visión registrada en el capítulo siete de Daniel, se produjo en la centuria precedente al año 476 DC.

¿Qué va a acontecer en los días de estos reinos?

"Y en los días de estos reyes *el Dios del cielo levantará un reino que no será jamás destruido, ... desmenuzará y consumirá a todos estos reinos, pero él permanecerá para siempre*" (vers. 44).

Nota.—Este versículo predice el establecimiento de otro reino universal, el reino de Dios. Este reino derribará y suplantará a todos los reinos terrenales que existan, y permanecerá para siempre. El establecimiento de este reino habrá de producirse "en los días de estos reyes", según la profecía. Esto no puede referirse a los cuatro imperios o reinos precedentes, porque ellos no fueron contemporáneos sino sucesivos; ni puede referirse al establecimiento de un reino en ocasión del primer advenimiento de Cristo, porque los diez reinos que surgieron de las ruinas del Imperio Romano no existían todavía. Debe referirse, por lo tanto, a los reinos que sucedieron a Roma, representados por las naciones actuales de Europa. Este reino final, entonces, es todavía futuro.

¿En qué anuncio del Nuevo Testamento se da a conocer el establecimiento del reino de Dios?

"El séptimo ángel tocó la trompeta, y hubo grandes voces en el cielo, que decían: *Los reinos del mundo han venido a ser de nuestro Señor y de su Cristo; y él reinará por los siglos de los siglos*" (Apocalipsis 11: 15).

¿Qué se nos ha enseñado a pedir en oración?

"*Venga tu reino. Hágase tu voluntad, como en el cielo, así también en la tierra*" (S. Mateo 6: 10).

ESTUDIO 47

El Reino de la Gracia y de la Gloria

ADEMAS de los reinos o naciones que configuran la historia política del mundo —de alguno de los cuales sin duda somos ciudadanos—, y a la par de ellos, existen dos que nos interesan sobremanera. Sus leyes no son de hechura humana. Ser súbdito de ellos le da a la vida un sentido trascendente y una ilimitada dimensión. Se denominan el reino de la gracia y el reino de la gloria.

¿A qué trono se nos exhorta a acercarnos para hallar misericordia?

"Acerquémonos, pues, confiadamente al trono de la gracia, para alcanzar misericordia y hallar gracia para el oportuno socorro" (Hebreos 4: 16).

Nota.—Sería inútil acercarnos a cualquier trono en procura de un favor si ese trono estuviera vacante. El trono de la gracia, por lo tanto, presupone la existencia del Rey de la gracia. Si hay un rey, él debe tener súbditos, y leyes que gobiernen a esos súbditos. De ahí que, mientras uno se halle en este estado de necesidad, forzosamente debe depender de la gracia o favor de Dios, y por lo tanto está en el reino de la gracia.

EL FUTURO REINO DE GLORIA

¿A qué otro reino llaman nuestra atención las Escrituras, y cuándo ha de establecerse?

"Cuando el Hijo del hombre venga en su gloria, y todos los santos ángeles con él, entonces se sentará en su trono de gloria" (S. Mateo 25: 31).

Nota.—El reino de gloria va a establecerse en ocasión de la segunda venida de Cristo. Cristo le dijo a Pilato: "Mi reino no es de este mundo" (S. Juan 18: 36).

¿Cómo trató Cristo de corregir la falsa idea de los discípulos y de los judíos de que él iba a establecer entonces su reino de gloria?

"Prosiguió Jesús y dijo una parábola, por cuanto estaba cerca de Jerusalén, y ellos pensaban que el reino de Dios se manifestaría inmediatamente" (S. Lucas 19: 11).

¿Qué enseñó Jesús en esa parábola?

"Un hombre noble se fue a un país lejano, para recibir un reino y volver" (vers. 12).

¿Quién es el hombre noble que ha de volver?

"Voy, pues, a preparar lugar para vosotros. Y si me fuere y os preparare lugar, vendré otra vez, y os tomaré a mí mismo, para que donde yo estoy, vosotros también estéis" (S. Juan 14: 2, 3).

Nota.—El hombre noble es Cristo Jesús. Cuando él ascendió a su Padre se sentó en el trono de su Padre, el cual, mientras dura el tiempo de gracia, es el trono de la gracia. Pronto va a recibir él su reino de gloria. El no ha vuelto todavía, pero cuando venga será para reclamar a sus súbditos y llevarlos para que estén con él donde él está. El reino de gloria será establecido en ocasión de la segunda venida de Cristo, pero no en esta tierra hasta que no se complete el período de los mil años. (Véase Apocalipsis 20: 6; 15: 2, 3 y el capítulo sobre "El milenio", página 264.)

EL REINO ACTUAL DE LA GRACIA

¿Con qué palabras aclaró Jesús el hecho de que el único reino que Dios tiene ahora en la tierra es el reino de la gracia?

"Preguntado por los fariseos, cuándo había de venir el reino de Dios, les respondió, diciendo: El reino de Dios no viene con manifestación exterior. Ni dirán: ¡Helo aquí! o ¡Helo allí! porque he aquí que el reino de *Dios dentro de vosotros está*" (S. Lucas 17: 20, 21, VM).

> *Nota.*—Cristo reina solamente sobre súbditos voluntarios. Su reino es ahora enteramente espiritual. El no establecerá su reino de gloria hasta su segunda venida.

¿Cómo son salvados del pecado los hombres?

"Porque *por gracia sois salvos por medio de la fe;* y esto no de vosotros, pues es don de Dios" (Efesios 2: 8. Véase Romanos 6: 23).

> *Nota.*—Es obvio, entonces, que sólo mediante la gracia o favor de Dios pueden ser salvos los que han sido pecadores. No hay otra manera. Abrahán, Moisés y David, tanto como Pedro, Pablo y Juan, fueron salvados por gracia. Todos éstos, por lo tanto, estaban en el reino de la gracia, el cual debe de haber existido tan pronto como hubo un hombre que necesitara la gracia.

Cuando Cristo envió a sus discípulos, ¿qué les dijo que predicaran?

"Y los envió a predicar *el reino de Dios,* y a sanar a los enfermos" (S. Lucas 9: 2).

En cumplimiento de su cometido, ¿qué predicaban ellos?

"Y saliendo, pasaban por todas las aldeas, anunciando *el evangelio* y sanando por todas partes" (vers. 6).

> *Nota.*—El evangelio de ellos no era compulsivo, sino persuasivo; no era un evangelio de la espada, sino del amor de Dios; no era un evangelio político, sino el evangelio del don de Dios.

En la parábola del trigo y la cizaña, ¿qué representa la buena semilla?

"El campo es el mundo; la buena semilla son *los hijos del reino,* y la cizaña son los hijos del malo" (S. Mateo 13: 38).

¿Quién sembró la cizaña en el reino?

"El enemigo que la sembró es *el diablo*" (vers. 39).

> *Nota.*—Satanás sembró primero la cizaña en el Edén. De ahí que el reino de Dios existía en aquel tiempo. La tierra era una parte del reino de Dios, y estaba destinada a estar bajo su gobierno para siempre.

¿A quién confió Dios su reino en esta tierra?

"Entonces dijo Dios: Hagamos al hombre a nuestra imagen, conforme a nuestra semejanza; y señoree en los peces del mar, en las aves de los cielos, en las bestias, en toda la tierra, y en todo animal que se arrastra sobre la tierra" (Génesis 1: 26).

¿Qué hizo el hombre con este cometido?

"El *pecado* entró en el mundo por un hombre, y por el pecado la muerte ... Por la *desobediencia* de un hombre los muchos fueron constituidos pecadores" (Romanos 5: 12, 19).

> *Nota.*—El hombre cayó, y el mundo llegó a ser la morada del pecado. Satanás continuará su reinado hasta que el pecado sea borrado. Todo el que llega a ser súbdito del reino de Dios debe apartarse ahora del reino que ha sido usurpado por Satanás. El pecador debe rendir obediencia a las leyes de Dios. Todos los que hacen esto entran en un convenio hecho por Dios, por el cual llegan a ser sus súbditos, y renuncian al servicio de Satanás. Están entonces en el reino de Dios, su reino de gracia, porque son los súbditos del favor o la gracia de Dios.

EL TRONO DE LA GLORIA

¿Qué prometió Dios a David, rey de Israel?

"Para siempre confirmaré tu descendencia, y *edificaré tu trono por todas las generaciones*" (Salmo 89: 4).

¿Por medio de quién sería perpetuado su trono?

"Porque un niño nos es nacido, hijo nos es dado, y el *principado sobre su hombro;* y se llamará su nombre Admirable, Consejero, Dios fuerte, Padre eterno, Príncipe de paz. Lo dilatado de su imperio y la paz no tendrán límite, *sobre el trono de David y sobre su reino*" (Isaías 9: 6, 7).

¿Quién es la simiente de David, el heredero de su trono?

"Y ahora, ... darás a luz un hijo, y llamarás su nombre Jesús. Este será grande, y será llamado Hijo del Altísimo; y el Señor Dios *le dará el trono de David su padre*" (S. Lucas 1: 31, 32).

¿Qué dijo Dios, por medio del profeta, concerniente a Israel?

"Y tú, profano e impío príncipe de Israel, cuyo día ha llegado ya, el tiempo de la consumación de la maldad, así ha dicho Jehová el Señor: Depón la tiara, quita la corona... A ruina, a ruina, a ruina lo reduciré, y esto no será más, hasta que venga aquel cuyo es el derecho, y yo se lo entregaré" (Ezequiel 21: 25-27).

Nota.—Esta triple ruina se cumplió con las sucesivas invasiones de los imperios de Babilonia, Persia y Grecia. Los judíos estuvieron bajo el dominio de cada una de estas monarquías. La última invasión puede identificarse en forma general con la sucesión romana de los territorios del Imperio Macedónico, pero la alianza entre los romanos y los judíos, hecha en 161 AC, puso al último pueblo más particularmente bajo el protectorado de ese férreo poder, y en el año 63 AC Pompeyo anexó Judea como parte de una provincia. Con el establecimiento de la iglesia de Cristo, el trono de David no existiría más hasta que Jesucristo viniera en busca de los suyos para establecer su reino eterno que abarcaría a todo el Israel espiritual.

Mientras estaba en la tierra Jesús no asumió el trono. ¿Asumió su trono cuando ascendió al cielo, o se sentó en el trono de su Padre juntamente con él?

"Al que venciere, le daré que se siente conmigo en mi trono, así como yo he vencido, y *me he sentado con mi Padre en su trono*" (Apocalipsis 3: 21). "Jehová dijo a mi Señor: Siéntate a mi diestra, hasta que ponga a tus enemigos por estrado de tus pies" (Salmo 110: 1).

¿Qué está haciendo él a la diestra del Padre?

"Juró Jehová, y no se arrepentirá: Tú *eres sacerdote* para siempre según el orden de Melquisedec" (Salmo 110: 4. Véase Hebreos 10: 12, 13).

Cuando su obra sacerdotal termine, ¿qué recibirá Cristo?

"Miraba yo en la visión de la noche, y he aquí con las nubes del cielo venía uno como un hijo de hombre, que vino hasta el Anciano de días, y le hicieron acercarse delante de él. Y *le fue dado dominio, gloria y reino*, para que todos los pueblos, naciones y lenguas le sirvieran; su dominio es dominio eterno, que nunca pasará, y su reino uno que no será destruido" (Daniel 7: 13, 14).

Cuando él venga en las nubes de gloria, ¿en el trono de quién se sentará?

"Cuando el Hijo del Hombre venga en su gloria, y todos los santos ángeles con él, entonces se sentará *en su trono de gloria*" (S. Mateo 25: 31. Véase Apocalipsis 11: 15).

¿Qué dirá él entonces a los redimidos?

"Venid, benditos de mi Padre, heredad el reino preparado para vosotros desde la fundación del mundo" (S. Mateo 25: 34).

HARRY ANDERSON

Cuatro Grandes Monarquías

EL SUEÑO del profeta Daniel que se registra en el capítulo siete de su libro, presenta desde otro punto de vista los cuatro grandes imperios expuestos en el capítulo dos, y revela facetas de la historia de mayor interés humano y más estrecha relación con los hombres y los acontecimientos de nuestro siglo. Su correcta interpretación no sólo requiere claridad de entendimiento, sino también valor moral. Pero la aplicación de estas virtudes es muy remunerativa.

EL SUEÑO DE DANIEL

¿Cuándo se le dio a Daniel una segunda visión?

"En el primer año de Belsasar rey de Babilonia tuvo Daniel un sueño, y visiones de su cabeza mientras estaba en su lecho; luego escribió el sueño, y relató lo principal del asunto" (Daniel 7: 1).

¿Cómo le afectó a Daniel este sueño?

"Se me turbó el espíritu a mí, Daniel, en medio de mi cuerpo, y las visiones de mi cabeza me asombraron" (vers. 15).

Nota.—Es digno de notar que el efecto del sueño de Daniel sobre él fue similar al efecto que tuvieron en Nabucodonosor sus propios sueños: ambos se sintieron turbados. (Véase Daniel 2: 1.)

¿Qué le preguntó Daniel a uno de los seres celestiales que estaban, en el sueño, junto a él?

"Me acerqué a uno de los que asistían, y le pregunté la verdad acerca de todo esto. Y me habló, y me hizo conocer la interpretación de las cosas" (vers. 16).

¿Qué vio el profeta en visión?

"Daniel dijo: Miraba yo en mi visión de noche,

y he aquí que los cuatro vientos del cielo combatían en el gran mar" (vers. 2).

¿Cuál era el resultado de esa lucha?

"Y cuatro bestias grandes, diferentes la una de la otra, subían del mar" (vers. 3).

SIGNIFICADO DE LAS BESTIAS SIMBOLICAS

¿Qué representaban estas cuatro bestias?

"Estas cuatro grandes bestias son cuatro reyes que se levantarán en la tierra" (vers. 17).

Nota.—La palabra reyes aquí, como en Daniel 2: 44, denota reinos, como se explica en los versículos 23 y 24 del capítulo siete. En esta profecía las dos palabras se usan indistintamente.

En lenguaje simbólico, ¿qué representan los vientos?

Luchas, guerras, conmociones. (Véase Jeremías 25: 31-33; 49: 36, 37.)

Nota.—Es evidente, por la misma visión, que los vientos denotan luchas y guerras. Como resultado del combate de los vientos, los reinos se levantan y caen.

¿Qué simbolizan las aguas en las profecías?

"Las aguas que has visto ... son pueblos, muchedumbres, naciones y lenguas" (Apocalipsis 17: 15).

Nota.—En el segundo capítulo de Daniel, bajo la figura de la imagen de un hombre, se da tan sólo una reseña política del levantamiento y la caída de los reinos terrenales que preceden al establecimiento del eterno reino de Dios. En el capítulo siete se presentan los gobiernos terrenales como los ve el cielo: bajo el símbolo de vientos y de bestias feroces, que oprimen y persiguen —particularmente la úl-

El sueño de Daniel de las cuatro bestias feroces, junto con la explicación dada por el ángel, son de vital interés porque predicen eventos importantísimos, algunos de los cuales todavía no se han cumplido.

H. BAERG

tima bestia— a los santos del Altísimo. De aquí el cambio de los símbolos que se usan para representar a estos reinos.

¿A qué se parecía la primera bestia?

"*La primera era como león, y tenía alas de águila.* Yo estaba mirando hasta que sus alas fueron arrancadas, y fue levantada del suelo y se puso enhiesta sobre los pies a manera de hombre, y le fue dado corazón de hombre" (Daniel 7: 4).

Nota.—El león, la primera de estas cuatro grandes bestias, como la cabeza de oro del sueño de Nabucodonosor, representa la monarquía babilónica; el león, el rey de los animales, está a la cabeza de su clase, como el oro entre los metales. Las alas de águila denotan, sin duda, la rapidez con que Babilonia ascendió a la cumbre del poder bajo Nabucodonosor, quien reinó de 605 AC a 562 AC. (El año 605 AC fue el de su ascensión al poder, y el siguiente fue considerado como su primer año oficial.)

¿Con qué fue simbolizado el segundo reino?

"Y he aquí *otra segunda bestia, semejante a un oso,* la cual se alzaba de un costado más que del otro, y tenía en su boca tres costillas entre los dientes; y le fue dicho así: Levántate, devora mucha carne" (vers. 5).

Nota.—"Este era el Imperio Medopersa, representado aquí bajo del *oso...* Se compara a los medos y los persas con un oso, debido a la *crueldad y sed de sangre* que los caracterizaba. El oso es el más voraz y cruel de los animales" (Adam Clarke, *Commentary,* Daniel 7: 5).

Se considera el año 538 AC como el primero de este reino de medos y persas.

¿Con qué se simbolizó el tercer imperio universal?

"Después de esto miré, y he aquí otra, *semejante a un leopardo,* con cuatro alas de ave en sus espaldas; tenía también esta bestia cuatro cabezas; y le fue dado dominio" (vers. 6).

Nota.—Si las alas de un águila en la espalda de un león simbolizaban la rapidez de los movimientos del Imperio Babilónico (Habacuc 1: 6-8), las cuatro alas del leopardo deben denotar la celeridad sin igual de los movimientos del Imperio Griego. Un estudio de las campañas de Alejandro prueba que esto fue históricamente cierto.

"En la primavera del año 334 AC Alejandro invadió el Asia Menor al frente de un ejército de unos treinta y cinco mil macedonios y griegos... Cuatro años más tarde había abatido al Imperio Persa fundado por Ciro el Grande, y se había erigido en su

gobernante por derecho de conquista. Usó cuatro años más en la subyugación de las tribus bárbaras de la altiplanicie del Irán y de los pueblos más civilizados del valle del Indo. En este corto período de ocho años Alejandro había anexado un área de unos cinco millones de kilómetros cuadrados, con una población de más de veinte millones de habitantes. La asombrosa rapidez de sus conquistas, una hazaña notable en extremo en vista de las reducidas tropas a su disposición, se debió en gran medida a la organización superior del ejército macedonio, a la excelencia de los generales de Alejandro, preparados en la escuela de su padre, Filipo, y a sus propias superlativas cualidades como general y conductor de hombres" (A.E.R. Boak, Albert Hyma, y Preston Slosson, *The Growth of European Civilization* [El crecimiento de la civilización europea], 1938, t. 1, págs. 59, 60. Copyright, 1938, por F. S. Crofts Co., Inc. Con permiso de Appleton Century-Crofts, Inc.).

"Tenía también esta bestia cuatro cabezas". El Imperio Griego mantuvo su unidad sólo un corto tiempo hasta la muerte de Alejandro, que ocurrió en 323 AC. Durante los veintidós años que siguieron al fin de su brillante carrera, o alrededor del 301 AC, el imperio se dividió entre cuatro de sus principales generales. (Véase la página 177.)

¿Cómo fue representado el cuarto reino?

"Después de esto miraba yo en las visiones de la noche, y he aquí *la cuarta bestia, espantosa y terrible y en gran manera fuerte, la cual tenía unos dientes grandes de hierro;* devoraba y desmenuzaba, y las sobras hollaba con sus pies, y era muy diferente de todas las bestias que vi antes de ella, y *tenía diez cuernos"* (vers. 7).

¿Qué se dijo que era la cuarta bestia?

"Dijo así: *La cuarta bestia será un cuarto reino en la tierra,* el cual será diferente de todos los otros reinos, y a toda la tierra devorará, trillará y despedazará" (vers. 23).

Nota.—"Se reconoce, por todas partes, que ésta es la Roma imperial. Era *espantosa, terrible y en gran manera fuerte;* ... y llegó a ser, en efecto, lo que se deleitan los escritores romanos en llamar *el imperio del mundo entero"* (Adam Clarke, *Commentary,* sobre Daniel 7: 7).

Puede decirse que el poder mundial pasó de los griegos a los romanos en ocasión de la batalla de Pidna, en 168 AC.

"Finalmente, en 168, los romanos ... ganaron una victoria completa en Peseo, Macedonia, en la batalla de Pidna. El Reino Macedónico llegó a su fin... Habiendo acabado con Macedonia, los romanos dirigieron su atención a otros Estados griegos con la intención de recompensar a sus amigos y castigar a sus enemigos... En adelante era claro que Roma era el verdadero soberano en el Mediterráneo oriental y que sus amigos y aliados solamente gozaban de autonomía local, mientras se esperaba que fuesen obedientes a las órdenes de Roma" (A.E.R. Boak, *A History of Rome to 565 AD* [Una historia de Roma hasta 565 DC], ed. 1938, pág. 109. Copyright, 1921, 1929, 1943, por Macmillan Company. Usada con permiso).

¿Qué representaban los diez cuernos?

"Y los diez cuernos significan que de aquel reino *se levantarán diez reyes*" (vers. 24).

Nota.—El Imperio Romano fue fragmentado en diez reinos en la centuria que precedió al año 476 DC. Debido a la incertidumbre de las fechas, los escritores religiosos han diferido en la enumeración exacta de los reyes que la profecía tenía en vista. Uno de los escritores en cuanto a las profecías bíblicas dice:

"Los diez cuernos pueden no ser estrictamente permanentes, sino estar sujetos a cambios parciales. Algunos pueden caer, o mezclarse, y ser entonces reemplazados por otros. El número de diez puede prevalecer así a través del todo, y aparecer claramente al principio y al final de su historia, aunque sin mantenerse estrictamente cada momento.

"Una división en diez, matemática e invariable, que algunos han querido hallar, podría malograr la mitad de la predicción, y podría privar al resto de su osada y honesta grandiosidad. Pero ahora cada parte se cumple del mismo modo. Al mismo tiempo, por estos cambios parciales de la lista de los reinos condenados a la destrucción, se desautoriza la acusación de un severo fatalismo, que de otra manera podría empañar la equidad de la divina Providencia" (T.R. Birks, *The Four Prophetic Empires, and the Kingdom of Messiah: Being an Exposition of the First Two Visions of Daniel* [Los cuatro imperios proféticos, y el reino del Mesías: Una exposición de las primeras dos visiones de Daniel], ed.1845, págs. 143, 144, 152).

¿Qué cambio vio Daniel que se produjo en estos cuernos?

"Mientras yo contemplaba los cuernos, *he aquí que otro cuerno pequeño salía entre ellos, y delante de él fueron arrancados tres cuernos de*

los primeros; y he aquí que este cuerno tenía ojos como de hombre, y una boca que hablaba grandes cosas" (vers. 8).

¿Qué averiguación de Daniel muestra que la cuarta bestia, y especialmente la fase de ella representada por el cuerno pequeño, constituye el rasgo dominante de esta visión?

"Entonces *tuve deseo de saber la verdad acerca de la cuarta bestia*, que era tan diferente de todas las otras, espantosa en gran manera, que tenía dientes de hierro y uñas de bronce, que devoraba y desmenuzaba, y las sobras hollaba con sus pies; *asimismo acerca de los diez cuernos que tenía en su cabeza, y del otro que le había salido, delante del cual habían caído* tres; y este mismo cuerno tenía ojos, y boca que hablaba grandes cosas, y parecía más grande que sus compañeros" (vers. 19, 20).

¿Cuándo se levantaría el cuerno pequeño?

"Otro saldrá *después de ellos*" (vers. 24, BJ).

Nota.—Los diez cuernos, como ya se mostró, surgieron cuando Roma, el cuarto reino, fue dividido en diez reinos. Esa división se completó alrededor del año 476 DC. El poder representado por el cuerno pequeño que iba a surgir después de ellos y antes que cayeran tres de ellos —los hérulos, los vándalos y los ostrogodos—, era el papado.

"De entre las ruinas de la Roma política, se levantó el gran Imperio moral en la 'forma gigantesca' de la Iglesia Romana" (A. C. Flick, *The Rise of the Mediaeval Church* [El surgimiento de la Iglesia Medioeval], Nueva York: G.P. Putnam's Sons, 1909, pág. 150).

"Bajo el Imperio Romano los papas no tenían poderes temporales. Pero cuando el Imperio Romano se hubo desintegrado y su lugar fue tomado por un número de reinos rudos, bárbaros, la Iglesia Católica Romana no sólo llegó a ser independiente de los Estados en asuntos religiosos, sino también a tener autoridad en asuntos seculares" (Carl Conrad Eckhardt, *The Papacy and World-Affairs* [El papado y los asuntos del mundo], Chicago: University of Chicago Press, 1937, pág. 1).

Después de haber identificado el lugar y el tiempo del reinado del cuerno pequeño, consideraremos su carácter y obra en los estudios siguientes.

El Reinado y la Obra del Anticristo

LA DOCTRINA que se expone en este capítulo es tremenda. Puede provocar en los lectores reacciones muy diversas: asombro, disgusto, consternación, pesar, indignación, desaliento, satisfacción. Los editores dudaron por momentos de la conveniencia de incluirla en esta obra, a pesar de reconocer la erudición y autoridad en el campo de la historia y de la teología bíblica de los especialistas que la prepararon. En días cuando muchos se esfuerzan por fomentar la unidad cristiana, después del Concilio Vaticano II, con su declaración sobre "La libertad religiosa" hecha en la "Sesión pública del 7 de diciembre de 1965", que aparece en las páginas 14 a 29 del folleto 5 de Ediciones de L'Osservatore Romano (Buenos Aires), y la publicación de otros documentos de ese memorable concilio, ¿debía exponerse esta doctrina? A pesar de estas cavilaciones se lo hace, como expuso el profeta Daniel a Nabucodonosor el significado de su sueño del capítulo cuatro de su libro, aunque "quedó atónito casi una hora, y sus pensamientos lo turbaban" (Daniel 4: 19). Después de todo, la importancia y trascendencia de las verdades bíblicas no admiten el silencio o la negación de quienes las conozcan. Han sido reveladas por Dios para beneficio de los que quieran hacer su voluntad. Y es de desear que éstas, tan significativas en estos días de confusión, resulten iluminadoras y salvadoras para muchos.

¿Qué se dice del cuerno pequeño en comparación con los diez cuernos de Daniel, cap. 7?

"El cual será *diferente* de los primeros, y a tres reyes derribará" (Daniel 7: 24).

Nota.—El papado, que se levantó sobre las ruinas del Imperio Romano, difería de todas las formas previas del poder romano en el hecho de que era una dictadura eclesiástica que pretendía ejercer el dominio universal sobre los asuntos espirituales y materiales, especialmente los primeros. Era una unión de la Iglesia y el Estado, frecuentemente con el predominio de la Iglesia. (Véase la pág. 169.)

"Todos los elementos romanos que dejaron los bárbaros y los arrianos ... [quedaron] bajo la protección del obispo de Roma, que era allí la persona principal después de la desaparición del emperador... *La Iglesia Romana se colocó de esta manera privadamente en el lugar del Imperio Romano mundial, del cual es de hecho la continuación; el imperio no ha muerto, sino que ha experimentado solamente una transformación...* Esta no es meramente una hábil observación o sospecha, sino el reconocimiento del verdadero estado de los hechos según la historia, y la manera más apropiada y provechosa de describir el carácter de esta iglesia. Todavía gobierna ella las naciones... Es una creación política, y tan imponente como un imperio mundial, porque es la continuación del Imperio Romano. El papa, que se llama a sí mismo 'Rey' y 'Pontífice Máximo', es el sucesor del César" (Adolf Harnack, *What is Christianity?* [¿Qué es cristianismo?], Nueva York: G.P. Putnam's Sons, 1903, págs. 269, 270).

"No, la iglesia no descenderá a la tumba. Sobrevivirá al Imperio... Finalmente surgirá un segundo imperio, del cual el papa será el amo; más aún, él será el amo de Europa. El impartirá sus órdenes a los reyes, los cuales le obedecerán" (Joseph Turmel [bajo el seudónimo de Andre Legarde], *The Latin Church in the Middle Ages* [La Iglesia Latina en la Edad Media], New York: Charles Scriber's Sons, 1915, prefacio, pág. vi).

EL PAPADO Y DIOS

¿Qué actitud de rivalidad hacia el Altísimo iba a asumir el papado, representado por el cuerno pequeño?

"Y hablará palabras contra el Altísimo" (Daniel 7: 25, p.p.).

¿Cómo describe el apóstol Pablo, hablando del hombre de pecado, este mismo poder?

"El cual se opone y se levanta contra todo lo que se llama Dios o es objeto de culto; tanto que se sienta en el templo de Dios como Dios, haciéndose pasar por Dios" (2 Tesalonicenses 2: 4).

Nota.—Los siguientes extractos de obras de autoridad, la mayoría de ellas de escritores católicos romanos, indicarán cuán ampliamente ha hecho esto el papado:

"Todos los nombres que en la Escritura se aplican a Cristo, en virtud de los cuales se reconoce su supremacía sobre la iglesia, se aplican también al papa" (Roberto Bellarmino, *Disputationes de Controversiis,* tomo 2, "Controversia Prima", libro 2, "De Conciliorum Auctoritate", [Sobre la autoridad de los concilios], cap. 17, ed. 1628, vol. 1, pág. 266. Traducción).

"Porque tú eres el pastor, tú eres el médico, tú eres el director, tú eres el labrador; finalmente, tú eres otro Dios en la tierra" (Discurso de Christopher Marcellus en el Quinto Concilio Lateranense, 4ta. sesión, en J. D. Mansi, *Sacrorum Conciliorum ... Collectio,* vol. 32, col. 761. Traducción).

"Porque ningún hombre, sino Dios separa a aquellos a quienes el Pontífice Romano (quien ejerce las funciones, no meramente del hombre, sino del propio Dios), habiendo pesado la necesidad o el beneficio de las iglesias, dispersas, no por humana sino más bien por divina autoridad" ("The Decretals of Gregory IX", libro 1, título 7, cap. 3, en *Corpus Juris Canonici* ed. 1555-56, vol. 2, col. 203. Traducción).

"El papa es el juez supremo de la ley o de la tierra... El es el vicegerente de Cristo, quien no es solamente un Sacerdote eterno, sino también Rey de reyes y Señor de señores" *(La Civilta Cattolica,* 18 de marzo de 1871. Citada en Leonard Woolsey Bacon, *An Inside View of the Vatican Council* [Una vista interior del Concilio Vaticano], ed. American Tract Society, pág. 229, n.).

"Cristo confió su oficio al sumo pontífice; ... pero el poder en el cielo y en la tierra ha sido dado a Cristo; ... por lo tanto el sumo pontífice, que es su vicario, tendrá este poder" *(Corpus Juris Canonici,* ed. 1555-56, vol. 3, *Extravagantes Communes,* libro 1, col. 29. Traducido de una glosa sobre las palabras *Porro Subesse Romano Pontiff).*

"Por tanto el papa está coronado con una triple corona, como rey del cielo y de la tierra y de las regiones inferiores (infernorum)" (Lucius Ferraris, *Prompta Bibliotheca,* "Papa", art. 2, ed. 1772-77, vol. 6. pág. 26. Traducción).

"Todos los fieles de Cristo deben creer que la Santa Sede y el Pontífice Romano poseen la primacía sobre el mundo entero, y que el Pontífice Romano es el sucesor del bienaventurado Pedro, Príncipe de los Apóstoles, y es verdadero vicario de Cristo, y cabeza de toda la iglesia, y padre y maestro de todos los cristianos; y que Cristo Jesús nuestro Señor le dio pleno poder a él en el bienaventurado Pedro para regir, alimentar y gobernar a la Iglesia universal" (Primera constitución dogmática de la Iglesia de Cristo *Pastor Aeternus,* publicada en la cuarta sesión del Concilio Vaticano, 1870, cap. 3, en Philip Schaff, *Creeds of Christendom* [Credos de la cristiandad], Nueva York, Harper, vol. 2, pág. 262).

"Nosotros enseñamos y definimos como un dogma divinamente revelado: que el Pontífice Romano, cuando habla *ex cathedra,* es decir, en cumplimiento del ministerio de pastor y doctor de todos los cristianos, en virtud de su suprema autoridad apostólica, y define una doctrina referente a la fe o la moral que la Iglesia universal debe sostener, por la divina ayuda que se le prometió en el bienaventurado Pedro, posee esa infalibilidad con la cual el divino Redentor quiso que su iglesia estuviese dotada para definir doctrinas referentes a la fe o la moral; y que por lo tanto tales definiciones del Pontífice Romano no son susceptibles de reformas, ni éstas podrían contar con el asentimiento de la Iglesia" (Ibíd., cap. 4, págs. 270, 271).

Entre las veintisiete proposiciones conocidas como los "Preceptos de Hildebrando", quien, con el nombre de Gregorio VII, fue papa desde 1073 hasta 1085, figuran las siguientes:

"2. Que solamente el pontífice romano puede ser llamado con justicia universal.

"6. Que ninguna persona ... puede vivir bajo el mismo techo con uno que ha sido excomulgado por el papa.

"9. Que todos los príncipes deberían besar solamente sus pies [del papa].

"12. Que para él es legal deponer emperadores.

"18. Que su sentencia no debe ser revista por nadie; mientras que él puede rever las decisiones de todos los demás.

"19. Que él no puede ser juzgado por nadie.

"22. Que la Iglesia Romana nunca erró, ni nunca errará, de acuerdo con las Escrituras.

"26. Que ninguno que no esté de acuerdo con la Iglesia Romana puede ser considerado un católico.

"27. Que él puede absolver a los súbditos de su obediencia a gobernantes injustos" (César Baronio, *Annales,* año 1076, secs. 31-33, vol. 17, ed. 1869, págs. 405, 406. Traducción).

"Ellos se arrogaron la infalibilidad, facultad que pertenece solamente a Dios. Pretenden perdonar pecados, facultad que pertenece solamente a Dios. Pretenden abrir y cerrar el cielo, facultad que pertenece solamente a Dios. Pretenden estar por encima de todos los reyes de la tierra, facultad que pertenece solamente a Dios. Y van más allá de Dios al pretender desligar a todas las naciones de sus votos de lealtad a sus reyes, cuando esos reyes no les agradan a ellos. Y van *contra* Dios, cuando conceden *indulgencias para pecar*. Esta es *la peor* de todas las blasfemias" (Adam Clarke, *Commentary*, sobre Daniel 7: 25).

EL PAPADO Y EL PUEBLO DE DIOS

¿Cómo habría de tratar el cuerno pequeño al pueblo de Dios?

"Y a los santos del Altísimo *quebrantará"* (Daniel 7: 25).

    Nota.—"Bajo estas sanguinarias máximas [previamente mencionadas] se realizaron esas persecuciones, desde los siglos once y doce casi hasta el tiempo presente, cosa que resalta en las páginas de la historia. Después de haberse dado en los cánones de Orleans la venia al martirio desenfadado, siguió la extirpación de los albigenses, bajo la forma de una cruzada; el establecimiento de la Inquisición, el cruel intento de extinguir a los valdenses, los martirios de los lolardos, las crueles guerras de exterminio de los bohemios, la quema de Hus y Jerónimo, y multitud de otros confesores, antes de la Reforma; y después, las feroces crueldades practicadas en los Países Bajos, los martirios del reinado de la reina María; la extinción, por la hoguera y la espada, de la reforma en España y en Italia, por fementida y abierta persecución en Polonia; la matanza de San Bartolomé, la persecución de los hugonotes por la Santa Liga, ... y todas las crueldades y perjuicios relacionados con la revocación del edicto de Nantes. Estos son los hechos más abiertos y conspicuos que explican la profecía, además de los lentos y secretos asesinatos del santo tribunal de la Inquisición" (T. T. Birk, *The Four Prophetic Empires, and the Kingdom of Messiah* [Los cuatro imperios proféticos, y el reino del Mesías], ed. 1845, págs, 248, 249).

    El número de víctimas de la Inquisición en España se da en *La historia de la Inquisición en España*, por Llorente, anteriormente secretario de la Inquisición, ed. 1827, pág. 583. Esta autoridad reconoce que más de 300.000 sufrieron persecución en España solamente, de los cuales 31.912 murieron en las llamas. Millones más fueron muertos por su fe a lo largo y lo ancho de Europa.

    "Ningún protestante que tenga un conocimiento adecuado de la historia pondrá en duda que la Iglesia de Roma ha derramado más sangre inocente que cualquier otra institución que haya existido jamás entre los hombres. Los documentos probatorios de muchas de sus persecuciones, a la verdad, son ahora tan escasos que es imposible formarse un concepto completo de la multitud de sus víctimas, y es enteramente cierto que las facultades de la imaginación no pueden darse cuenta cabal de sus sufrimientos" (W. E. H. Lecky, *History of the Rise and Influence of the Spirit of Rationalism in Europe* [Historia del surgimiento y la influencia del racionalismo en Europa], ed. 1910, vol. 2, pág. 32. Usado con permiso de Longmans Green and Co.).

EL PAPADO Y LA LEY DE DIOS

¿Qué otra cosa dice la profecía que haría el cuerno pequeño?

"Y pensará en cambiar los tiempos y la ley" (Daniel 7: 25).

    Nota.—En cuanto al poder del papa para cambiar las leyes divinas, un escritor católico dice lo siguiente:

    "El papa tiene tan grande autoridad y poder que puede modificar, explicar o interpretar aun las leyes divinas... El papa puede modificar la ley divina, siendo que su poder no es de hombre sino de Dios, y que actúa como vicegerente de Dios en la tierra" (Lucius Ferraris, *Prompta Bibliotheca*, "Papa", arr. 2. Traducción).

    Aunque los Diez Mandamientos, la ley de Dios, se hallan en las versiones católicas romanas de las Escrituras, como fueron dados originalmente, a los fieles se los instruye con los catecismos de la iglesia, y no directamente con la Biblia. Como éstos aparecen allí, la ley de Dios ha sido cambiada y virtualmente re-estatuida por el papado. Además, los comulgantes no sólo reciben de la iglesia la ley, sino que tratan con la iglesia cualesquiera supuestas infracciones de la ley, y todo el asunto queda resuelto al satisfacer a las autoridades eclesiásticas.

    El segundo mandamiento, que prohíbe hacer imágenes e inclinarse ante ellas, está omitido en los catecismos católicos, y el décimo, que prohíbe codiciar, está dividido en dos.

    Como evidencia del cambio que ha sido hecho en la ley de Dios por el poder papal, y que él admite y pretende tener autoridad para hacerlo, nótese lo siguiente de publicaciones católicas romanas:

    "P. ¿*Tiene Ud. alguna otra manera de probar que la Iglesia tiene poder para instituir fiestas de precepto?*

    "R. Si no tuviese tal poder, no hubiera hecho aquello en que todos los religiosos modernos concuerdan con ella: no hubiera podido substituir la observancia del domingo, el primer día de la semana, en lugar de la observancia del sábado, el séptimo día, cambio para el cual no hay autorización en las Escrituras" (Esteban Keenan, *A Doctrinal Catechism*, "Sobre la obediencia debida a la Iglesia," cap. 2, pág. 174. Imprimatur, John Cardenal McCloskey, arzobispo de Nueva York).

    "P. ¿*Cómo prueba Ud. que la Iglesia tiene poder para ordenar fiestas y días de guardar?*

"R. Por el mismo hecho de que cambió el sábado por el domingo, cambio que los protestantes reconocen; y por lo tanto implícitamente se contradicen, al guardar el domingo con estrictez y quebrantar la mayoría de las otras fiestas ordenadas por la misma iglesia.

"P. ¿Cómo prueba Ud. eso?

"R. Porque al guardar el *domingo*, ellos reconocen el poder de la Iglesia para ordenar fiestas, y para imponerlas bajo pecado; y al no guardar las demás ordenadas por ella, niegan de hecho el mismo poder" (Henry Tuberville, *An Abridgment of the Christian Doctrine* [Un compendio de la doctrina cristiana], pág. 58).

EL JUICIO Y EL REINO DE DIOS

¿Hasta cuándo serían entregados en las manos del cuerno pequeño los santos, los tiempos y las leyes del Altísimo?

"Y serán entregados en su mano *hasta tiempo, y tiempos, y medio tiempo*" (Daniel 7: 25, ú.p.).

¿En qué otras profecías se menciona este mismo período?

"Y se le dieron a la mujer las dos alas de la gran águila, para que volase de delante de la serpiente al desierto, a su lugar, donde es sustentada por *un tiempo, y tiempos, y la mitad de un tiempo*" (Apocalipsis 12: 14). "También se le dio boca que hablaba grandes cosas y blasfemias; y se le dio autoridad para actuar *cuarenta y dos meses*" (Apocalipsis 13: 5. Véase también Apocalipsis 11: 2). "Y la mujer huyó al desierto, donde tiene lugar preparado por Dios, para que allí la sustenten por *mil doscientos sesenta días*" (Apocalipsis 12: 6).

En el lenguaje simbólico de la profecía, ¿cuánto tiempo representa un día?

Respuesta: Un año literal. Véase Ezequiel 4: 6, ú.p., y Números 14: 34, y léase la nota que sigue.

Nota.—En profecías como las de Daniel 2, 7 y 8, y la mayoría de las del libro de Apocalipsis, las personas, los animales, los objetos y las acciones descritos son simbólicos. Es decir, no son realidad en sí mismos, sino representaciones figuradas de personas, cosas y eventos reales. En consecuencia, es razonable suponer que los períodos de tiempo mencionados en esos pasajes proféticos también son simbólicos. Un ejemplo de esa práctica ocurre en Ezequiel 4: 6, donde el profeta iba a realizar un acto simbólico durante 40 días, cada uno de los cuales representaba un año literal.

El hecho adicional de que los períodos de tiempo de Daniel 7 y 8 —los 1.260 días y los 2.300 días— no corresponden propiamente con ningún período histórico de tiempo así especificado en "días", confirma la conclusión de que estas cifras deben representar un tiempo simbólico más bien que uno literal. También cuando se acepta que los 2.300 días representan el todo del cual los 490 años de Daniel 9 constituyen una parte (véase la pág. 180), es evidente que los 2.300 días deben ser considerados con sentido simbólico.

Si "un tiempo" en la profecía equivale a un año (Daniel 11: 13 habla de 'los *tiempos*, es decir, de algunos *años*', Versión Moderna), tres tiempos y medio deben ser tres años y medio. Esto es obviamente lo mismo que 42 meses. Y como estos dos períodos son identificados por los textos ya mencionados como equivalentes a mil doscientos sesenta días, es evidente que un año profético está compuesto de 360 días, o 12 meses de 30 días cada uno. Siendo que en las profecías bíblicas un día representa un año, el período que señalaría el tiempo de la supremacía del cuerno pequeño —el papado— sobre los santos, los tiempos y la ley de Dios sería por lo tanto de 1.260 años.

El decreto del emperador Justiniano, publicado en 533 DC, reconoció al papa como "cabeza de todas las santas iglesias" (*Código de Justiniano*, libro 1, título 1, sec. 4, en *La Ley Civil*. Traducido por S. P. Scott, tomo 12, pág. 12). La abrumadora derrota de los ostrogodos en el sitio de Roma, cinco años más tarde, en 538 DC, fue un golpe mortal para la independencia del poder arriano que gobernaba entonces en Italia, y señaló aquel año como un año notable en el desarrollo de la supremacía papal. El año 538 puede entonces considerarse como el comienzo de los 1.260 años de esta profecía, que se extendería hasta el año 1798. Como resultado directo de la sublevación contra la autoridad papal en la Revolución Francesa, el ejército francés, bajo las órdenes de Berthier, entró en Roma, y el papa fue arrestado en febrero de 1798, y murió en el exilio en Valence, Francia, el año siguiente. El año 1798, durante el cual se le infligió al papado este golpe mortal, puede considerarse como el fin del largo período profético mencionado en esta profecía.

¿Cuál será a la postre el destino del cuerno pequeño?

"Pero se sentará el Juez, y *le quitarán su dominio para que sea destruido y arruinado hasta el fin*" (Daniel 7: 26).

¿A quiénes se dará finalmente el dominio?

"Y que el reino, y el dominio y la majestad de los reinos debajo de todo el cielo, sea dado *al pueblo de los santos del Altísimo*" (Daniel 7: 27).

ESTUDIO 50

Los Símbolos Proféticos de Daniel 8

COMO sucede con otros hechos que Dios ha querido destacar mediante la repetición de sueños significativos, tales como los que se registran en Génesis 41: 1-7, 32, algunos de los acontecimientos predichos en el capítulo 2 de Daniel, y especialmente en el 7, se vuelven a anunciar y recalcar, con detalles y aclaraciones adicionales, mediante los símbolos proféticos del capítulo 8 de Daniel. Indudablemente Dios los considera de extraordinaria importancia para la humanidad y en especial para su pueblo.

LA VISION DE DANIEL

¿Dónde estaba Daniel cuando tuvo esta visión?

"Vi en visión; y cuando la vi, yo estaba en Susa, que es la capital del reino en la provincia de Elam; vi, pues, en visión, estando junto al río Ulai" (Daniel 8: 2).

¿Qué apareció primero ante el profeta?

"Alcé los ojos y miré, y he aquí un carnero que estaba delante del río, y tenía dos cuernos" (vers. 3).

¿Qué apareció después en la escena?

"Mientras yo consideraba esto, he aquí un macho cabrío venía del lado del poniente sobre la faz de toda la tierra, sin tocar tierra; y aquel macho cabrío tenía un cuerno notable entre sus ojos. Y vino hasta el carnero de dos cuernos, que yo había visto en la ribera del río, y corrió contra él con la furia de su fuerza. Y lo vi que llegó junto al carnero, y se levantó contra él y lo hirió, y le quebró sus dos cuernos, y el carnero no tenía fuerzas para pararse delante de él; lo derribó, por tanto, en tierra, y lo pisoteó, y no hubo quien librase al carnero de su poder. Y el macho cabrío se engrandeció sobremanera" (vers. 5-8).

Cuando el cuerno notable fue quebrado, ¿qué surgieron?

"Pero estando en su mayor fuerza, aquel gran cuerno fue quebrado, y en su lugar salieron otros cuatro cuernos notables hacia los cuatro vientos del cielo" (vers. 8).

¿Qué salió de uno de estos cuernos?

"Y de uno de ellos salió un cuerno pequeño, que creció mucho al sur, y al oriente, y hacia la tierra gloriosa. Y se engrandeció hasta el ejército del cielo; y parte del ejército y de las estrellas echó por tierra, y las pisoteó" (vers. 9, 10).

GABRIEL EXPLICA LA VISION

¿Qué orden se le dio al ángel que estaba cerca?

"Y oí una voz de hombre entre las riberas del Ulai, que gritó y dijo: Gabriel, enseña a éste la visión" (vers. 16).

¿Cuáles fueron las primeras palabras que el ángel le dijo entonces al profeta?

"Entiende, hijo de hombre, porque la visión es para el tiempo del fin" (vers. 17).

Nota.—Las palabras del ángel "la visión es para el tiempo del fin" no pueden significar que sería necesario esperar hasta el tiempo del fin antes que el carnero y el macho cabrío aparecieran en el escenario de la acción, porque el ángel dijo claramente que el carnero con dos cuernos representaba al Imperio Medopersa y que el macho cabrío representaba a Grecia (vers. 20, 21). Y fue en el tercer año de Belsasar, antes de la derrota de Babilonia frente a los medos y persas, cuando fue dada la visión.

174

Según el ángel Gabriel, el propósito de la visión de Daniel del carnero y del macho cabrío era revelar "lo que ha de venir ... para el tiempo del fin" (Daniel 8: 19). Por lo tanto es importante comprenderla.

Pero esta importante profecía incluye un largo período, y el ángel le informó al profeta que los eventos de la visión, incluyendo los que ocurrirían durante ese largo período y al fin del mismo, se extenderían más allá del tiempo de Daniel, aun al tiempo del fin, es a saber a una época que culminaría con la segunda venida de Cristo.

Hay quienes quisieran hacernos creer que las admirables profecías y las grandes verdades del libro de Daniel no pueden entenderse, y que por lo tanto estudiarlas es perder el tiempo. Pero mientras Daniel mismo dice que él estaba espantado a causa de la visión, y que "no la entendía", hallamos que el ángel le dice después que esas profecías estaban selladas solamente "hasta el tiempo del fin".

"Pero tú, Daniel, cierra las palabras y sella el libro hasta el tiempo del fin. Muchos correrán de aquí para allá, y la ciencia se aumentará... El respondió: Anda, Daniel, pues estas palabras están cerradas y selladas hasta el tiempo del fin. Muchos serán limpios, y emblanquecidos y purificados; los impíos procederán impíamente, y ninguno de los impíos entenderá, *pero los entendidos comprenderán*" (Daniel 12: 4, 9, 10).

Aunque algunas de sus profecías fueron selladas hasta el tiempo del fin, había porciones de las profecías de Daniel que debían entenderse en los días de Cristo. En el maravilloso discurso de Jesús a sus discípulos en cuanto a las señales de su venida (registrado en S. Mateo 24), se menciona la profecía de Daniel, y se exhorta: "El que lee, entienda".

El libro de Daniel, entonces, puede entenderse, y fue escrito para nuestro especial beneficio. Nosotros podemos hallar consuelo y esperanza en sus maravillosas predicciones, que se cumplieron con tanta exactitud, sabiendo que los sublimes eventos todavía futuros seguramente se producirán, como las profecías lo han predicho.

En pocas palabras las profecías de Daniel dicen una inmensidad. En unos pocos cortos capítulos se abarca la historia, escrita por adelantado, que, cuando la miramos retrospectivamente, cubre más de veintitrés largos siglos. Sin que hubieran desfilado delante de él los siglos que ahora la historia expone a la vista, no podía esperarse que el anciano profeta pudiera comprender todo lo que Dios le había revelado mediante las visiones y las palabras del mensajero celestial. Podía entender bien los acontecimientos de sus propios días, pero aunque dio un vistazo a vuelo de pájaro al desfile de los siglos, los hechos sobresalientes de la historia del futuro, tan distantes de él, estaban más allá de su percepción mental.

Pero se le había dicho al ángel: "Enseña a éste la visión", y él procedió por lo tanto a explicar el significado de los símbolos que el profeta había visto. Y mirando la profecía hacia atrás desde este nuestro tiempo lejano, podemos ver con cuánta precisión la mente divina guió la mano del profeta en la descripción de los asombrosos acontecimientos que tuvieron lugar desde aquel tiempo hasta ahora.

¿Cómo procedió entonces el ángel al cumplimiento de su misión para con Daniel?

"En cuanto al carnero que viste, que tenía dos cuernos, éstos son los reyes de Media y de Persia. El macho cabrío es el rey de Grecia" (vers. 20, 21).

Nota.—Ya hemos leído las palabras de la profecía bíblica que describen la furia con la cual el macho cabrío atacó al carnero.

"El 'macho de cabrío venía de la parte del poniente sobre la haz de toda la tierra'. Esto se debía a que Grecia se encontraba al oeste de Persia y atacaba desde esa dirección. El ejército griego barría de la faz de la tierra todo lo que había delante de él.

"El macho cabrío 'no tocaba la tierra'. Tal era la maravillosa celeridad de sus movimientos que parecía volar de un punto al otro con la rapidez del viento. Esa misma característica de velocidad queda indicada en la visión de Daniel 7 por las cuatro alas del leopardo, el cual representaba a la misma nación.

"*Alejandro era el 'cuerno notable'.* El cuerno notable que había entre sus ojos, según se explica en el versículo 21, era el primer rey del Imperio Greco-Macedónico. Este rey fue Alejandro Magno.

"En los versículos 6 y 7 se nos relata concisamente el derrocamiento del Imperio Persa por Alejandro. Las batallas entre los griegos y los persas fueron muy encondas. Algunas de las escenas registradas en la historia nos recuerdan vívidamente la figura empleada en la profecía: un carnero de pie junto al río, y el macho cabrío que corre hacia él 'con la ira de su fortaleza'. Alejandro derrotó primero a los generales de Darío a orillas del Gránico, en Frigia. Luego atacó y derrotó a Darío en los pasos de Iso en Cilicia, y más tarde lo derrotó en las llanuras de Arbelas, en Asiria. Esta última batalla se riñó en 331 AC y señaló la caída del Imperio Persa. Gracias a ella, Alejandro se adueñó de todo el país. Acerca del versículo 6, donde leemos: 'Y vino (el macho cabrío) hasta el carnero que tenía los dos cuernos, el cual había yo visto que estaba delante del río, y corrió contra él con la ira de su fortaleza', Tomás Newton dice lo siguiente: 'Difícil le resulta a uno leer estas palabras sin formarse cierta imagen del ejército de Darío de pie custodiando el río Gránico, y de Alejandro al otro lado con sus fuerzas que se precipitan, cruzan a nado la corriente, y acometen al enemigo con todo el fuego y la furia imaginables'" (Urías Smith, *Las profecías de Daniel y del Apocalipsis,* tomo 1, págs. 121, 122).

¿Qué representan los cuatro cuernos que salieron en lugar del que fue quebrado?

"Y en cuanto al cuerno que fue quebrado, y sucedieron cuatro en su lugar, significa que *cuatro reinos se levantarán de esa nación, aunque no con la fuerza de él*" (vers. 22).

Nota.—Se dijo que el carnero representa al Imperio Persa, el macho cabrío al Imperio Griego o Macedónico, y el cuerno grande que fue quebrado representaba al rey primero, Alejandro Magno. Alejandro murió en la flor de la vida, en el apogeo de sus conquistas, cuando tenía solamente treinta y tres años de edad.

Se dice que como resultado de una borrachera fue atacado de una violenta fiebre, que le produjo la muerte once días más tarde, el 13 de julio de 323 AC. Así realmente aconteció, como predijo Daniel, que "estando en su mayor fuerza, aquel gran cuerno fue quebrado, y en su lugar salieron otros cuatro cuernos notables". ¡Cuán precisa era la profecía! ¡Cuán ajustada a los hechos históricos! Respecto a la fragmentación del imperio de Alejandro leemos:

"La historia de los sucesores, según la tradición, es la historia de una lucha por el poder entre los generales. La guerra se extendió casi sin interrupción desde 321 a 301 AC; y, con excepción del breve episodio de la regencia de Antipater, el conflicto era entre las fuerzas centrífugas dentro del imperio, representadas por los sátrapas (dinastías territoriales), y cualquier poder central empeñado en la unidad. El conflicto puede dividirse en dos etapas: en la primera el poder central representa a los reyes; pero después del año 316, a Antígono, quien pretendió ocupar personalmente el lugar de Alejandro. Pero aunque los actores cambiaran, el problema era siempre el mismo; y finalmente la victoria de las dinastías fue completa" (*The Cambridge Ancient History*, ed. 1928-39, vol. 6, pág. 462. Usado con permiso de la Imprenta de la Universidad de Cambridge).

"La muerte de Eumenes dejó a Antígono en el virtual control de Asia... Su aspiración era obtener para sí el imperio entero sin relación con la casa real... Pero él guardaba las apariencias; ... pretendía actuar en nombre del hijo de Alejandro, y su ejército lo hizo regente... El antiguo poder central estaba muerto; pero había sido meramente reemplazado por otro, mucho más enérgico, ambicioso y práctico, y controlado por un solo cerebro... Seleuco persuadió a Ptolomeo, Lisímaco y Casandro de que la ambición de Antígono amenazaba la existencia misma de ellos, y los tres gobernantes formaron una alianza definida. Casandro [retuvo] ... a Macedonia; ... Ptolomeo, a ... Egipto; Lisímaco conservó los cruces de los Dardanelos... La historia de los cuatro años siguientes, 315-312, es la de la primera guerra entre Antígono y la alianza" (*Id.*, págs. 482, 483).

"Ptolomeo, después de su victoria [sobre Antígono], tomó también el título de rey (305), y lo imitaron Casandro, Lisímaco y Seleuco. El título afirmó sus gobiernos independientes en sus respectivos territorios; Antígono por supuesto no los reconoció" (*Id.*, págs. 498, 499). "Los cuatro reyes renovaron la coalición de 315, pero esta vez no para refrenar a Antígono sino para destruirlo" (*Id.*, pág. 502).

"En la primavera de 301 ..., en Ipso, cerca de Synnada, los dos grandes ejércitos se encontraron en la 'batalla de los reyes'... Antígono fue derrotado y muerto... La lucha entre el poder central y las dinastías había terminado, y con la muerte de Antígono el desmembramiento del mundo grecomacedónico se tornó inevitable. Demetrio huyó a Efeso, mientras Lisímaco y Seleuco se dividieron el reino de Antígono. Casandro fue reconocido como rey de Macedonia" (*Id.*, pág. 504).

¿Qué representa el cuerno pequeño del versículo 9?

"Y al fin del reinado de éstos [los sucesores de Alejandro], cuando los transgresores lleguen al colmo, se levantará un *rey altivo de rostro y entendido en enigmas*" (vers. 23).

Nota.—El cuerno pequeño sale de uno de los cuernos del macho cabrío. ¿Cómo puede decirse esto de Roma?, preguntará alguien. Los gobiernos terrenales no son introducidos en la profecía hasta que estén de alguna manera relacionados con el pueblo de Dios. En aquel tiempo, Roma se relacionó con los judíos, el pueblo de Dios, por la famosa Liga Judía del año 161 AC. Pero siete años antes de eso, es decir en 168 AC, Roma había conquistado a Macedonia y hecho de este país una parte de su imperio. Roma fue, pues, introducida en las profecías precisamente cuando, después de derribar el cuerno macedónico del macho cabrío, salía a realizar nuevas conquistas en otras direcciones. Al profeta le parecía como que salía de uno de los cuernos del macho cabrío" (Urías Smith, *Las profecías de Daniel y del Apocalipsis*, tomo 1, pág. 127).

"Desde el comienzo del período histórico, el desarrollo de la civilización romana fue profundamente afectado por influencias extranjeras, en particular, etruscas y griegas. Pero mientras que la influencia de los etruscos terminó virtualmente cuando sus reyes fueron expulsados de Roma, la de los griegos continuó con creciente fuerza a través de todo el período de la república... Era inevitable que la civilización helénica, más antigua y avanzada, dejara una impresión indeleble en la cultura romana, más joven y menos altamente desarrollada. Y, en efecto, difícilmente haya un solo aspecto importante de la civilización romana que no revele inequívocamente vestigios de ideas de origen griego, imitadas o tomadas en préstamo. Con evidente razón el poeta romano Horacio pudo decir: 'La Grecia cautiva ha capturado a su rudo conquistador' " (A.E.R. Boak, Alberto Hyma, y Preston Slosson, *The Growth of European Civilization*, vol. 1, pág. 84. Copyright, 1938, por F. S. Crofts Co., Inc. Usado con permiso de Appleton Century-Crofts, Inc.).

"El contacto con los griegos condujo a la introducción de las divinidades griegas y, lo que es de mucho mayor importancia, a la identificación de los dioses italianos nativos con los del panteón griego, con el resultado de que la mitología y las formas de representación artísticas griegas fueron tomadas al por mayor por los romanos" (*Id.*, pág. 93).

Como revelan estas citas de la historia, puede decirse que el Imperio Romano pagano salió del Imperio Griego. Sin embargo, como lo muestra la respuesta a la siguiente pregunta, el cuerno pequeño representa mucho más que sólo la Roma pagana.

¿Qué haría este cuerno pequeño al santuario de Dios?

"Aun se engrandeció contra el príncipe de los ejércitos, y por él fue quitado el continuo sacrificio, y el lugar de su santuario fue echado por tierra" (Daniel 8: 11).

Nota.—Como ya se explicó, el cuerno pequeño de Daniel 8 representa, primeramente, al antiguo Imperio Romano. Fue la Roma pagana la que en el año 70 DC desoló el templo de Jerusalén y puso fin a sus servicios, como se describe vigorosamente en el lenguaje profético de los versículos 9 al 13. Sin embargo, como se notará (véanse las págs. 179-184), el período de tiempo profético del versículo 14 [los 2.300 días, o años] iba a cubrir casi dieciocho siglos a partir del año 70 DC. Este hecho exige que se considere el cuerno pequeño no sólo como la Roma pagana sino también como la Roma papal, su sucesora. Esta relación entre la Roma pagana y la Roma papal se establece claramente en la profecía de Daniel 7. (Véase la pág. 169.)

Este hecho exige también que la palabra "santuario", como se usa en los versículos 11-14, no se la entienda referida exclusivamente al templo de Jerusalén. No existiendo tal "santuario" en la tierra durante el resto de ese largo período profético, el término "santuario", del versículo 14, debe referirse al "santuario" celestial, "aquel verdadero tabernáculo que levantó el Señor, y no el hombre", del cual el santuario terrenal era solamente una "sombra" (Hebreos 8: 2, 5).

Mientras el profeta Daniel contemplaba la obra de persecución del cuerno pequeño de Daniel 7, ¿qué vio que ocurriría?

"Pero *se sentará el Juez, y le quitarán su dominio* para que *sea destruido* y arruinado hasta el fin" (Daniel 7: 26).

Nota.—En la profecía del capítulo séptimo se traza la historia del levantamiento y la caída de los cuatro grandes reinos, la división del cuarto, representada por los diez cuernos, y el establecimiento del papado bajo el símbolo del cuerno pequeño, delante del cual cayeron tres. Mientras el profeta contemplaba las persecuciones de este poder, vio sentarse al Anciano de días y comenzar el juicio. Después del juicio, se daría el reino a los santos del Altísimo.

En el capítulo ocho de su libro, Daniel repasa brevemente la historia de los reinos, predice las persecuciones de los escogidos de Dios por la Roma pagana y la Roma papal y presenta una notable profecía acerca del santuario.

EL SANTUARIO SERIA PURIFICADO

¿Cuándo, de acuerdo con la profecía, sería purificado el santuario?

"Y el dijo: Hasta dos mil trescientas tardes y mañanas; luego el santuario será purificado" (Daniel 8: 14).

Nota.—El día de expiación de los judíos era el diez del mes séptimo, cuando el templo era purificado. Este día de expiación era considerado por los judíos como un día de juicio, y era, en efecto, un símbolo del juicio investigador a realizarse en el cielo. El período de 2.300 días, que representan 2.300 años de acuerdo con las profecías simbólicas, llega hasta la purificación del santuario celestial, o el juicio investigador. Un estudio de los símbolos y del período mencionados en este capítulo y de su interpretación en este y en el próximo capítulo, facilita una clara comprensión de este período. (Véanse las págs. 179-184.)

Al ver Daniel al pueblo escogido de Dios perseguido y esparcido, como también la desolación de la Santa Ciudad y del santuario, ¿cómo fue afectado?

"Y yo Daniel quedé *quebrantado*, y estuve *enfermo* algunos días, y cuando convalecí, atendí los negocios del rey" (Daniel 8: 27).

ESTUDIO 51

La Hora del Juicio de Dios

LOS 2.300 DIAS DE DANIEL 8 y 9

LOS 2.300 días de Daniel 8 y 9 constituyen el período profético más significativo de la Biblia. Su comprensión enmudece a los escépticos y fortalece la fe de los creyentes. Es un asombroso exponente de las matemáticas bíblicas, que manejan las cifras del futuro con admirable exactitud. Su estudio exige la aplicación de la inteligencia a la investigación de la historia y la sensibilidad de la conciencia a las advertencias de Dios.

¿Qué alarmante mensaje se da en Apocalipsis 14: 7?

"Temed a Dios, y dadle gloria, porque *la hora de su juicio ha llegado;* y adorad a aquel que hizo el cielo y la tierra, el mar y las fuentes de las aguas".

¿Cuándo es la hora del juicio de Dios?

"Y él dijo: Hasta dos mil trescientas tardes y mañanas [días completos]; luego el santuario será purificado" (Daniel 8: 14).

Nota.—Por el estudio de los capítulos subsiguientes sobre el santuario, se verá que la purificación del santuario terrenal el día de la expiación incluía una obra de juicio. El pueblo judío lo entendía así. Este período de 2.300 días, equivalente a 2.300 años literales (véase la nota de la página 173), se extiende hasta la purificación del santuario celestial, o, en otras palabras, hasta el comienzo del juicio investigador, como se describe en Daniel 7: 9, 10.

¿Por qué el ángel no le explicó plenamente a Daniel este período cuando se le apareció la primera vez?

"Y yo Daniel quedé quebrantado, y *estuve enfermo algunos días,* y cuando convalecí, atendí los negocios del rey; pero estaba espantado a causa de la visión, y no la entendía" (vers. 27).

Nota.—Al profeta se le había dado una visión de las grandes naciones de sus días y del futuro, y de las persecuciones contra el pueblo de Dios. Dicha visión concluía con el período que señalaba la purificación del santuario. Pero el anciano Daniel se desmayó y estuvo enfermo algunos días. En consecuencia la interpretación fue interrumpida, y no fue completada hasta después de la recuperación del profeta. La visión y su parcial explicación fueron dadas en el tercer año de la corregencia de Belsasar con su padre Nabonido; la interpretación del período que abarcaba fue dada después de la caída de Babilonia, en el primer año de Darío.

En algún momento posterior a la recuperación de Daniel de su enfermedad, ¿a qué dirigió él su atención?

"En el año primero de Darío hijo de Asuero ... yo Daniel miré atentamente en los libros el número de los años de que habló Jehová al profeta Jeremías, que habían de cumplirse las desolaciones de Jerusalén en setenta años" (Daniel 9: 1, 2).

Nota.—Nabucodonosor sitió a Jerusalén en el tercer año de Joacim (Daniel 1: 1), y Jeremías anunció los setenta años de cautiverio en el cuarto año de Joacim (Jeremías 25: 1, 12). Esto significa que la primera deportación de los judíos a Babilonia, cuando Daniel y sus compañeros fueron llevados, ocurrió entonces. Los setenta años de la profecía de Jeremías debían expirar en 536 AC. Siendo que el primer año del Imperio Persa comenzó en 538 AC, el tiempo de la restauración estaba por lo tanto sólo a dos años en el futuro.

¿Qué indujo a hacer a Daniel esta inminencia del tiempo de la restauración del cautiverio?

"Y volví mi rostro a Dios el Señor, *buscándole en oración y ruego*, en ayuno, cilicio y ceniza" (vers. 3).

¿En qué estaba especialmente interesado el profeta?

"Ahora pues, Dios nuestro, oye la oración de tu siervo, y sus ruegos; y haz que tu rostro resplandezca sobre tu *santuario asolado*, por amor del Señor" (vers. 17).

GABRIEL APARECE DE NUEVO

Mientras Daniel estaba orando en cuanto al santuario que yacía desolado en Jerusalén, ¿quién apareció en escena?

"Aún estaba hablando en oración, cuando el varón *Gabriel*, a quien había visto en la visión al principio, volando con presteza, vino a mí como a la hora del sacrificio de la tarde" (vers. 21).

Nota.—Era conveniente que, cuando Daniel estaba orando fervientemente por el santuario desolado de Jerusalén, el ángel Gabriel volviese a visitar al profeta para explicarle la porción de la profecía de Daniel 8 que no había sido interpretada, la parte que tenía que ver con el período de tiempo que él no podía entender. El ángel no sólo le hablaría del santuario terrenal típico y de su futuro, sino que le daría, para beneficio de los que vivieran en el tiempo del fin, una visión del verdadero servicio celestial.

¿Qué le pidió en seguida el ángel al profeta que considerase?

"Y me hizo entender, y habló conmigo, diciendo: Daniel, ahora he salido para darte sabiduría y entendimiento ... Entiende, pues, la orden, y *entiende la visión*" (vers. 22, 23).

Nota.—Es evidente que el ángel comenzó justamente donde él había interrumpido la explicación de la profecía del capítulo ocho, porque no introduce una nueva línea de profecías, ni una nueva visión. "Entiende *la* visión". En el hebreo el artículo definido *la* aquí identifica claramente la visión mencionada previamente. Esta es obviamente la visión del capítulo precedente. Siendo que el período de 2.300 días era la única parte de la visión anterior que había quedado sin explicación, el ángel debía comenzar naturalmente con una interpretación de ese período.

¿Qué porción de los 2.300 días mencionados en la visión estaba determinada para los judíos?

"*Setenta semanas* están determinadas sobre tu pueblo y sobre tu santa ciudad" (vers. 24, p.p).

Nota.—La palabra "semanas", literalmente "sietes", se usa en la literatura judía para referirse a períodos de siete días y también a períodos de siete años. Los eruditos judíos y cristianos, en general, han llegado a la conclusión de que aquí el contexto requiere que se entienda "semanas" de años. "Setenta semanas" de siete años cada una serían 490 años.

En el hebreo bíblico la palabra traducida aquí como "determinadas" tiene el sentido de "cortar", "cortar de", "determinar", "decretar". En vista del hecho de que las setenta semanas de Daniel 9 son una parte de los 2.300 días del capítulo 8, y fueron *cortadas* de él y asignadas particularmente a los judíos, el sentido de "cortar" parece aquí especialmente propio.

Las setenta semanas, por lo tanto, fueron "determinadas", o cortadas. Hay dos períodos bajo consideración, el primero es el de 2.300 días, el segundo, el de las setenta semanas. Ambos tienen que ver con la restauración del pueblo judío y del santuario, porque los judíos estaban cautivos y el santuario estaba en ruinas. Los dos períodos deben comenzar con la restauración, y, por lo tanto, al mismo tiempo. La plena restauración de las leyes y el gobierno de los judíos pertinente al pueblo y a su santuario se produjo en el año 457 AC, como lo veremos más adelante. Es razonable, entonces, decir que las setenta semanas eran una parte del período de 2.300 años, y que fueron "cortadas" como un período concerniente al pueblo judío y al servicio de su santuario.

¿Qué habría de llevarse a cabo al final, o cerca del fin, de este período de setenta semanas?

"Para terminar la prevaricación, y poner fin al pecado, y expiar la iniquidad, para traer la justicia perdurable, y sellar la visión y la profecía, y ungir al Santo de los santos" (vers. 24, ú. p.).

Nota.—"*Para terminar la prevaricación*". Los judíos iban a colmar la medida de su iniquidad rechazando y crucificando al Mesías; ellos no serían más su pueblo peculiar y escogido. (Léase S. Mateo 21: 38-43; 23: 32-38; 27: 25.)

"*Poner fin al pecado*". La mejor explicación de esta frase se da en Hebreos 9: 26: "Pero ahora, en la consumación de los siglos, se presentó una vez para siempre por el sacrificio de sí mismo para quitar de en medio el pecado"; y en Romanos 8: 3: "Lo que era imposible para la ley, por cuanto era débil por la carne, Dios, enviando a su Hijo en semejanza de carne de pecado y a causa del pecado, condenó al pecado en la carne".

"*Para traer la justicia perdurable*". Esto debe significar la justicia de Cristo, la justicia por la cual él fue habilitado para expiar el pecado, y la cual, por la fe, puede imputarse al creyente arrepentido.

Para "ungir al Santo de los santos". Las palabras hebreas que se usan aquí se aplican comúnmente al santuario, pero no a las personas. El ungimiento del "Santo de los santos", entonces, debe referirse al ungimiento del santuario celestial, cuando Cristo llegó a ser "ministro del santuario, y de aquel verdadero tabernáculo que levantó el Señor, y no el hombre" (Hebreos 8: 2).

EL COMIENZO DEL PERIODO

¿Cuándo dijo el ángel que iban a comenzar las setenta semanas?

"Sabe, pues, y entiende, que *desde la salida de la orden para restaurar y edificar a Jerusalén* hasta el Mesías Príncipe, habrá siete semanas, y sesenta y dos semanas; se volverá a edificar la plaza y el muro en tiempos angustiosos" (Daniel 9: 25).

Nota.—Setenta semanas serían un período de 490 años literales. (Véase la nota de la pág. 173.)

Sesenta y nueve (7 semanas y 62 semanas) de las setenta semanas habrían de llegar "hasta el Mesías Príncipe". *Mesías* es Cristo, "el Ungido". *Mesías* es la palabra hebrea, y *Cristo* la palabra griega, para significar "ungido".

¿Cómo fue ungido Jesús?

"Como Dios ungió con el Espíritu Santo y con poder a Jesús de Nazaret" (Hechos 10: 38).

¿En qué ocasión recibió Jesús la unción especial del Espíritu Santo?

"También Jesús fue bautizado; y orando, el cielo se abrió, y descendió el Espíritu Santo sobre él en forma corporal, como paloma, y vino una voz del cielo que decía: Tú eres mi Hijo amado; en ti tengo complacencia" (S. Lucas 3: 21, 22).

¿Qué profecía citó Jesús poco tiempo después de esto como profecía que se aplicaba a él?

"El Espíritu del Señor está sobre mí, por cuanto me ha ungido para dar buenas nuevas a los pobres" (S. Lucas 4: 18. Véase S. Marcos 1: 15).

Nota.—Es evidente que las sesenta y nueve semanas habrían de extenderse hasta el bautismo de Cristo, siendo que ésa fue la ocasión de su ungimiento por el Espíritu Santo. Juan el Bautista comenzó su ministerio en el decimoquinto año del reinado de Tiberio (S. Lucas 3: 1-3), y esto colocaría

el ungimiento de Jesús en el año 27 DC, en ocasión de su bautismo.

¿Cuándo fue publicado un decreto que disponía la restauración y edificación de Jerusalén?

"Este Esdras subió de Babilonia... Y con él subieron a Jerusalén algunos de los hijos de Israel, y de los sacerdotes, levitas, cantores, porteros y sirvientes del templo, *en el séptimo año del rey Artajerjes. Y llegó a Jerusalén en el mes quinto del año séptimo del rey*" (Esdras 7: 6-8).

Nota.—Fueron publicados tres decretos por los monarcas persas para la restauración de los judíos y de su patria. En el libro de Esdras se los menciona: "Edificaron, pues, y terminaron, por orden del Dios de Israel, y por mandato de Ciro, de Darío, y de Artajerjes rey de Persia" (Esdras 6: 14).

El decreto de Ciro se refería al templo solamente; el decreto de Darío Histaspes disponía la continuación de esa obra, impedida por Esmerdis; pero el decreto de Artajerjes restauraba el pleno gobierno judío y hacía provisión para la aplicación de sus leyes. Este último decreto, por lo tanto, es el que reconocemos como el punto de partida de las setenta semanas, tanto como de los 2.300 días.

El decreto de Artajerjes fue publicado en el séptimo año de su reinado, y de acuerdo con los antiguos métodos de la cronología, entró en vigor en Jerusalén en el otoño del año 457 AC. Un cálculo de 483 años completos a partir del primer día del año 457 AC nos trae hasta el último día del año 26 DC. Esto se demuestra por el hecho de que se reunieron los 26 años DC completos y el total de los 457 años AC para sumar 483 años, cosa que puede ilustrarse con el diagrama que aparece en las páginas 182, 183.

El diagrama también revela que si el decreto para la completa restauración de Jerusalén no entró en vigor hasta después de la mitad del año 457 AC (Esdras 7: 8), todo el tiempo de la primera parte de ese año no incluido en el período debe añadirse al último día del año 26 DC, lo cual nos traería a la última parte del año 27 DC, el tiempo del bautismo de Cristo. Así cumple el período el propósito de "sellar la visión y la profecía", o hacerlas completamente seguras.

Al fin de los 483 años, en el 27 DC faltaba todavía una semana, o siete años de los 490. ¿Qué se haría a la mitad de la semana?

"Y dará validez al pacto para con muchos en la semana restante, y a *la mitad de la semana hará cesar el sacrificio y la ofrenda*" (Daniel 9: 27, VM).

Nota.—Como las sesenta y nueve semanas terminaron en el otoño del año 27 DC, la mitad de la

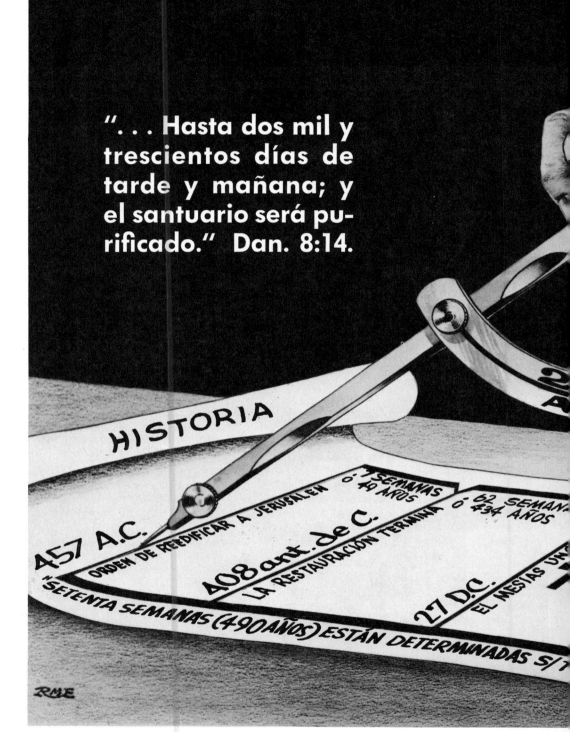

"... Hasta dos mil y trescientos días de tarde y mañana; y el santuario será purificado." Dan. 8:14.

HISTORIA

457 A.C.

ORDEN DE REEDIFICAR A JERUSALEN

408 ant. de C.

LA RESTAURACIÓN TERMINA

27 D.C.

EL MESIAS

7 SEMANAS ó 49 AÑOS

62 SEMANAS ó 434 AÑOS

"SETENTA SEMANAS (490 AÑOS) ESTÁN DETERMINADAS S/T

Este gráfico representa el período profético más largo de la Biblia. Puesto que en la profecía bíblica un día representa un año literal (Números 14: 34, Ezequiel 4: 6), la profecía de los 2300 días de Daniel 8: 14 apunta a 23 siglos de historia, desde el decreto de Artajerjes para restaurar y reconstruir Jerusalén, emitido en el 457 AC, hasta el año 1844 DC, cuando el juicio investigador comenzó en el santuario celestial.

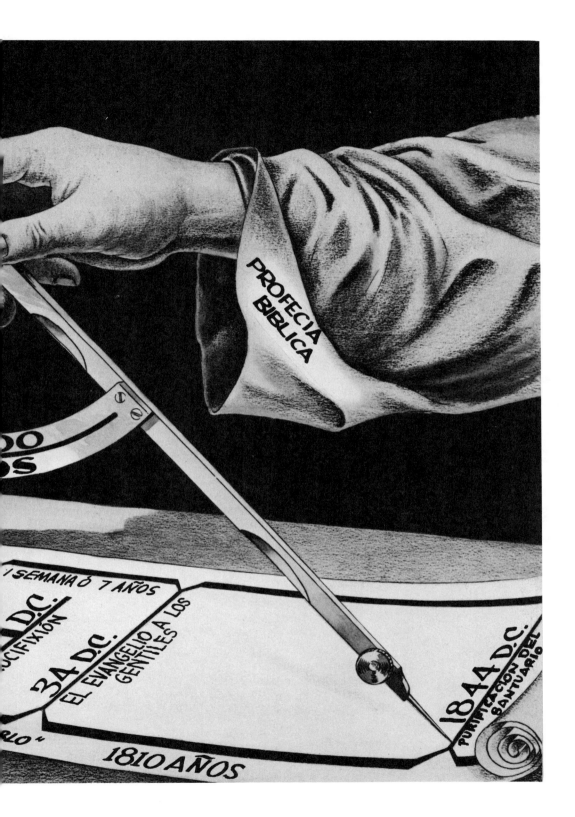

semana septuagésima, o sea los tres años y medio, debe terminar en la primavera del año 31 DC cuando Cristo fue crucificado y, por su muerte, hizo cesar los sacrificios y las oblaciones del santuario terrenal, o les puso fin. Tres años y medio más (la última parte de la septuagésima semana) deben terminar en el otoño del año 34 DC. Esto nos trae al fin de los 490 años que fueron "cortados" de los 2.300. Restan todavía 1.810 años, que, si se los añade al año 34 DC nos llevan a 1844 DC.

1844 DC Y EL JUICIO INVESTIGADOR

¿Qué dijo el ángel que tendría lugar entonces?

"Y él dijo: Hasta dos mil trescientas tardes y mañanas; luego *el santuario será purificado*" (Daniel 8: 14).

Nota.—En otras palabras, la gran obra final de Cristo en favor del mundo, el juicio investigador, comenzaría entonces. El día típico de la expiación de Israel ocupaba solamente un día en el año. Este no puede ocupar sino un tiempo proporcionalmente corto. Esa obra ha estado en marcha durante más de ciento treinta años, y debe terminar pronto. ¿Quién está preparado para hacer frente a los fallos de este gran tribunal?

¿Mediante qué símbolo se recalca la importancia del mensaje de la hora del juicio?

"*Vi volar por en medio del cielo a otro ángel,* que tenía el evangelio eterno para predicarlo a los moradores de la tierra, y a toda nación, tribu, lengua y pueblo, *diciendo a gran voz:* Temed a Dios, y dadle gloria, porque la hora de su juicio ha llegado" (Apocalipsis 14: 6, 7).

Nota.—El símbolo de un ángel se usa aquí para representar el mensaje del juicio que ha de predicarse a toda nación. Siendo que los ángeles predican sus mensajes mediante agentes humanos, debería entenderse que este símbolo de un ángel que vuela en medio del cielo representa a un gran movimiento religioso que da a los hombres el mensaje de la hora del juicio.

En vista del juicio investigador, ¿qué se nos amonesta que hagamos?

"*Temed a Dios, y dadle gloria,* porque la hora de su juicio ha llegado; *y adorad a aquel que hizo el cielo y la tierra, el mar y las fuentes de las aguas*" (vers. 7).

¿Qué fervorosa amonestación se da mediante el apóstol Pablo?

"Pero Dios, habiendo pasado por alto los tiempos de esta ignorancia, ahora manda a todos los hombres en todo lugar, que se arrepientan; por cuanto ha establecido un día en el cual juzgará al mundo con justicia, por aquel varón a quien designó, dando fe a todos con haberle levantado de los muertos" (Hechos 17: 30, 31).

Cuando pese nuestros hechos
nuestro Juez con equidad,
¿nos tendrá por oro puro
o escoria de maldad?

¿Oiremos las palabras:
"Bien has hecho, siervo fiel";
o del fallo la sentencia
"Eres falto, fuiste infiel"?

¿Al Espíritu oiremos
por nosotros implorar?
o, ya tarde, ¿a Dios veremos
nuestra perdición sellar?

E. Pérez

ESTUDIO 52

La Expiación en Símbolos y en la Realidad

EL PLAN de salvación ideado por Dios para beneficio del hombre ha sido siempre una bendita realidad; y la expiación del pecado, uno de sus elementos fundamentales. En el antiguo culto de los hebreos se lo destacaba mediante símbolos impresionantes que señalaban a Cristo, pero se lo disfrutaba, como ahora, por la fe en él. Este capítulo ilustra sobre el particular.

EL SANTUARIO Y SUS DOS DEPARTAMENTOS

¿Qué mandó Dios a Israel, por medio de Moisés, que hiciera?

"Y harán un *santuario* para mí, y habitaré en medio de ellos" (Exodo 25: 8).

¿Qué se ofrecían en ese santuario?

En "el cual se presentan *ofrendas y sacrificios*" (Hebreos 9: 9).

Además del atrio, ¿cuántos ambientes tenía ese santuario?

"Aquel velo os hará separación entre *el lugar santo y el santísimo*" (Exodo 26: 33).

¿Qué había en el primer departamento, o lugar santo?

"Porque el tabernáculo estaba dispuesto así: en la primera parte, llamada el Lugar Santo, estaban *el candelabro, la mesa y los panes de la proposición*" (Hebreos 9: 2). "Puso también *el altar de oro* en el tabernáculo de reunión, delante del velo" (Exodo 40: 26. Véase también Exodo 30: 1-6).

¿Qué contenía el segundo departamento?

"Tras el segundo velo estaba la parte del tabernáculo llamada el Lugar Santísimo, el cual tenía un *incensario de oro y el arca del pacto* cubierta de oro por todas partes" (Hebreos 9: 3, 4. Véase también Exodo 40: 20, 21).

¿Con qué nombre se conocía la cubierta del arca?

"Y pondrás el *propiciatorio* encima del arca, y en el arca pondrás el testimonio que yo te daré" (Exodo 25: 21).

¿Dónde se encontraría Dios con Israel?

"Y de allí me declararé a ti, y hablaré contigo *de sobre el propiciatorio, de entre los dos querubines que están sobre el arca del testimonio*" (vers. 22).

¿Qué había en el arca, bajo el propiciatorio?

"Y escribió en las tablas conforme a la primera escritura, *los diez mandamientos... Y volví y descendí del monte, y puse las tablas en el arca* que había hecho" (Deuteronomio 10: 4, 5).

¿Cuándo ministraba el sacerdote en el primer departamento?

"Y así dispuestas estas cosas, en la primera parte del tabernáculo entran los sacerdotes *continuamente* para cumplir los oficios del culto" (Hebreos 9: 6).

¿Quién entraba en el segundo departamento? ¿Cuándo y por qué?

"Pero en la segunda parte, *sólo el sumo sacerdote una vez al año, no sin sangre, la cual ofrece por sí mismo y por los pecados de ignorancia del pueblo*" (vers. 7).

EL SERVICIO DIARIO

¿Qué debían hacer los pecadores que deseaban perdón?

"Si alguna persona del pueblo pecare por yerro, haciendo algo contra alguno de los mandamientos de Jehová ..., traerá por su ofrenda una cabra, una cabra sin defecto, por su pecado que cometió. Y *pondrá su mano sobre la cabeza de la ofrenda de la expiación, y la degollará en el lugar del holocausto*" (Levítico 4: 27-29).

> *Nota.*—De acuerdo con esto, si un hombre pecaba en Israel, violaba uno de los Diez Mandamientos que estaban en el arca bajo el propiciatorio. Estos mandamientos eran el fundamento del gobierno de Dios. Violarlos es pecar, y estar así condenado a morir (1 S. Juan 3: 4; Romanos 6: 23). Pero había un propiciatorio erigido por encima de estos santos y justos mandamientos. En la dispensación de su misericordia Dios concede al pecador el privilegio de confesar sus pecados, y traer un sustituto que satisfaga las demandas de la ley, para obtener así el perdón.

¿Qué se hacía con la sangre de la ofrenda?

"Luego con su dedo el sacerdote tomará de la sangre, y la pondrá sobre los cuernos del altar del holocausto, y *derramará el resto de la sangre al pie del altar*" (vers. 30).

> *Nota.*—Después que una persona descubría su pecado por la ley que demandaba la muerte del transgresor, traía primeramente su ofrenda, confesaba entonces su pecado mientras colocaba sus manos sobre la cabeza de la víctima, transfiriendo así en figura su pecado a la víctima; se mataba en seguida la víctima en el atrio, o parte exterior del santuario, y se ponía su sangre en los cuernos del altar y se la derramaba al pie del altar. De esta manera los pecados eran perdonados y, en el servicio típico, transferidos al santuario.

EL DIA DE LA EXPIACION

Después de esta acumulación de los pecados del año, ¿qué servicio se realizaba anualmente el décimo día del mes séptimo?

"Y esto tendréis por statuto perpetuo: En el mes séptimo, a los diez días del mes, afligiréis vuestras almas, ... porque *en este día se hará expiación por vosotros, y seréis limpios de todos vuestros pecados delante de Jehová*" (Levítico 16: 29, 30).

¿Cómo habría de ser purificado el santuario mismo, y cómo habrían de deshacerse finalmente de los pecados del pueblo?

"Y tomará [el sumo sacerdote], de parte de la Congregación de los hijos de Israel, dos machos cabríos para ofrenda por el pecado... Luego tomará los dos machos cabríos y los hará colocar delante de Jehová, a la entrada del Tabernáculo de Reunión. Y Aarón echará suertes sobre los dos machos cabríos, *la una suerte para Jehová y la otra para Azazel*" (vers. 5, 7, 8, VM).

> *Nota.*—La palabra hebrea *Azazel* significa víctima propiciatoria. Se la usa como nombre propio, y, de acuerdo con los más antiguos intérpretes hebreos y cristianos, se refiere a Satanás, el ángel que se rebeló y persistió en la rebelión y el pecado.

¿Qué se hacía con la sangre del macho cabrío que tocaba en suerte a Jehová?

"Después degollará el macho cabrío en expiación por el pecado del pueblo, y llevará la sangre detrás del velo adentro, ... y *la esparcirá sobre el propiciatorio y delante del propiciatorio*" (vers. 15).

¿Por qué se necesitaba hacer esta expiación?

"Así purificará al santuario, *a causa de las impurezas de los hijos de Israel, de sus rebeliones y de todos sus pecados*" (vers. 16).

> *Nota.*—Los pecados eran transferidos al santuario durante el año mediante la sangre y la carne de las ofrendas por el pecado hechas diariamente a la puerta del tabernáculo. Allí permanecían hasta el día de la expiación, cuando el sumo sacerdote entraba en el lugar santísimo con la sangre del macho cabrío que tocaba en suerte a Jehová; y, llevando los pecados acumulados del año y presentándose ante el propiciatorio, allí, en forma simbólica, los expiaba, y así purificaba el santuario.

Después de haber hecho expiación por el pueblo en el lugar santísimo, ¿qué hacía el sumo sacerdote en seguida?

"Cuando hubiere acabado de expiar el santuario y el tabernáculo de reunión y el altar, hará traer el macho cabrío vivo; y pondrá Aarón sus dos manos sobre la cabeza del macho cabrío vivo, y confesará sobre él todas las iniquidades de los hijos de Israel, todas sus rebeliones y todos sus pecados, poniéndolos así sobre la cabeza del macho cabrío, y lo enviará al desierto por mano de un hombre destinado para esto" (vers. 20, 21).

> *Nota.*—La ofrenda del macho cabrío del Señor purificaba el santuario. Por esta ofrenda se expiaban, en forma simbólica, los pecados del pueblo transferidos allí durante el año; pero no eran finalmente eliminados o destruidos por esta ofrenda. La víctima propiciatoria, que representaba a Satanás,

el gran tentador y originador del pecado, era llevada al santuario, y sobre su cabeza se colocaban estos pecados por los cuales ya se había hecho expiación. Al enviar el macho cabrío al desierto se alejaban del santuario los pecados para siempre.

UNA FIGURA DEL SANTUARIO CELESTIAL

¿Qué era el santuario terrenal y su serie de oficios religiosos?

"Todo ello es *una figura del tiempo presente*" (Hebreos 9: 9, BJ).

¿De qué santuario, o tabernáculo, es Cristo el ministro?

"Ministro del santuario, y *de aquel verdadero tabernáculo que levantó el Señor, y no el hombre*" (Hebreos 8: 2).

¿De qué era solamente un símbolo la sangre de todos los sacrificios de la antigua dispensación?

"Y no por sangre de machos cabríos ni de becerros, sino *por su propia sangre*, entró una vez para siempre en el Lugar Santísimo, habiendo obtenido eterna redención" (Hebreos 9: 12. Véase Efesios 5: 2).

Nota.—A través de los sacrificios y ofrendas que llevaba al altar del santuario terrenal, el creyente arrepentido había de asirse, por la fe, de los méritos de Cristo, el Salvador venidero.

En ocasión de la muerte de Cristo, ¿qué milagro indicó que los servicios sacerdotales del santuario terrenal habían terminado?

"Mas Jesús, habiendo otra vez clamado a gran voz, entregó el espíritu. Y he aquí, *el velo del templo se rasgó en dos, de arriba abajo*" (S. Mateo 27: 50, 51).

Nota.—El símbolo se había encontrado con la realidad simbolizada; la sombra había dado con la sustancia. Cristo, el gran sacrificio, había sido muerto, e iba a emprender ahora su ministerio como nuestro gran Sumo Sacerdote en el santuario celestial. La obra sacerdotal en el santuario terrenal era una figura de la obra de Cristo en el santuario celestial.

¿Qué relación existe entre el santuario celestial y el terrenal?

"Los cuales sirven a lo que es *figura y sombra* de las cosas celestiales, como se le advirtió a Moisés cuando iba a erigir el tabernáculo, diciéndole: Mira, haz todas las cosas conforme al *modelo que se te ha mostrado en el monte*" (Hebreos 8: 5).

¿Con qué comparación se indica que el santuario celestial sería purificado?

"Fue, pues, necesario que las figuras de las cosas celestiales fuesen purificadas así; *pero las cosas celestiales mismas, con mejores sacrificios que estos*" (Hebreos 9: 23).

Cuando Cristo haya concluido su ministerio sacerdotal en el santuario celestial, ¿qué decreto se emitirá?

"El que es injusto, sea injusto todavía; y el que es inmundo, sea inmundo todavía; y el que es justo, practique la justicia todavía; y el que es santo, santifíquese todavía" (Apocalipsis 22: 11).

Nota.—Esta declaración se hace inmediatamente antes de la venida de Cristo en las nubes de los cielos.

¿Qué declaración inmediatamente posterior al anuncio mencionado en Apocalipsis 22: 11 implica que un juicio ha estado en proceso antes que Cristo venga?

"He aquí yo vengo pronto, y *mi galardón conmigo, para recompensar a cada uno según sea su obra*" (Apocalipsis 22: 12).

Nota.—El servicio simbólico del santuario halla su pleno cumplimiento en la obra de Cristo. Como el día de expiación de la antigua dispensación era en realidad un día de juicio, así la obra expiatoria de Cristo incluirá la investigación de los casos de su pueblo antes de su segundo advenimiento para recibirlos consigo.

¿Hay un tiempo determinado para la purificación del santuario celestial?

"Y él dijo: *Hasta dos mil trescientas tardes y mañanas; luego el santuario será purificado*" (Daniel 8: 14).

Nota.—El período profético de 2.300 días (años) se extiende hasta 1844 DC mientras que los oficios religiosos divinamente señalados del santuario terrenal caducaron en la cruz (Daniel 9: 27; S. Mateo 27: 50, 51), y el santuario mismo fue destruido en el año 70 DC, cuando Tito tomó a Jerusalén. (En procura de la explicación del período aquí mencionado véase el capítulo precedente.)

El santuario de Israel en el desierto

Todos los servicios del santuario en el desierto que Dios ordenó a Moisés que instituyese para su pueblo escogido, tenían un profundo significado espiritual. Estos ritos y ceremonias simbólicos apuntaban a Cristo, el Mesías de la profecía, y a su sacrificio plenamente eficaz en la cruz del Calvario para expiar los pecados de la humanidad perdida.

C. PROVONSHA

ESTUDIO 53

El Juicio

UN JUICIO basado en correctas normas de justicia y realizado con equidad pone a prueba la inocencia o culpabilidad de los enjuiciados, condena a los malhechores y prestigia o rehabilita a los hombres de bien. Un juicio injusto es un contrasentido, demasiado común, lamentablemente, en los tribunales del género humano. Pero el juicio de un Dios omnisapiente, amoroso y justo está destinado a poner finalmente a los hombres y las cosas en su debido lugar. Nos conviene conocerlo y prepararnos para afrontarlo.

¿Qué seguridad tenemos de que habrá un juicio?

"Pero Dios ... ha establecido un día en el cual juzgará al mundo" (Hechos 17: 30, 31).

¿Estaba todavía el juicio en el futuro en los días de Pablo?

"Pero al disertar Pablo acerca de la justicia, del dominio propio y del *juicio venidero,* Félix se espantó" (Hechos 24: 25).

¿Cuántos deben afrontar la prueba del juicio?

"Y dije yo en mi corazón: *Al justo y al impío juzgará Dios"* (Eclesiastés 3: 17). "Porque es necesario que *todos nosotros comparezcamos ante el tribunal de Cristo,* para que cada uno reciba según lo que haya hecho mientras estaba en el cuerpo, sea bueno o sea malo" (2 Corintios 5: 10).

¿Qué razón adujo Salomón para instar a todos a temer a Dios y guardar sus mandamientos?

"*Porque Dios traerá toda obra a juicio,* juntamente con toda cosa encubierta, sea buena o sea mala" (Eclesiastés 12: 14).

¿Qué visión de la escena del juicio se le dio a Daniel?

"Estuve mirando hasta que fueron puestos tronos, y se sentó un Anciano de días, cuyo vestido era blanco como la nieve, y el pelo de su cabeza como lana limpia; su trono llama de fuego, y las ruedas del mismo, fuego ardiente. Un río de fuego procedía y salía de delante de él; millares de millares le servían, y millones de millones asistían delante de él; el Juez se sentó, y los libros fueron abiertos" (Daniel 7: 9, 10).

¿De acuerdo con qué serán todos juzgados?

"*Y los libros fueron abiertos,* y otro libro fue abierto, el cual es el libro de la vida; *y fueron juzgados los muertos por las cosas que estaban escritas en los libros, según sus obras"* (Apocalipsis 20: 12).

¿Para quiénes se ha escrito un libro de memoria?

"Entonces los que temían a Jehová hablaron cada uno a su compañero; y Jehová escuchó y oyó, y fue escrito libro de memoria delante de él *para los que temen a Jehová, y para los que piensan en su nombre"* (Malaquías 3: 16).

LA ESCENA DEL JUICIO

¿Quién abre el juicio y lo preside?

"Estuve mirando hasta que fueron puestos tronos, y *se sentó un Anciano de días"* (Daniel 7: 9).

¿Quiénes sirven a Dios en el juicio y asisten delante de él?

"Millares de millares [de ángeles] le servían, y millones de millones asistían delante de él" (vers. 10. Véase Apocalipsis 5: 11).

Cristo oficia hoy como nuestro Sumo Sacerdote y Abogado ante el trono de su Padre en el santuario celestial. El es nuestro único mediador entre Dios y el hombre.

C. PROVONSHA

¿A quién se lo lleva entonces delante del Padre?

"Miraba yo en la visión de la noche, y he aquí con las nubes del cielo venía *uno como un hijo de hombre*, que vino hasta el Anciano de días, y le hicieron acercarse delante de él" (vers. 13).

¿Qué confiesa Cristo como abogado de su pueblo delante del Padre y de sus ángeles?

"El que venciere será vestido de vestiduras blancas; y no borraré su nombre del libro de la vida, y *confesaré su nombre delante de mi Padre, y delante de sus ángeles*" (Apocalipsis 3: 5. Véase S. Mateo 10: 32, 33; S. Marcos 8: 38).

Nota.—Durante esta escena de juicio los muertos, tanto los justos como los impíos, yacen todavía en sus tumbas. Los registros de la vida de cada uno están, sin embargo, en los libros del cielo, y mediante esos registros se conocen bien los caracteres y las acciones de todos. Cristo está allí para actuar en favor de aquellos que lo han escogido como su abogado (1 S. Juan 2: 1). El presenta su sangre mientras ruega que sus pecados sean borrados de los libros de registros. Siendo que el lugar del juicio está en el cielo, donde está el trono de Dios, y siendo que Cristo está presente en persona, se deduce que también el juicio se realiza en el cielo. Todos son juzgados de acuerdo con el registro de sus vidas, y así rinden cuenta de las acciones hechas en el cuerpo. Esta obra no sólo decide para siempre los casos de los muertos, sino que también pone fin al tiempo de gracia concedido a los vivos, después de lo cual vendrá Cristo para tomar consigo a los que hayan sido hallados leales a él.

Después de haber sido determinados los súbditos del reino mediante el juicio investigador, ¿qué se le da a Cristo?

"Y le fue dado *dominio, gloria y reino*, para que todos los pueblos, naciones y lenguas le sirvieran" (Daniel 7: 14).

LA SEGUNDA VENIDA DE CRISTO

Cuando Cristo venga por segunda vez, ¿qué títulos ostentará?

"Y en su vestidura y en su muslo tiene escrito este nombre: REY DE REYES Y SEÑOR DE SEÑORES" (Apocalipsis 19: 16).

¿Qué hará él entonces a cada uno?

"Porque el Hijo del Hombre vendrá en la gloria de su Padre con sus ángeles, y entonces *pagará a cada uno conforme a sus obras*" (S. Mateo 16: 27. Véase Apocalipsis 22: 12).

¿Adónde llevará Cristo entonces a su pueblo?

"*En la casa de mi Padre muchas moradas hay; si así no fuera, yo os lo hubiera dicho; voy, pues, a preparar lugar para vosotros. Y si me fuere y os preparare lugar, vendré otra vez, y os tomaré a mí mismo, para que donde yo estoy, vosotros también estéis*" (S. Juan 14: 2, 3).

¿Cuántos de los muertos serán resucitados?

"Porque vendrá hora cuando *todos los que están en los sepulcros* oirán su voz; y los que hicieron lo bueno, saldrán a resurrección de vida; mas los que hicieron lo malo, a resurrección de condenación" (S. Juan 5: 28, 29. Véase Hechos 24: 15).

¿Cuánto tiempo transcurre entre las dos resurrecciones?

"Y vi tronos, y se sentaron sobre ellos los que recibieron facultad de juzgar; y vi las almas de los decapitados por causa del testimonio de Jesús y por la Palabra de Dios, los que no habían adorado a la bestia ni a su imagen, y que no recibieron la marca en sus frentes ni en sus manos; y vivieron y reinaron con Cristo mil años. *Pero los otros muertos no volvieron a vivir hasta que se cumplieron mil años*" (Apocalipsis 20: 4, 5).

Nota.—Las palabras griegas traducidas "vivieron y reinaron" pueden también vertirse correctamente "volvieron a vivir y reinaron". En vista de la declaración del versículo 5, de que "los otros muertos no volvieron a vivir hasta que se cumplieron mil años", la traducción "volvieron a vivir y reinaron" parece preferible.

LOS SANTOS EN EL JUICIO

¿Qué obra vio Daniel que se les asignó finalmente a los santos?

"Y veía yo que este cuerno hacía guerra contra los santos, y los vencía, hasta que vino el Anciano de días, *y se dio el juicio a los santos del Altísimo*; y llegó el tiempo, y los santos recibieron el reino" (Daniel 7: 21, 22).

¿Cuánto tiempo estarán los santos empeñados en esta obra de juicio?

"Y vi tronos, y se sentaron sobre ellos los que recibieron *facultad de juzgar*; ... y vivieron y reinaron con Cristo mil años" (Apocalipsis 20: 4).

Toda persona debe enfrentar el juicio "según lo que haya hecho mientras estaba en el cuerpo, sea bueno, o sea malo". Debiéramos recordar que la norma del juicio es la santa ley de Dios, los Diez Mandamientos.

C. PROVONSHA

¿Quiénes serán juzgados por los santos?

"¿O no sabéis que *los santos han de juzgar al mundo*? Y si el mundo ha de ser juzgado por vosotros, ¿sois indignos de juzgar cosas muy pequeñas? ¿O no sabéis que *hemos de juzgar a los ángeles*? ¿Cuánto más las cosas de esta vida?" (1 Corintios 6: 2, 3).

CRISTO EJECUTA EL JUICIO

¿Cómo se ejecutarán las decisiones del juicio?

"De su boca [la de Cristo] sale una espada aguda, para herir con ella a las naciones, y él las regirá con vara de hierro; y él pisa el lagar del vino del furor y de la ira del Dios Todopoderoso" (Apocalipsis 19: 15).

¿Por qué se encomienda a Cristo la ejecución del juicio?

"Porque como el Padre tiene vida en sí mismo, así también ha dado al Hijo el tener vida en sí mismo, y también le dio autoridad de hacer juicio, *por cuanto es el Hijo del Hombre*" (S. Juan 5: 26, 27).

¿Cómo debía darse a conocer al mundo la apertura del juicio?

"Vi volar por en medio del cielo a otro ángel, que tenía el evangelio eterno para predicarlo a los moradores de la tierra, a toda nación, tribu, lengua y pueblo, diciendo a gran voz: *Temed a Dios y dadle gloria, porque la hora de su juicio ha llegado*" (Apocalipsis 14: 6, 7).

Nota.—Se mencionan tres fases del juicio en las Escrituras: el juicio *investigador*, que precede al segundo advenimiento de Cristo; el juicio *retributivo*, o sea del mundo perdido y de los ángeles malignos, por Cristo y los santos durante los mil años que siguen al segundo advenimiento; y el juicio *ejecutivo*, o el castigo de los impíos al terminar ese período. El juicio investigador se realiza en el cielo antes que Cristo venga, a fin de determinar quiénes son dignos de participar en la primera resurrección, en ocasión de su venida, y quiénes de entre los vivos han de ser transformados en un abrir y cerrar de ojos, al sonido de la "final trompeta". Para esto es necesario que se realice antes del segundo advenimiento, puesto que no habrá tiempo para tal obra entre la venida de Cristo y la resurrección de los justos. El juicio ejecutivo de los impíos ocurre después que sus casos han sido examinados por los santos durante los mil años (Apocalipsis 20: 4, 5; 1 Corintios 6: 1-3). El juicio investigador es el que está siendo anunciado al mundo por el mensaje del ángel de Apocalipsis 14: 6, 7.

"La idea de un juicio no debiera sorprender a nadie que está familiarizado con las Sagradas Escrituras, porque la religión de la Biblia es ética y pone énfasis en la distinción entre la lealtad y la deslealtad, entre el bien y el mal. En sus páginas se habla claramente de la recompensa de los justos y del destino de los impíos. La distinción entre estos dos destinos implica un juicio, es decir un proceso de investigación, un veredicto y su ejecución. El resultado de ese juicio depende de la aceptación o el rechazo de Jesucristo el Señor".

Walter R. Beach

ESTUDIO 54

El Mensaje de la Hora del Juicio

EN ESTE siglo de desarrollo explosivo de las ciencias y las técnicas, de vuelos espaciales y trasplantes de corazón, es imperativo prestar atención a los peligros de la guerra atómica y de la contaminación ambiental, a las amenazas del hambre y a la conservación de los valores morales. Pero más serio y trascendental que cualquiera de los fenómenos políticos, sociales y económicos que nos preocupan, es el juicio final que todos tendremos que afrontar, y cuya primera fase está en proceso, como lo revela este estudio.

LA NATURALEZA Y EL TIEMPO DEL MENSAJE

¿Qué visión profética del juicio se le dio a Daniel?

"Estuve mirando hasta que fueron puestos tronos, y se sentó un Anciano de días ... Millares de millares le servían, y millones de millones asistían delante de él; el Juez se sentó, y los libros fueron abiertos" (Daniel 7: 9, 10).

¿Qué seguridad del juicio ha dado Dios?

"Por cuanto ha establecido un día en el cual juzgará al mundo con justicia, por aquel varón a quien designó, dando fe a todos con haberle levantado de los muertos" (Hechos 17: 31).

¿Qué mensaje anuncia que la hora del juicio ha llegado?

"Vi volar por en medio del cielo a otro ángel, que tenía el evangelio eterno para predicarlo a los moradores de la tierra, a toda nación, tribu, lengua y pueblo, diciendo a gran voz: Temed a Dios, y dadle gloria, porque la hora de su juicio ha llegado; y adorad a aquel que hizo el cielo y la tierra, el mar y las fuentes de las aguas" (Apocalipsis 14: 6, 7).

En vista de la hora del juicio, ¿qué se proclama de nuevo?

"El evangelio eterno" (vers. 6, p.p.).

¿Cuán extensamente ha de predicarse este mensaje?

"A toda nación, tribu, lengua y pueblo" (vers. 6, ú.p.).

¿Qué se llama a hacer a todo el mundo?

"Temed a Dios, y dadle gloria" (vers. 7).

¿Qué razón especial se da para hacer esto?

"Porque la hora de su juicio ha llegado" (el mismo vers.).

¿A quién son llamados todos a adorar?

"Adorad a aquel que hizo el cielo y la tierra" (el mismo vers.).

Nota.—Hay solamente un Evangelio (Romanos 1: 16, 17; Gálatas 1: 8), anunciado primeramente en el Edén (Génesis 3: 15), predicado a Abrahán (Gálatas 3: 8) y a los hijos de Israel (Hebreos 4: 1, 2), y proclamado de nuevo en cada generación. Su presentación hace frente a las necesidades de cada crisis de la historia del mundo. Juan el Bautista anunciaba en su predicación que el reino de los cielos se había acercado (S. Mateo 3: 1, 2), y preparó el camino para el primer advenimiento (S. Juan 1: 22, 23). Así, puesto que ha llegado el tiempo del juicio, ante la inminencia del segundo advenimiento de Cristo debe hacerse un anuncio, de alcance mundial, de estos eventos mediante la predicación del Evangelio eterno, adaptado para hacer frente a la necesidad de la hora.

¿Qué período profético se extiende hasta el tiempo de la purificación del santuario, por otro nombre designado como el juicio investigador?

"Y él dijo: *Hasta dos mil trescientas tardes y mañanas; luego el santuario* será purificado" (Daniel 8: 14).

¿Cuándo expiró este largo período?

En 1844 DC. (Véase la página 179 y siguientes.)

Nota.—El período entero se extiende hasta el tiempo de la hora del juicio, inmediatamente antes de la segunda venida de Cristo. Cuando termina, se envía a todo el mundo un mensaje evangélico especial que proclama la llegada de la hora del juicio y amonesta a todos a adorar al Creador. Los hechos de la historia justifican esta interpretación de la profecía, porque en ese preciso tiempo (1844) se estaba proclamando ese mensaje en diversas partes del mundo. Este fue el comienzo del gran mensaje del segundo advenimiento de Cristo que se está predicando ahora en todo el mundo.

EL LLAMAMIENTO A ADORAR AL CREADOR

¿Cómo se distingue el verdadero Dios de todos los dioses falsos?

"Así les diréis: *¡Los dioses que no hicieron los cielos y la tierra, perecerán de sobre la tierra ...! Jehová hizo la tierra con su poder, estableció el mundo con su sabiduría, y con su inteligencia extendió los cielos*" (Jeremías 10: 11, 12, VM).

¿Por qué razón es propio que se rinda culto a Dios?

"Porque Jehová es Dios grande, y Rey grande sobre todos los dioses ... *Suyo también el mar, pues él lo hizo; y sus manos formaron la tierra seca. Venid, adoremos y postrémonos; arrodillémonos delante de Jehová nuestro Hacedor*" (Salmo 95: 3, 5-6).

¿Por qué adoran a Dios los habitantes del cielo?

"Los veinticuatro ancianos se postran delante del que está sentado en el trono ... diciendo: Señor, digno eres de recibir la gloria y la honra y el poder; *porque tú creaste todas las cosas, y por tu voluntad existen y fueron creadas*" (Apocalipsis 4: 10, 11).

¿Qué monumento conmemorativo de su poder creador instituyó Dios?

"Recuerda el día del sábado para santificarlo... *Pues en seis días hizo Yahvéh el cielo y la tierra, el mar y todo cuanto contienen, y el séptimo descansó; por eso bendijo Yahvéh el día del sábado y lo hizo sagrado*" (Exodo 20: 8, 11, BJ).

¿Cuál es una de las funciones del sábado en la obra de la salvación?

"Y les di además mis sábados como *señal* entre ellos y yo, para que supieran que yo soy Yahvéh, *que los santifico*" (Ezequiel 20: 12, BJ).

LA NORMA PARA TODOS

¿Cuántos están comprometidos en el juicio?

"Porque es necesario que *todos* nosotros comparezcamos ante el tribunal de Cristo, para que *cada uno* reciba *según lo que haya hecho mientras estaba en el cuerpo, sea bueno o sea malo*" (2 Corintios 5: 10).

¿Cuál será la norma del juicio?

"Porque cualquiera que guardare toda la ley, pero ofendiere en un punto, se hace culpable de todos. Porque el que dijo: No cometerás adulterio, también ha dicho: No matarás. Ahora bien, si no cometes adulterio, pero matas, ya te has hecho transgresor de la ley. Así hablad, y así haced, como los que habéis de ser juzgados por la *ley de la libertad*" (Santiago 2: 10-12).

En vista del juicio, ¿qué exhortación se da?

"El fin de todo el discurso oído es este: *Teme a Dios, y guarda sus mandamientos;* porque esto es el todo del hombre. Porque Dios traerá toda obra a juicio, juntamente con toda cosa encubierta, sea buena o sea mala" (Eclesiastés 12: 13, 14).

El mensaje de Dios al mundo de que ha llegado la hora del juicio se proclama gráficamente en Apocalipsis 14: 6-12, donde aparecen tres ángeles simbólicos surcando el cielo y anunciando sus mensajes con voz poderosa.

J. PADGETT

ESTUDIO 55

La Caída de la Moderna Babilonia

LA IMPORTANCIA histórica de Babilonia como imperio mundial, poderoso y rico se agiganta a la luz de su relación con el milenario conflicto entre el bien y el mal, según la explicación de las Sagradas Escrituras; pero mucho mayor significado y relieve adquiere la moderna Babilonia cuando se conoce su papel en el desarrollo y el desenlace final de ese conflicto. Un estudio serio, valiente y sereno de este tema, aunque estremezca, puede ser de incalculable beneficio.

LA CAIDA DE LA ANTIGUA BABILONIA

Después del mensaje de la hora del juicio, ¿qué razón se da por la caída de Babilonia?

"Otro ángel le siguió, diciendo: Ha caído, ha caído Babilonia, la gran ciudad, porque ha hecho beber a todas las naciones del vino del furor de su fornicación" (Apocalipsis 14: 8).

¿Qué amonestación profética se dio en relación con la caída de la antigua Babilonia?

"Huid de en medio de Babilonia, y librad cada uno su vida, para que no perezcáis a causa de su maldad; porque el tiempo es de venganza de Jehová; le dará su pago" (Jeremías 51: 6).

Momentos antes de la caída del Imperio Babilónico en poder de los medos y persas, ¿cómo desafiaron Belsasar y su corte al Dios verdadero?

"Entonces fueron traídos los vasos de oro que habían traído del templo de la casa de Dios que estaba en Jerusalén, y bebieron en ellos el rey y sus príncipes, sus mujeres y sus concubinas. Bebieron vino, y alabaron a los dioses de oro y de plata, de bronce, de hierro, de madera y de piedra" (Daniel 5: 3, 4).

Nota.—El Evangelio del reino fue predicado en Babilonia por Daniel, y Nabucodonosor fue guiado al conocimiento y la adoración del Dios verdadero. Pero después de la muerte de Nabucodonosor sus sucesores no aprovecharon el beneficio de su experiencia. Llegaron al colmo cuando Belsasar usó los vasos sagrados de la casa de Dios, dedicados al culto del Creador, para beber con ellos el vino babilónico del culto idolátrico. Entonces vino la escritura en la pared, la caída de Babilonia y la muerte de Belsasar. (Véase Daniel 5.)

Además de rechazar el mensaje de Dios, ¿qué hizo la antigua Babilonia a las naciones?

"Copa de oro fue Babilonia en la mano de Jehová, que *embriagó a toda la tierra*; de su vino bebieron los pueblos; se aturdieron, por tanto, las naciones" (Jeremías 51: 7).

Nota.—A través de los siglos las creencias astrológicas de los caldeos de Babilonia "penetraron hasta la India, la China e Indochina, donde la adivinación por medio de las estrellas se practica todavía... En la dirección opuesta se extendieron a Siria, Egipto y en todo el mundo romano" (Franz Cumont, *Astrology and Religion Among the Greeks and Romans*, ed. Putnam, 1912, pág. 74).

BABILONIA MODERNA

En la visión de San Juan, ¿qué interpretación se da de la mujer impura con una copa de oro en la mano, sentada en una bestia que tenía siete cabezas?

"Y la mujer que has visto es la gran ciudad que reina sobre los reyes de la tierra" (Apocalipsis 17: 18. Véanse los vers. 3, 4, 9).

Nota.—La gran ciudad que reinaba sobre los reyes de la tierra en los días de Juan era Roma; y aquella ciudad de las siete colinas ha dado su nombre al poder que la sucedió en sus dominios: la organización que está representada por la mujer, la Iglesia de Roma, gobernada por el papado. (Véanse las páginas 170-173.) En los días finales de la historia del mundo, "la gran Babilonia" incluye todas las formas apóstatas del cristianismo.

En esta misma profecía, ¿cómo se denomina a este poder político-religioso, la Iglesia Romana, o el papado, como el duplicado de la antigua Babilonia?

"Y en su frente tenía un nombre escrito: MISTERIO: BABILONIA LA GRANDE" (vers. 5, VM).

Nota.—Las semejanzas entre la Iglesia Romana y la antigua Babilonia son impresionantes, cuando miramos la religión del estado babilónico pagano con su rica y políticamente poderosa jerarquía, su primoroso ritual del templo, su monopolio sacerdotal del saber, su liturgia realizada en una lengua antigua desconocida para el pueblo común, sus procesiones en las que se llevaban imágenes destinadas a representar a la Deidad, su gran festival de primavera en el cual el regocijo sigue al duelo, su omnipresente diosa, virgen y madre, que intercede por sus adoradores. Pero hay más que un mero paralelo evidente; hay muchos elementos religiosos que la Iglesia Romana recibió como genuina herencia de Babilonia a través del Imperio Romano.

"La poderosa Iglesia Católica era algo más que el Imperio Romano bautizado" (A. C. Flick, The Rise of the Mediaeval Church [El surgimiento de la Iglesia medieval], ed. Putnam, 1909, pág. 148). El Cardenal Newman enumera muchos ejemplos de cosas reconocidas como "de origen pagano" que la iglesia introdujo "a fin de recomendar la nueva religión a los paganos": "el uso de templos, y su dedicación a santos particulares y ornamentados, en ocasiones, con ramas de árboles; el incienso, las lámparas y velas; las ofrendas votivas por la recuperación de las enfermedades; el agua bendita; los asilos; días y ocasiones de fiesta, el uso de calendarios, las procesiones, la bendición de los campos; las vestimentas sacerdotales, la tonsura, el anillo de matrimonio, la vuelta al Oriente, las imágenes en fecha posterior, quizás el canto eclesiástico, y el kirie eleison" (J. H. Newman, An Essay on the Development of Christian Doctrine [Un ensayo sobre el desarrollo de la doctrina cristiana], ed. 1920, pág. 273. Véase la página 170 y siguientes de la presente obra).

El Imperio Romano era heredero no solamente de los territorios sino también de las religiones de Grecia y del Oriente. Más tarde el paganismo romano se orientalizó por la adopción de las deidades del Oriente, influidas todas por la astrología, y transformadas muchas de ellas en dioses del sol, como Mitra, por ejemplo, que combinaba elementos persas y caldeos. (Véase Franz Cumont, Astrology and Religion Among the Greeks and Romans, ed. 1912, págs. 89-91.) "La teología solar de los caldeos [a saber, de 'los sacerdotes babilónicos del siglo helénico', y posterior] tuvo un efecto decisivo 'sobre' la forma final alcanzada por la religión de los paganos semitas, y después de ellos por la de los romanos cuando Aurelio, el conquistador de Palmira, había elevado el Sol invictus a la categoría de suprema divinidad del Imperio" (The Cambridge Ancient History [Historia antigua de Cambridge], tomo 11, págs. 643, 646, 647. Usado con permiso de la Imprenta de la Universidad de Cambridge). El trasladó de Palmira al nuevo santuario las imágenes de Helios (dios 'Sol) y de Bel, el antiguo dios patrono de Babilonia. (Véase Cumont, The Oriental Religions in Roman Paganism [Las religiones orientales en el paganismo romano], 1911, págs. 114, 115, 124.)

Babilonia también contribuyó al "grande y omnipresente culto" a la diosa madre (en realidad más importante que los dioses más encumbrados). La babilónica Ishtar es identificada con Astarte, Astorest, Perséfone, Artemis (Diana) de Efeso, Venus, quizá Isis, y otras. (Véase S. H. Langdon, Semitic Mythology, ed. 1931, págs. 12, 13, 19, 20, 24, 32, 34, 108, 344, 368, 369.) A cada una de estas diosas multiformes se la llamó virgen madre (Id., págs. 16, 18, 19), madre misericordiosa (pág. 111), reina del cielo (pág. 25), mi señora —madona— o nuestra señora (pág. 341), y se las pintaba a menudo como imágenes de una madre con un infante (págs. 34, 111), o como una mater dolorosa intercediendo en favor de sus adoradores ante un dios colérico (págs. 151, 188. Véase también la Encyclopedia Britannica, ed. 1945, tomo 2, pág. 858, art. "Babylonian and Assyrian Religion"). Muchos cultos rendidos hoy día a vírgenes locales son evidentemente continuación del culto a las diosas antiguas. (Véase Gordon J. Laing, Survivals of Roman Religion [Supervivencias de la religión romana], ed. 1931, págs. 92-95, 123, 124, 129-131, 238-241).

La influencia del culto astrológico al sol puede verse en la idea —si no en la forma— del purgatorio (Cumont, Astrology and Religion [La astrología y la religión], págs. 190, 191), la adopción del 25 de diciembre, el día del Sol Invicto, y el día del sol (domingo) mitraico; también la orientación de los edificios de iglesia y las oraciones mirando hacia el este (Id., págs. 161-163; Laing, op. cit., págs. 148-153, 190-193), y aun el nimbo que corona las figuras de los santos (Laing, op. cit., pág. 246). (Laing ofrece otros ejemplos interesantes del paganismo sobreviviente en el catolicismo, especialmente del culto a Isis: el agua bendita, las ofrendas votivas, la elevación de los objetos sagrados, la campana del sacerdote, el atavío de las imágenes y posiblemente la tonsura; también las procesiones, los festivales, las oraciones por los difuntos, el culto a los santos, las reliquias, etc.)

¿Qué acciones contribuyen a esta identificación?

"Con la cual han fornicado los reyes de la tierra, y los moradores de la tierra se han embriagado con el vino de su fornicación" (vers. 2).

Nota.—La antigua religión babilónica tenía rasgos inmorales, pero la Babilonia moderna comete fornicación espiritual, contaminando la iglesia con doctrinas falsas y prácticas paganas, y teniendo relaciones ilícitas con los poderes seculares para imponer sus enseñanzas; y como su antigua homónima, la Babilonia Romana ha hecho beber a muchas naciones el vino impuro de su copa.

LA COPA DE CRISTO Y LA COPA DE BABILONIA

¿Qué copa ofrece Cristo en la Cena del Señor?

"Esta copa es el nuevo pacto en mi sangre" (S. Lucas 22: 20).

¿Qué se establece claramente como la enseñanza esencial del nuevo pacto?

"Por lo cual, este es el pacto que haré con la casa de Israel después de aquellos días, dice el Señor: *Pondré mis leyes en la mente de ellos, y sobre su corazón las escribiré;* y seré a ellos por Dios, y ellos me serán a mí por pueblo" (Hebreos 8: 10).

Cuando Cristo escribe así la ley en el corazón, ¿cuál es el resultado?

"*Porque la ley del Espíritu de vida en Cristo Jesús me ha librado de la ley del pecado y de la muerte.* Porque lo que era imposible para la ley, por cuanto era débil por la carne, Dios, enviando a su Hijo en semejanza de carne de pecado y a causa del pecado, condenó al pecado en la carne; para que la justicia de la ley se cumpliese en nosotros, que no andamos conforme a la carne, sino conforme al Espíritu" (Romanos 8: 2-4).

¿En qué otra declaración se presenta esta misma verdad?

"El espíritu es el que da vida; la carne para nada aprovecha; *las palabras que yo os he hablado son espíritu y son vida*" (S. Juan 6: 63).

¿Con qué clase de enseñanzas han sustituido los hombres las palabras que son espíritu y vida?

"Pues en vano me honran, enseñando como doctrinas mandamientos de hombres... Les decía también: Bien invalidáis el mandamiento de Dios para guardar vuestra tradición" (S. Marcos 7: 7, 9).

Nota.—Hay dos copas, la copa del Señor y la copa de Babilonia. La copa *del Señor* contiene la verdad viviente "según es la verdad en Jesús"; la copa de *Babilonia,* sus falsas doctrinas: su tradición humana en sustitución de la palabra viva y la ley de Dios, y su ilícita unión con el poder secular, del cual depende para imponer sus enseñanzas en lugar del poder de Dios. Así, mientras conserva una forma de piedad, niega el poder de ella (2 Timoteo 3: 1-5).

En cuanto a la Biblia y la tradición la Iglesia Católica dice: "Aunque estas dos divinas corrientes son en sí mismas, a causa de su origen divino, de igual santidad, y están ambas henchidas de verdades reveladas, a pesar de eso, de las dos, la TRADICION es para nosotros más clara y segura" (Joseph Faa Di Bruno, *Catholic Belief* [La creencia católica], ed. 1884, pág. 45).

"2. Escritura y Tradición, de igual valor.—Siendo que las verdades contenidas en la Escritura y las transmitidas por la Tradición provienen igualmente de Dios, la Escritura y la Tradición son de igual valor como fuentes de fe. Ambas merecen la misma reverencia y respeto. Cada una por sí sola es suficiente para establecer una verdad de nuestra santa fe" (John Laux, *A Course in Religion for Catholic High Schools and Academies* [Un curso de religión para escuelas católicas de enseñanza media], ed. 1936, tomo 1, pág. 50. Imprimatur, Obispo Francisco W. Howard, marzo 25, 1932. Citado con permiso de Benziger Brothers, Inc., propietarios del derecho de autor).

"4. La Regla Católica de Fe.—La Escritura y la Tradición son llamadas la *remota regla de fe*, porque el católico no basa su fe *directamente* en estas fuentes. La *inmediata regla de fe* es la Iglesia Unica, Santa y Apostólica, la única que ha recibido de Dios la autoridad para interpretar infaliblemente las doctrinas que él ha revelado, ya sea que estén contenidas en la Escritura o en la Tradición" (*Id.,* pág. 51).

La sustitución de la ley de la iglesia en lugar de la ley de Dios, en cumplimiento de Daniel 7: 25, testifica de la completa subordinación de la palabra de Dios a la autoridad de la iglesia. La enseñanza de extensión mundial de estas doctrinas en lugar del Evangelio puro ha guiado al mundo por el mal camino, y ha hecho beber a todas las naciones del vino impuro de su copa. La Reforma del siglo XVI, que negaba la supremacía de la autoridad de la iglesia y la tradición sobre la Biblia, fue un esfuerzo por retornar a la verdad pura de la palabra de Dios.

¿Cómo muestran las hijas de Babilonia las características de su madre?

En vívido simbolismo el profeta Juan vio a una mujer impura representando al cristianismo apóstata, con una copa de doctrinas falsas en su mano, que cabalgaba sobre una bestia temible y hablaba jactanciosamente.

"Y en su frente tenía un nombre escrito: MISTERIO: BABILONIA LA GRANDE, MADRE DE LAS RAMERAS Y DE LAS ABOMINACIONES DE LA TIERRA" (Apocalipsis 17: 5, VM).

Nota.—El autorizado Credo del Papa Pío IV dice en el Artículo 10: "Yo reconozco a la Santa Iglesia Católica Apostólica como la madre y señora de todas las iglesias". Cuando las profesas iglesias protestantes repudian el principio fundamental del protestantismo al aceptar la especulación humana, la tradición, o el poder político en lugar de la autoridad y el poder de la palabra de Dios, pueden ser consideradas como hijas de Babilonia. Su caída está entonces incluida en la de ella, y demanda la proclamación de la caída de la moderna Babilonia.

Muchos representantes del protestantismo moderno han rechazado, de una manera u otra, doctrinas fundamentales de la Biblia, como la caída del hombre, la doctrina bíblica del pecado, la inspiración de las Escrituras, la suficiencia de las Escrituras como regla de fe y conducta; la deidad de Cristo, su nacimiento virginal, su resurrección, su vicario sacrificio expiatorio y propiciatorio, su segunda venida para establecer el reino de Dios, la salvación por gracia mediante la fe en Cristo, la regeneración por el poder del Espíritu Santo, la eficacia de la oración en el nombre de Jesús, el ministerio de los ángeles, los milagros como intervención directa del poder de Dios. Hay muchos dirigentes del protestantismo moderno que no han adoptado el credo de la Iglesia Romana, ni se han unido a ella, pero que pertenecen a la misma clase que rechaza la Palabra de Dios a cambio de la autoridad humana. Hay apostasía en ambos casos, y ambas clases deben ser incluidas en Babilonia y hallarse envueltas, en el análisis final, en su caída, porque en el sentido más amplio Babilonia abarca toda religión falsa, toda apostasía.

¿Hasta qué grado irá la apostasía, o caída, de la moderna Babilonia, la madre y sus hijas?

"Después de esto vi a otro ángel descender del cielo con gran poder; y la tierra fue alumbrada con su gloria. Y clamó con voz potente, diciendo: Ha caído, ha caído la gran Babilonia, y se ha hecho habitación de demonios y guarida de todo espíritu inmundo, y albergue de toda ave inmunda y aborrecible. Porque todas las naciones han bebido del vino del furor de su fornicación; y los reyes de la tierra han fornicado con ella, y los mercaderes de la tierra se han enriquecido de la potencia de sus deleites" (Apocalipsis 18: 1-3).

EL LLAMAMIENTO DE DIOS A SALIR

¿Cuál ha de ser el destino final de Babilonia?

"Y un ángel poderoso tomó una piedra, como una gran piedra de molino, y la arrojó en el mar, diciendo: Con el mismo ímpetu será derribada Babilonia, la gran ciudad, y nunca más será hallada... Y en ella se halló la sangre de los profetas y de los santos, y de todos los que han sido muertos en la tierra" (vers. 21, 24).

¿Qué llamamiento final a salir de Babilonia ha de pregonarse?

"Y oí otra voz del cielo, que decía: Salid de ella, pueblo mío, para que no seáis partícipes de sus pecados, ni recibáis parte de sus plagas; porque sus pecados han llegado hasta el cielo, y Dios se ha acordado de sus maldades" (vers. 4, 5).

¿Cuál es el canto de los que salen de Babilonia?

"¡Aleluya, porque el Señor nuestro Dios Todopoderoso reina! Gocémonos y alegrémonos y démosle gloria" (Apocalipsis 19: 6, 7).

La Conclusión del Mensaje Evangélico

LA PROCLAMACION del Evangelio juega un papel de primera importancia en la gigantesca y milenaria lucha entre Cristo y Satanás. Las profecías de los libros de Daniel y el Apocalipsis revelan cuáles serán algunas de las notas sobresalientes de su mensaje en los últimos días, y cuáles algunos de sus mayores adversarios, ya se presenten como enemigos declarados o como amigos aparentes. Anticipa también algunos de los episodios y escenas de esta lucha, y su desenlace final. El propósito de este estudio es darnos a conocer estos hechos de vital interés para la humanidad.

UNA AMONESTACION CONTRA EL CULTO FALSO

¿Qué indica que los mensajes de la hora del juicio y de la caída de Babilonia son dos partes de un mensaje triple?

"Y el tercer ángel los siguió" (Apocalipsis 14: 9, p.p.).

¿Qué apostasía del culto de Dios se menciona aquí?

"Si alguno adora a la bestia y a su imagen, y recibe la marca en su frente o en su mano" (el mismo vers., ú.p.).

¿Cuál habrá de ser la suerte de los que, en lugar de adorar a Dios, se comprometen en este culto falso?

"El también beberá del vino de la ira de Dios, que ha sido vaciado puro en el cáliz de su ira; y será atormentado con fuego y azufre delante de los santos ángeles y del Cordero; y el humo de su tormento sube por los siglos de los siglos. Y no tienen reposo de día ni de noche los que adoran a la bestia y a su imagen, ni nadie que reciba la marca de su nombre" (vers. 10, 11. Véase Isaías 33: 13; 34: 1-10; Hebreos 12: 29).

¿Cómo se describe a los que prestan atención a esta amonestación?

"Aquí está la paciencia de los santos, los que guardan los mandamientos de Dios y la fe de Jesús" (vers. 12).

¿A QUIEN REPRESENTA LA BESTIA?

¿Cómo se describe la bestia contra cuya adoración se da este mensaje final de amonestación?

"Me paré sobre la arena del mar, y vi subir del mar una bestia que tenía siete cabezas y diez cuernos; y en sus cuernos diez diademas; y sobre sus cabezas, un nombre blasfemo. Y la bestia que vi era semejante a un leopardo, y sus pies como de oso, y su boca como boca de león. Y el dragón le dio su poder y su trono, y grande autoridad" (Apocalipsis 13: 1, 2).

Nota.—En esta bestia mixta que surge del mar se combinan los símbolos del capítulo siete de Daniel, que representan a los imperios romano, greco-macedónico, medopersa y babilónico. Sus palabras blasfemas, su persecución de los santos y el tiempo que se le concede (vers. 5-7) muestran que esta bestia, bajo las manifestaciones de una de sus siete cabezas, es idéntica al cuerno pequeño de la visión de Daniel 7, y simboliza a la Babilonia moderna, el papado. (Véase el estudio sobre "El reinado y la obra del anticristo", pág. 170.) Adorar a la bestia es rendir al papado el homenaje que se debe sólo a Dios. El sistema religioso puesto en vigor por el papado contiene el paganismo de Babilonia, Persia, Grecia y Roma, como lo indica la naturaleza mixta de la bestia (vers. 2), disfrazado bajo las formas y nombres del cristianismo. El Máximo Pontífice Romano, por ejemplo, subsiste o se prolonga en el papa, la cabeza del sacerdocio romano. Pero este pasaje de Apocalipsis muestra que el poder del papa y su trono y su gran autoridad no proceden de Cristo.

¿Qué desafío hacen los que adoran a la bestia?

"Y adoraron al dragón que había dado autoridad a la bestia, y adoraron a la bestia, diciendo: ¿Quién como la bestia, y quién podrá luchar contra ella?" (vers. 4).

¿La soberanía de quién se desafía así?

"No hay semejante a ti, oh Jehová; grande eres tú, y grande tu nombre en poderío" (Jeremías 10: 6. Véanse Salmos 71: 19; 86: 8; 89: 6, 8).

¿Qué características del "hombre de pecado" se manifiestan así?

"Nadie os engañe en ninguna manera; porque no vendrá sin que antes venga la apostasía, y se manifieste el hombre de pecado, el hijo de perdición, el cual se opone y se levanta contra todo lo que se llama Dios o es objeto de culto; tanto que se sienta en el templo de Dios como Dios, haciéndose pasar por Dios" (2 Tesalonicenses 2: 3, 4. Véanse págs. 170, 171).

¿Qué dio a beber Babilonia a las naciones?

"Ha hecho beber a todas las naciones del vino del furor de su fornicación" (Apocalipsis 14: 8, ú.p. Véanse págs. 198-202).

¿Qué beberán los que aceptan las enseñanzas de Babilonia y rinden homenaje a la bestia?

"El también beberá del vino de la ira de Dios, que ha sido vaciado puro en el cáliz de su ira" (vers. 10, p.p.).

Nota.—La copa del Señor, del nuevo pacto en la sangre de Cristo, y la copa del vino dela ira de Babilonia se ofrecen ambas al mundo. El beber de la primera, es decir la aceptación del verdadero Evangelio, es recibir vida eterna; pero beber del vino de Babilonia, a saber la aceptación del falso evangelio enseñado por el papado, condenará a beber del vino de la ira de Dios, de la copa de su indignación. El verdadero Evangelio significa vida eterna; el falso evangelio, muerte eterna.

IMPOSICION DEL CULTO FALSO

¿Bajo qué castigo se exigirá la adoración de la imagen de la bestia?

"Y se le permitió infundir aliento a la imagen de la bestia, para que la imagen hablase e hiciese matar a todo el que no la adorase" (Apocalipsis 13: 15).

Nota.—En busca de una explicación de la imagen de la bestia véase el estudio sobre "La formación de una imagen de la bestia", pág. 212.

¿Qué boicot universal se va a emplear con la intención de obligar a todos a recibir la marca de la bestia?

"Y hacía que a todos, pequeños y grandes, ricos y pobres, libres y esclavos, se les pusiese una marca en la mano derecha, o en la frente; y que ninguno pudiese comprar ni vender, sino el que tuviese la marca o el nombre de la bestia, o el número de su nombre" (vers. 16, 17).

Nota.—En cuanto a la marca de la bestia véase el estudio acerca de "El sello de Dios y la marca de la apostasía", pág. 333.

SATANAS O DIOS

¿Cuál es realmente el poder que actúa por medio de la bestia?

"Y el dragón le dio su poder y su trono, y grande autoridad" (vers. 2, ú.p.).

¿Quién es el dragón?

"Y fue lanzado fuera el gran dragón, la serpiente antigua, que se llama diablo y Satanás" (Apocalipsis 12: 9).

¿Cómo trató el diablo de inducir a Cristo a adorarlo?

"Y le llevó el diablo a un alto monte, y le mostró en un momento todos los reinos de la tierra. Y le dijo el diablo: A ti te daré toda esta potestad, y la gloria de ellos; porque a mí me ha sido entregada, y a quien quiero la doy. Si tú postrado me adorares, todos serán tuyos" (S. Lucas 4: 5-7).

¿Cómo mostró Jesús su lealtad a Dios?

"Respondiendo Jesús, le dijo: Vete de mí, Satanás, porque escrito está: Al Señor tu Dios adorarás, y a él solo servirás" (vers. 8).

Nota.—El triple mensaje de Apocalipsis 14: 6-12 se proclama en conexión con las escenas finales del gran conflicto entre Cristo y Satanás. Lucifer ha tratado de colocarse en el lugar de Dios (Isaías 14: 12-14), y de recibir el culto que se debe a Dios solamente. La prueba final gira en torno a los mandamientos de Dios. Cuando el punto en disputa haya sido definido claramente, los que reconozcan la supremacía de la bestia prestando obediencia a la ley de Dios en la forma como ha sido cambiada e impuesta por el papado, al hacerlo adorarán a la bestia y a su imagen, y recibirán su marca. Los tales tomarán partido con Satanás en su rebelión contra la autoridad de Dios.

¿Cuántos se someterán a la demanda de adorar a la bestia?

"Y la adoraron todos los moradores de la tierra cuyos nombres no estaban escritos en el libro de la vida del Cordero que fue inmolado desde el principio del mundo" (Apocalipsis 13: 8).

En el mensaje de la hora del juicio, ¿a quién son todos llamados a temer, glorificar y adorar?

"*Temed a Dios, y dadle gloria,* porque la hora de su juicio ha llegado; *y adorad a aquel que hizo el cielo y la tierra, el mar y las fuentes de las aguas*" (Apocalipsis 14: 7).

¿Quiénes cantarán el canto de victoria sobre el mar de vidrio?

"Vi también como un mar de vidrio mezclado con fuego; y a *los que habían alcanzado la victoria sobre la bestia y su imagen, y su marca y el número de su nombre,* en pie sobre el mar de vidrio, con las arpas de Dios. Y cantan el cántico de Moisés siervo de Dios, y el cántico del Cordero, diciendo: Grandes y maravillosas son tus obras, Señor Dios Todopoderoso" (Apocalipsis 15: 2, 3).

¡Puríficame!

¡Puríficame, Señor!
en el crisol de la prueba,
pero no dejes, ¡oh Dios!
que me consuma en ella.

Destruye en todo mi ser
cada residuo de escoria
hasta ser diáfano y puro
como la luz de la aurora.

Y cuando mi transparencia
semeje al fino crisol,
tu Santo Espíritu entonces

me guíe cual capitán
por los mares de la vida
hasta que llegue a tu hogar.

Delfín Salgado Lara

ESTUDIO 57

La Guerra de Satanás Contra la Iglesia

EL CARACTER, la misión, la historia y el destino de la iglesia de Dios polarizan la atención y el interés de los escritores de la Biblia. "La ley, los profetas y los salmos" se ocupan de ella. Pero ningún capítulo de las Escrituras sintetiza tan magistralmente, mediante símbolos, la naturaleza y la historia de la iglesia cristiana como el capítulo 12 del Apocalipsis. Su estudio es fascinante para quienes lo hacen con la debida actitud mental y espiritual.

LA MUJER VESTIDA DEL SOL

¿Bajo qué figura le fue presentada la iglesia cristiana al apóstol Juan?

"Apareció en el cielo una gran señal: *una mujer vestida del sol*, con la luna debajo de sus pies, y sobre su cabeza una corona de doce estrellas" (Apocalipsis 12: 1).

Nota.—Frecuentemente se usa en las Escrituras una mujer para representar a la iglesia. (Véase Jeremías 6: 2; 2 Corintios 11: 2.) El sol representa la luz del Evangelio con la cual la iglesia fue revestida en ocasión del primer advenimiento de Cristo (1 S. Juan 2: 8); la luna debajo de sus pies, la luz menguante de la dispensación anterior; y las doce estrellas, los doce apóstoles.

¿Cómo se describe a la iglesia en ocasión del primer advenimiento?

"Y estando encinta, clamaba con dolores de parto, en la angustia del alumbramiento" (vers. 2).

Nota.—La iglesia sufre trabajo y dolor mientras da a luz a Cristo y a los hijos de ella, en medio de aflicciones y persecuciones. (Véase Romanos 8: 19, 22; 1 S. Juan 3: 1, 2; 2 Timoteo 3: 12.)

¿Cómo se describe brevemente el nacimiento, la obra y la ascensión de Cristo?

"Y ella dio a luz un hijo varón, que regirá con vara de hierro a todas las naciones; y su hijo fue arrebatado para Dios y para su trono" (vers. 5).

EL GRAN DRAGON ESCARLATA

¿Qué otra señal, o prodigio, apareció en el cielo?

"También apareció otra señal en el cielo: he aquí *un gran dragón escarlata*, que tenía siete cabezas y diez cuernos, y en sus cabezas siete diademas; y su cola arrastraba la tercera parte de las estrellas del cielo, y las arrojó sobre la tierra. Y el dragón se paró frente a la mujer que estaba para dar a luz, a fin de devorar a su hijo tan pronto como naciese" (vers. 3, 4).

¿Quién se dice que es este dragón?

"Y fue lanzado fuera el gran dragón, *la serpiente antigua*, que se llama *diablo* y *Satanás*, el cual engaña al mundo entero" (vers. 9).

Nota.—En primer lugar el dragón representa a Satanás, el gran enemigo y perseguidor de la iglesia a lo largo de todos los siglos. Pero Satanás obra por medio de principados y potestades en sus esfuerzos por destruir al pueblo de Dios. Por medio de un rey romano, el rey Herodes, trató de destruir a Cristo no bien hubo nacido (S. Mateo 2: 16). Por lo tanto también Roma debía estar simbolizada por el dragón. Las siete cabezas del dragón representan, según algunos, las "siete colinas" sobre las cuales está edificada la ciudad de Roma; según otros, las siete formas de gobierno por las cuales pasó Roma; y todavía según otros, y de manera más general, las siete grandes monarquías que han oprimido al pueblo de Dios, a saber Egipto, Asiria, Caldea, Persia, Grecia, Roma pagana y Roma papal. Nótese que según cada una de estas interpretaciones, Roma está

La iglesia verdadera del tiempo de Cristo está simbolizada en Apocalipsis 12: 1 por una mujer pura, vestida con la luz del sol del Evangelio. Su hijo fue el Niño de Belén.

J. STEEL

representada e incluida. (Véanse las págs. 210, 211.) Los diez cuernos, como en la cuarta bestia de Daniel 7, se refieren evidentemente a los reinos en los cuales Roma fue dividida finalmente, y así de nuevo se identifica al dragón con el poder romano.

¿Cómo se describe el conflicto entre Cristo y Satanás?

"Después hubo una gran batalla en el cielo: Miguel y sus ángeles luchaban contra el dragón; y luchaban el dragón y sus ángeles; pero no prevalecieron, ni se halló ya lugar para ellos en el cielo. Y fue lanzado fuera el gran dragón, la serpiente antigua, que se llama diablo y Satanás, el cual engaña al mundo entero; fue arrojado a la tierra, y sus ángeles fueron arrojados con él" (vers. 7-9).

Nota.—Este conflicto, que comenzó en el cielo, continúa en la tierra. Casi al final de su ministerio, Cristo dijo: "Yo veía a Satanás *caer del cielo como un rayo*" (S. Lucas 10: 18). "*Ahora es el juicio de este mundo; ahora el príncipe de este mundo será echado fuera*" (S. Juan 12: 31). Cuando crucificó a Cristo, Satanás fue expulsado de los concilios en que se congregaban los representantes de los diversos mundos, en los cuales era admitido anteriormente como el príncipe de este mundo (Job 1: 6, 7; 2: 1, 2).

¿Qué grito de triunfo se oyó en el cielo después de la victoria de Cristo?

"Entonces oí una gran voz en el cielo, que decía: *Ahora ha venido la salvación, el poder, y el reino de nuestro Dios, y la autoridad de su Cristo*; porque ha sido lanzado fuera el acusador de nuestros hermanos, el que los acusaba delante de nuestro Dios día y noche... Por lo cual alegraos, cielos, y los que moráis en ellos" (vers. 10, 12).

PERSECUCION EN LA TIERRA

¿Por qué se pregonó un "¡Ay del mundo!" en esa misma ocasión?

"¡Ay de los moradores de la tierra y del mar! porque *el diablo ha descendido a vosotros con gran ira, sabiendo que tiene poco tiempo*" (vers. 12, ú.p.).

Nota.—Esto no solamente muestra que, desde la crucifixión de Cristo, Satanás sabe que su suerte está sellada, y que él tiene sólo un tiempo limitado en el cual obrar, sino también que sus esfuerzos se circunscriben ahora, por completo, a este mundo y se concentran en sus habitantes. Mejor que muchos cristianos profesos, Satanás sabe que el tiempo es corto.

¿Qué hizo Satanás cuando fue arrojado a la tierra?

"Y cuando vio el dragón que había sido arrojado a la tierra, *persiguió a la mujer que había dado a luz al hijo varón*" (vers. 13).

Nota.—La persecución de los cristianos comenzó bajo la Roma pagana, pero fue continuada en forma mucho más extensa bajo la Roma papal (S. Mateo 24: 21, 22).

¿Qué período de extensión definida se designó a esta gran persecución del pueblo de Dios bajo la Roma papal?

"Y se le dieron a la mujer las dos alas de la gran águila, para que volase de delante de la serpiente al desierto, a su lugar, donde es sustentada por un *tiempo, y tiempos, y la mitad de un tiempo*" (vers. 14).

Nota.—Este es el mismo período que se menciona en Daniel 7: 25, y, como los diez cuernos, identifica al dragón con la cuarta bestia de Daniel 7, y su obra posterior con la obra del cuerno pequeño de esa bestia. En Apocalipsis 13: 5 se lo menciona como "cuarenta y dos meses", y en Apocalipsis 12: 6 como 1.260 días, los cuales representan 1.260 años literales, el período asignado a la supremacía de la Roma papal. Comenzando en 538 DC, el período terminó en 1798, cuando el papa fue tomado preso por los franceses. (Véase la nota de la pág. 173.) El vuelo de la mujer al desierto describe acertadamente la condición de la iglesia durante aquellos tiempos de cruel persecución.

¿Cuál era el propósito de Satanás al perseguir así a la iglesia?

"Y la serpiente arrojó de su boca, tras la mujer, agua como un río, *para que fuese arrastrada por el río*" (vers. 15).

¿Cómo fue impedida la inundación, y frustrado el designio de Satanás?

"Pero *la tierra ayudó a la mujer*, pues la tierra abrió su boca y tragó el río que el dragón había echado de su boca" (vers. 16).

Nota.—Las fortalezas de las montañas, los refugios tranquilos y los valles apartados de Europa ampararon durante siglos a muchos que rehusaron lealtad al papado. Aquí pueden verse también los resultados de la Reforma del siglo XVI, cuando algunos de los gobernantes de Europa acudieron en ayuda de diversos grupos reformados, deteniendo la mano de la persecución y protegiendo la vida de los que osaban tomar partido en contra del papado. El descubrimiento de América y apertura del país del norte como asilo para los oprimidos de Europa en ese tiempo, puede también incluirse en la "ayuda" a la cual se refiere esta profecía.

¿Cuál dijo Cristo que sería el resultado si los días de persecución no eran acortados?

"Y si aquellos días no fuesen acortados, *nadie sería salvo*; mas por causa de los escogidos, aquellos días serán acortados" (S. Mateo 24: 22).

Todavía empeñado en perseguir, ¿cómo manifiesta Satanás su enemistad contra la iglesia remanente?

"Entonces el dragón se llenó de ira contra la mujer; y *se fue a hacer guerra contra el resto de la descendencia de ella*, los que guardan los mandamientos de Dios y tienen el testimonio de Jesucristo" (Apocalipsis 12: 17).

Nota.—Hasta el mismo fin Satanás perseguirá y tratará de destruir al pueblo de Dios. Especialmente hará él la guerra contra el remanente, o la última porción de la iglesia. La obediencia de ellos a los mandamientos de Dios y su posesión del testimonio de Jesús, o sea el espíritu de profecía (Apocalipsis 19: 10), le resultan especialmente ofensivas y excitan su intensa ira.

¡Cuán firme es de tu iglesia!

¡Cuán firme es de tu iglesia el cimiento, oh Dios de luz,
pues es tu amado Hijo, el bendito Rey Jesús!
El trono de los cielos de grado abandonó,
y por su amada iglesia su vida entregó.

Es una la esperanza y una es nuestra fe,
y uno es el bautismo doquiera que se esté.
De todas las naciones, unidos, oh Señor,
tus hijos hoy te buscan y cantan tu loor.

Astutos enemigos la quieren destruir;
fundada en la Roca la vemos resistir.
Tus hijos te suplican que no demores más.
Prometes que muy pronto en gloria volverás.

En medio de aflicciones y luchas por doquier
tu iglesia alerta aguarda: tu gloria anhela ver;
y cuando aparecieres en gloria y majestad,
tu iglesia victoriosa tendrá la libertad.

Escogido

ESTUDIO 58

Un Gran Poder Perseguidor

EN LA mayoría de los países del mundo vivimos días de amplia libertad religiosa, garantizada en muchísimos casos por la constitución nacional, y en otros por la fuerza de la opinión pública. Nos parecen inverosímiles los testimonios de las persecuciones religiosas del pasado, y totalmente imposible su repetición. Pero las profecías bíblicas al respecto merecen nuestra respetuosa consideración. Hacen revelaciones de capital interés en cuanto al pasado, al presente y el futuro.

LA BESTIA DE DIEZ CUERNOS DE APOCALIPSIS 13

¿Cuál es el primer símbolo de Apocalipsis 13?

"Me paré sobre la arena del mar, y *vi subir del mar una bestia que tenía siete cabezas y diez cuernos; y en sus cuernos diez diademas; y sobre sus cabezas, un nombre blasfemo*" (Apocalipsis 13: 1).

Nota.—Como ya descubrimos por el estudio del libro de Daniel, una bestia en las profecías representa algún gran poder o reino terrenal; una cabeza o cuerno, un poder gobernante; las aguas, "pueblos, muchedumbres, naciones y lenguas" (Apocalipsis 17: 15).

"Las bestias de Daniel y de Juan son imperios. La bestia con diez cuernos es el poder romano... La cabeza es el poder gobernante del cuerpo. Las cabezas de esta bestia representan gobiernos sucesivos" (H. Grattan Guinness, *Romanism and the Reformation*, págs. 144, 145).

¿Cómo se describe adicionalmente esta bestia?

"Y la bestia que vi era *semejante a un leopardo, y sus pies como de oso, y su boca como boca de león*" (vers. 2, p.p.).

Nota.—Estas son las características de los tres primeros símbolos de Daniel 7 —el *león*, el *oso* y el *leopardo*, que representan los reinos de Babilonia, Medopersia y Grecia— y sugieren que esta bestia representa o pertenece al reino simbolizado por la cuarta bestia de Daniel 7, o *Roma*. Ambas tienen diez cuernos. Como el dragón de Apocalipsis 12,

ésta también tiene siete cabezas; pero así como el dragón simbolizaba a Roma en su totalidad, particularmente en su fase pagana, ésta, como el "cuerno pequeño" que sale entre los diez cuernos de la cuarta bestia de Daniel 7, representa a Roma en su forma posterior o papal. Como el cuerno pequeño, tiene "una boca" que habla grandes cosas; ambos hacen guerra contra los santos; ambos actúan durante el mismo período.

Concediéndole un significado muy amplio al símbolo, la versión de Douay, Biblia Católica Inglesa, en una nota sobre Apocalipsis 13: 1 explica las siete cabezas de esta bestia como sigue: "Las siete cabezas son siete reyes, es decir, siete reinos o imperios principales, que han ejercido, o ejercerán, poder tiránico sobre el pueblo de Dios: de éstos, cinco habían caído, a saber las monarquías egipcia, asiria, caldea, persa y griega; uno estaba presente entonces, el imperio de Roma; y el séptimo o principal estaba por venir, esto es el gran Anticristo y su imperio". Que la séptima cabeza representa al Anticristo, o papado, puede haber pocas dudas. (Véase la pág. 206.)

EL DRAGON DA SU LUGAR A LA BESTIA

¿Qué le dio el dragón a esta bestia?

"Y el dragón le dio *su poder y su trono, y grande autoridad*" (vers. 2, ú.p.).

Nota.—Es un hecho histórico indiscutible que, bajo los últimos emperadores romanos posteriores a Constantino, fue cambiada la religión pagana del Imperio Romano por la religión papal; que los obispos de Roma recibieron ricos dones y gran autoridad de parte de Constantino y los emperadores subsiguientes; que después del año 476 DC el obispo de Roma llegó a ser el poder más influyente en Roma Occidental y que en 533 fue declarado por Justiniano "cabeza de todas las santas iglesias", y "corrector de herejes". (Véase la nota de la pág. 173.) "El traslado en el año 330, de la capital del Imperio [la ciudad] de Roma a [la de] Constantinopla, dejó a la Iglesia de Occidente prácticamente libre del poder imperial, [y libre] para desarrollar su propia forma de organización. El obispo de Roma, *en la silla de los césares*, era ahora el hombre más grande del Occidente, y pronto (cuando los bárbaros invadieron el imperio) fue forzado a llegar a ser tanto la cabeza política como la espiritual" (A. C. Flick, *The Rise of the Mediaeval Church* [El surgimiento de la iglesia medieval], ed. 1909, de Putnam, pág. 168).

Así llegó la Roma pagana a ser la Roma papal; se unieron la Iglesia y el Estado, y el poder perseguidor del dragón fue conferido a la profesa cabeza de la iglesia de Cristo, la Roma papal. "El Papa, quien se llama a sí mismo 'Rey' y 'Pontífice Máximo', es el sucesor de César" (Adolf Harnack, *What is Christianity?* [¿Qué es cristianismo?], Putnam, ed. 1903, pág. 270. Véanse págs. 169, 170).

¿Cómo se describen, la naturaleza, la obra, el período de supremacía y el gran poder de la bestia?

"También se le dio boca que hablaba grandes cosas y blasfemias; y se le dio autoridad para actuar cuarenta y dos meses. Y abrió su boca en blasfemias contra Dios, para blasfemar de su nombre, de su tabernáculo, y de los que moran en el cielo. Y se le permitió hacer guerra contra los santos, y vencerlos. También se le dio autoridad sobre toda tribu, pueblo, lengua y nación" (vers. 5-7).

Nota.—Todas estas especificaciones se han cumplido plena y exactamente en el papado, y evidencian que esta bestia representa al mismo poder que está simbolizado por la etapa del cuerno pequeño de la cuarta bestia de Daniel 7, y por el cuerno pequeño de Daniel 8, en sus rasgos principales y esenciales, y en su obra. (Véanse Daniel 7: 25; 8: 11, 12, 24, 25; y el estudio en págs. 170, 177. En busca de una explicación del período mencionado, véanse las págs. 172, 173.)

LA HERIDA DE LA BESTIA

¿Qué iba a suceder con una de las cabezas de esta bestia?

"*Vi una de sus cabezas como herida de muerte*, pero su herida mortal fue sanada; y se maravilló toda la tierra en pos de la bestia" (vers. 3).

Nota.—La "herida de muerte" infligida a la cabeza papal de esta bestia se produjo cuando los franceses entraron en Roma en 1798, y tomaron preso al papa, eclipsando por un tiempo el poder del papado y privándolo de sus facultades temporales. De nuevo en 1870 se le quitó al papado su dominio temporal, y el papa se consideraba a sí mismo como el prisionero del Vaticano. Para 1929 la situación había cambiado hasta el punto de que el cardenal Gasparri y el primer ministro Mussolini se entrevistaron en el histórico palacio de San Juan de Letrán

para arreglar la devolución, por largo tiempo disputada, del poder temporal al papado, con lo que se llegó a "curar una herida de 59 años" (*The Catholic Advocate* [Australia], Abril 18, 1929, pág. 16).

La primera página del *San Francisco Chronicle* del 12 de febrero de 1929, tiene fotografías del cardenal Gasparri y Mussolini firmando el Concordato, con el encabezamiento "Sana una herida de muchos años". El despacho de Associated Press dice: "Al colocar las firmas en el memorable documento, se exhibió extrema cordialidad por ambas partes". Va a adquirir el papado finalmente tal posición de influencia sobre las naciones que, justamente antes de su caída y destrucción, dirá: "Yo estoy sentada como reina, y no soy viuda, y no veré llanto" (Apocalipsis 18: 7. Véanse Isaías 47: 7-15; Apocalipsis 17: 18).

¿Qué se dice de la cautividad y ruina del papado?

"Si alguno lleva en cautividad, va en cautividad; si alguno mata a espada, a espada debe ser muerto" (vers. 10).

¿Qué preguntas indican la alta posición del poder representado por esta bestia?

"Y adoraron al dragón que había dado autoridad a la bestia, y adoraron a la bestia, diciendo: *¿Quién como la bestia, y quién podrá luchar contra ella?*" (vers. 4).

¿Cuán universal llegará a ser la adoración de este poder?

"Y la adoraron todos los moradores de la tierra cuyos nombres no estaban escritos en el libro de la vida del Cordero que fue inmolado desde el principio del mundo" (vers. 8).

LA DESTRUCCION DE LA BESTIA

¿Cuál dijo Juan que ha de ser el fin de esta bestia?

"Y la bestia fue apresada, y con ella el falso profeta que había hecho delante de ella las señales... *Estos dos fueron lanzados vivos dentro de un lago de fuego que arde con azufre*" (Apocalipsis 19: 20. Véase Isaías 47: 7-15; 2 Tesalonicenses 2: 3-8; Apocalipsis 17: 16, 17; 18: 4-8).

¿Cuál es la suerte final de la cuarta bestia de Daniel 7?

"Yo entonces miraba a causa del sonido de las grandes palabras que hablaba el cuerno; miraba hasta que *mataron a la bestia*, y su cuerpo *fue destrozado y entregado para ser quemado en el fuego*" (Daniel 7: 11).

ESTUDIO 59

La Formación de una Imagen de la Bestia

DESPUES de descubrir que las profecías bíblicas anunciaron el surgimiento de Babilonia, Medopersia, Grecia y Roma, y los hechos sobresalientes de los trece o catorce siglos subsiguientes, nos preguntamos: ¿No dicen ellas nada de las grandes potencias de nuestros días? Este capítulo revela que también los Estados Unidos de Norteamérica fueron enfocados por los faros de la profecía, en relación con el gran conflicto entre la verdad y el error. Las revelaciones de este capítulo son muy significativas para los cristianos.

APARECE OTRA BESTIA

¿Cuándo fue herida la cabeza papal de la primera bestia de Apocalipsis 13?

En 1798, cuando el papado fue temporariamente derrocado por los franceses, bajo el General Berthier. (Véase el estudio precedente.)

¿Qué vio el profeta subir en ese tiempo?

"Después vi *otra bestia que subía de la tierra; y* tenía dos cuernos semejantes a los de un cordero, pero hablaba como dragón" (Apocalipsis 13: 11).

Nota.—Juan Wesley, en su nota sobre Apocalipsis 13: 11, escrita en 1754, dice de la bestia de dos cuernos: "Ella no ha venido todavía; aunque no puede demorar mucho, porque debe aparecer al fin de los cuarenta y dos meses de la primera bestia" (*Explanatory Notes Upon the New Testament* [Notas explicatorias sobre el Nuevo Testamento], ed. 1791, tomo 3, pág. 299).

La bestia anterior salió del "mar", que indica su surgimiento entre los pueblos y naciones del mundo que existía entonces (Apocalipsis 17: 15), mientras que esta última potencia sale de la "tierra", donde no había anteriormente "pueblos, muchedumbres, naciones y lenguas". En 1798, cuando el poder papal recibió su herida de muerte, los Estados Unidos, situados en el hemisferio occidental, era la única gran potencia mundial que adquiría prominencia en territorio no ocupado previamente por pueblos, muchedumbres y naciones. Sólo nueve años antes, en 1789, los Estados Unidos adoptaron su Constitución nacional. Es, por lo tanto, en el territorio de los Estados Unidos donde podemos mirar en busca del cumplimiento de esta profecía.

El eminente predicador norteamericano De Witt Talmage basó su sermón "América para Dios" en el texto de Apocalipsis 13: 11, interpretando la bestia de dos cuernos semejantes a los de un cordero como símbolo de los Estados Unidos. "¿Es razonable —dijo— suponer que Dios dejaría fuera de las profecías de su Libro todo este hemisferio occidental? ¡No, No!" (Véase sus *500 Sermones selectos*, tomo 2 (1900), pág. 9).

¿Cuál es la naturaleza de este nuevo poder?

"Tenía *dos cuernos semejantes a los de un cordero*" (vers. 11).

Nota.—¡Con cuánto acierto se caracteriza a los Estados Unidos en estas palabras! Las naciones del pasado, descritas en la Biblia como bestias de presa, estaban llenas de intolerancia, persecución y opresión. En agudo contraste, los Estados Unidos fueron fundados sobre los principios de la libertad, la igualdad y la tolerancia. Los hombres que habían huido de las tribulaciones del Viejo Mundo estaban resueltos a que estos sufrimientos no se repitiesen en el Nuevo.

Los principios de la libertad civil y religiosa que forjaron la grandeza de los Estados Unidos fueron incorporados en la carta fundamental de la nación desde su mismo comienzo. Citamos a continuación parte de las primeras Enmiendas de la Constitución, conocidas comúnmente como la Declaración de Derechos:

Artículo I. "El Congreso no dictará ley alguna

respecto al establecimento de una religión, o que prohíba el libre ejercicio de ella; o prive de la libertad de palabra o de prensa; o del derecho del pueblo a reunirse pacíficamente, y de peticionar al gobierno la reparación de agravios".

Artículo IV. "No se violará el derecho del pueblo a la seguridad, contra irrazonables indagaciones y confiscaciones de su persona, sus casas, documentos y bienes".

Artículo V. "Ninguna persona ... estará sujeta por un mismo delito a que se ponga en peligro dos veces su vida o miembro alguno, ni será obligada en ningún caso criminal a testificar contra sí misma; ni será privada de la vida, la libertad, o propiedad, sin el debido proceso legal; ni será tomada la propiedad privada para uso público sin justa compensación".

Por estos principios han luchado y muerto los hombres. Por ellos han contendido valientemente los hombres de Estado a lo largo de la historia de la nación. Por estas libertades millones están hoy dispuestos a sacrificar aun la vida misma.

SE OYE DE NUEVO LA VOZ DEL DRAGON

No obstante la apariencia de cordero de este poder, ¿qué sucederá finalmente?

"Pero *hablaba como dragón*" (vers. 11).

Nota.—La voz del dragón es la voz de la intolerancia y la persecución. Es repulsivo para la mente del norteamericano pensar que la persecución religiosa pueda echar a perder el hermoso registro de la nación sobre la más amplia libertad. Pero a través de toda la historia del país, desde su misma fundación, los hombres de Estado de larga visión han reconocido que la tendencia a imponer dogmas religiosos mediante la ley civil es demasiado común en la humanidad, y está expuesta a estallar en activa persecución en lugares inesperados, a menos que se esté específicamente en guardia contra ella.

Dijo Tomás Jefferson, en el comienzo mismo de la existencia de la nación: "El espíritu de los tiempos puede cambiar, cambiará. Nuestros gobernantes llegarán a ser corruptos, nuestro pueblo, descuidado, un solo fanático puede comenzar la persecución, y los mejores hombres ser sus víctimas" (*Notes on Virginia*, Pregunta XVII, en *The Works of Thomas Jefferson*, ed. Ford., 1904-05, tomo 4, págs. 81, 82).

En una carta al rabino Mordecail M. Noah, este mismo gran americano escribió: "Su secta ha proporcionado por sus sufrimientos una notable prueba del espíritu universal de tolerancia religiosa, inherente en toda secta... Nuestras leyes han aplicado el único antídoto del vicio... Pero queda mucho por hacer; porque aunque somos libres por la ley, no lo somos en la práctica; la opinión pública se erige por sí misma en una Inquisición, y ejerce su función con tanto fanatismo como el de los que atizaban las llamas de un auto de fe" (Carta a Mordecail M. Noah, 28 de mayo, 1818, *Thomas Jefferson Papers*, tomo 213, pág. 37988, en División Manuscrita, Biblioteca del Congreso).

Para honor de la nación, debería decirse que nobles hombres de Estado han mantenido en jaque por largo tiempo la tendencia que Tomás Jefferson previó que obraría en los organismos políticos. Pero ningún norteamericano puede cerrar sus ojos al hecho de que, a la par de estos nobles esfuerzos, se han hecho otros por mal orientados dirigentes religiosos para lograr la observancia civil forzosa de prácticas religiosas.

¿Cuál es el objeto de la Alianza del Día del Señor?

"Esta organización se propone ayudar por todos los medios posibles a conservar el domingo como una *institución civil*. Nuestra seguridad nacional requiere el activo apoyo de todos los buenos ciudadanos para la conservación de nuestro día de descanso americano. *Deben promulgarse e imponerse leyes dominicales*" (citado como parte de los "principios contenidos en la Constitución" de la organización original [llamada entonces la Unión Americana del Día de Reposo]; transcripto en la Alianza del Día del Señor, *Vigésimo quinto Informe Anual*, 1913, pág. 6).

¿Cuál era uno de los primeros objetivos enunciados por el Concilio Federal de las Iglesias de Cristo en América (predecesor del Concilio Nacional de las Iglesias de Cristo en los Estados Unidos de América)?

"Que toda intromisión en las demandas y santidades del día del Señor debería ser vigorosamente resistida mediante la prensa y las asociaciones y alianzas del Día del Señor y *por la legislación que pueda lograrse para proteger y conservar este baluarte de nuestro cristianismo americano*". (Resolución tomada en la primera reunión del Concilio Federal de las Iglesias de Cristo en América, realizada en 1908, en su primer *Informe Bienal*, pág. 103.)

Nota.—Puede verse así que obtener leyes que impongan la observancia del domingo es un rasgo prominente de todas estas organizaciones en sus esfuerzos por "cristianizar" la nación. Al hacer esto muchos no se dan cuenta de que están repudiando los principios del cristianismo, del protestantismo y de la Constitución de los Estados Unidos, y colocándose directamente en las manos del poder que originó el descanso dominical, el papado. (Véase el estudio de las páginas 326, 327.)

¿Qué argumentos se han presentado en favor de leyes dominicales?

"Para que el día pueda dedicarse con menos interrupción a los fines del culto". "Para que la devoción de los fieles pueda estar libre de toda perturbación" (Augusto Neander, *General History of the Christian Religion and Church*, traducción de Torrey, 3a. ed. americana, tomo 2, pág. 301).

Nota.—En los siglos cuarto y quinto, las exhibiciones y teatros dominicales obstaculizaban según se decía, "la devoción de los fieles", porque muchos de los miembros asistían a ellos con preferencia sobre los oficios religiosos de la iglesia. La iglesia, por lo tanto, exigió que el Estado interviniera y promoviera por la ley la observancia del domingo. "De esta manera", dice Neander, "la Iglesia recibió ayuda del Estado para el logro de sus fines" (*Id.*, págs. 300, 301). Esta unión de la Iglesia y el Estado sirvió para establecer el poder del papado. El seguir ahora una conducta similar producirá los mismos resultados.

"Por la suposición sin fundamento de que el séptimo día, apartado y establecido en la ley, ha sido reemplazado de alguna manera por el primer día, reconocido en el Evangelio, se ha promulgado una buena cantidad de leyes perjudiciales con el pretexto de santificar el día de reposo y honrar a Dios. Personas que tienen un conocimiento profundo de la verdad, están dispuestos a torcer las Escrituras y recurrir a la ignorancia popular a fin de salirse con la suya. Semejante conducta es indigna de una causa buena.

"Este error tiene su origen en la inicua unión de la Iglesia y el Estado, y es una reliquia de ese sistema opresivo... En el uso corriente la así llamada legislación del día de reposo no se aplica en absoluto al día de reposo bíblico, sino al primer día de la semana. El efecto práctico de semejante legislación es generalmente la anulación del mandamiento divino, y la colocación de un reglamento humano en su lugar. La depravada suposición en la que se basa semejante legislación es que la ley divina puede ser cambiada o enmendada por la promulgación de leyes humanas. En miles de mentes no tiene hoy día ningún efecto la ley de Dios concerniente al día de reposo, debido a la así llamada legislación del día de reposo promulgada por gobiernos civiles. Tal legislación empequeñece la autoridad de Jehová" (J. J. Taylor [escritor bautista], *The Sabbatic Question* [El problema del día de reposo], Nueva York: Fleming H. Revell, 1914, págs. 5, 52, 58. Véanse en las páginas 327-332, 338, 339, 341-344 de *Las hermosas* enseñanzas, declaraciones de escritores de varias denominaciones.)

PRIMERAS Y RECIENTES LEYES DOMINICALES

¿Quiénes son responsables de las actuales leyes dominicales estatales de los Estados Unidos?

"Durante casi toda nuestra historia americana *las iglesias* han influido en los Estados para hacer y fomentar leyes tocante al día de reposo" (W. F. Crafts en *Christian Statesman*, 3 de julio, 1890, pág. 5).

Nota.—Estas leyes dominicales son una supervivencia de la completa unión de la Iglesia y el Estado que existía al fundarse las colonias. "Tales leyes [como la ley dominical de Maryland de 1723] eran resultado del sistema de intolerancia religiosa que prevalecía en muchas de las colonias" (Decisión de la Corte de Apelaciones del Distrito de Columbia, 21 de enero, 1908, en *Washington Law Reporter*, 14 de febrero, 1908, pág. 103).

La primera ley dominical impuesta en una colonia americana (Virginia, 1610) requirió la ayuda de la iglesia, y prescribía la pena capital para la tercera falta. (Véase Peter Force, *Tracts Relating to the Colonies in North America*, ed. 1844, tomo 3, N° 2, pág. 11.)

¿Por qué se reclama una ley dominical nacional?

"La legislación dominical *nacional* es necesaria para hacer completas y efectivas las leyes de los *Estados*", dicen sus defensores.

Nota.—Las leyes del *Estado* que ponen en vigor un día religioso son vestigios de una unión de la Iglesia y el Estado que nos vienen de los tiempos de la colonia. Pero la nación cuyos principios fundamentales de libertad civil y religiosa son adecuadamente simbolizados por dos cuernos semejantes a los de un cordero, *no ejercerá* "toda la autoridad de la primera bestia" *ni* requerirá que los hombres "adoren a la primera bestia, cuya herida mortal fue sanada" mientras no abandone el principio de la separación de Iglesia y Estado hasta el punto de poner en vigor requerimientos religiosos a nivel nacional. La realización de lo antedicho constituirá una "imagen", o semejanza, de la primera bestia.

¿Cuánto poder ejercerá esta bestia?

"*Y ejerce toda la autoridad de la primera bestia* en presencia de ella, y hace que la tierra y los moradores de ella adoren a la primera bestia, cuya herida mortal fue sanada" (vers. 12).

Nota.—"La primera bestia en presencia de ella", Roma papal (véase el capítulo precedente), ejerció el poder de perseguir a quienes diferían de ella en materia religiosa.

¿Qué medios serán usados para guiar de vuelta al pueblo al culto falso?

"Y engaña a los moradores de la tierra *con las señales que se le ha permitido hacer en presencia de la bestia*" (vers. 14, p.p.).

¿Qué propondrá este poder que haga el pueblo?

"Mandando a los moradores de la tierra *que le hagan imagen a la bestia que tiene la herida de espada, y vivió*" (vers. 14, ú.p.).

Nota.—"La bestia que tiene la herida de espada, y vivió" es el papado. Esa era una iglesia que dominaba al poder civil, una unión de Iglesia y Estado, que imponía sus dogmas religiosos por el poder civil, por confiscación, encarcelamiento y muerte. Una imagen de la bestia debería ser otra organización eclesiástica revestida de poder civil —otra unión de la Iglesia y el Estado— que imponga la religión por ley.

ABOGADOS DE LA LEY DOMINICAL

¿Revela la historia de los Estados Unidos que las organizaciones religiosas han intentado conseguir leyes que incluyan la religión?

Organizaciones como la Asociación Nacional de Reforma, la Federación Internacional de Reforma, la Alianza Estadounidense del Día del Señor, y el Comité de Nueva York del Día de Reposo han trabajado durante años para lograr una legislación dominical. Ellos consiguen a menudo la ayuda de grupos civiles.

¿Cuál es, de acuerdo con su constitución, un blanco perseguido por la Asociación Nacional de Reforma?

"Lograr una enmienda tal de la Constitución de los Estados Unidos que ... indique que ésta es una nación cristiana, y coloque las leyes, instituciones y prácticas cristianas de nuestro gobierno sobre una base legal innegable en la ley fundamental del país" (David McAllister, *The National Reform Movement ... a Manual of Christian Civil Government*, ed. 1898, "Artículo II de la Constitución", págs. 15, 16).

Nota.—El superintendente general de la Asociación Nacional de Reforma y redactor del *Christian Statesman* propone el siguiente cambio a la Enmienda Primera de la Constitución de los Estados Unidos:

"Cómo quitar de las manos de los partidarios de la secularización el arma más peligrosa: Enmendar la más alta ley escrita del país, nuestra Constitución Federal, de tal manera que proclame claramente la voluntad del Señor de las naciones como la regla de nuestra vida nacional y la norma de nuestra conducta nacional en el trato de todos nuestros problemas, internos y externos, nacionales e internacionales. Como está ahora la Constitución, los partidarios de la secularización la citan permanentemente en su propia defensa, proclamando en alta voz que no hay en ella nada que garantice las prácticas cristianas, y exigiendo en voz tan alta y tan persistentemente que todas estas y otras semejantes salgan de lo último y puedan colocarse en perfecta armonía con lo anterior. Nuestra respuesta debería ser: ¡Nunca! Pero nosotros, en lugar de eso, cambiaremos el documento escrito para que pueda estar en perfecta armonía con lo no escrito y proporcione así una base legal innegable a todo lo que tenemos de cristiano en nuestra vida y carácter nacional, y también para otras cosas de la misma naturaleza que todavía se necesitan" (*Christian Statesman*, agosto, 1921, pág. 25).

A simple vista, una declaración como ésta puede parecer digna de apoyo. Pero un examen más minucioso revela un razonamiento básicamente igual al de los caudillos religiosos de los siglos pasados, que perseguían a todos los que disentían de ellos. Si las leyes del país reglamentaran las prácticas religiosas, un hombre podría ser obligado a asistir a la iglesia, a bautizarse, o a financiar el sostén de los dirigentes y los ministros religiosos.

¿Qué ha dicho esa asociación respecto a la Iglesia Católica en relación con este punto?

"Nosotros reconocemos cordial y alegremente el hecho de que en las repúblicas sudamericanas, y en Francia y otros países europeos, los católicos romanos son los reconocidos abogados del cristianismo nacional, y están en contra de toda propuesta de secularización... *Siempre que estén dispuestos a cooperar en la resistencia al progreso del ateísmo político, nosotros uniremos alegremente las manos con ellos* en una Conferencia Mundial por la promoción del cristianismo nacional —que debe realizarse antes de mucho—, en la cual muchos países podrían ser representados solamente por los católicos romanos" (*Christian Statesman*, órgano oficial de la Asociación de Reforma Nacional, 11 de diciembre, 1884, pág. 2).

¿Qué ha ordenado el papa a todos los católicos que hagan en cuanto al gobierno?

"Primero, y sobre todo, es deber de todos los católicos dignos del nombre y deseosos de ser reconocidos como los más amados hijos de la Iglesia, ... esforzarse por traer de vuelta toda sociedad civil al modelo y la forma del cristianismo que hemos descrito" (The Great Encyclical Letters of Leo XIII [Las grandes encíclicas de León XIII]. "Encíclica Inmortale Dei, 1.º de noviembre, 1885", pág. 132).

Nota.—El 7 de septiembre de 1947, el papa Pío XII hizo la siguiente declaración: "Pasó el tiempo de la reflexión y los planes en el campo de la religión y la moral, y ha llegado 'el tiempo de la acción' ". Y dijo, además, que "la batalla en el campo de la religión y la moral gira alrededor de cinco puntos: la enseñanza religiosa, la santificación del domingo, la salvación de la familia cristiana, la justicia social y la lealtad en el trato mutuo" (Evening Star, Washington, D. C., 8 de septiembre, 1947).

¿Cuál es el objeto de la Federación Internacional de Reforma?

"El Bureau [ahora Federación] de Reforma es 'la primera camarilla de cabilderos' instalada en nuestra capital nacional para hablar al gobierno en favor de todas las denominaciones" (History of the International Reform Bureau, 1911, pág. 2).

Nota.—Lograr la observancia legal obligatoria del domingo es uno de los objetivos principales de ésta y otras organizaciones semejantes. (Véanse las páginas 60-62 en la obra arriba mencionada.)

LA MARCA DE LA AUTORIDAD PAPAL

¿Qué dice el profeta que este segundo poder eclesiástico-político intentará imponer por la fuerza a todo el pueblo?

"Y hacía que a todos, pequeños y grandes, ricos y pobres, libres y esclavos, se les pusiese una marca en la mano derecha, o en la frente" (Apocalipsis 13: 16).

Nota.—Esta marca, llamada en el versículo 17 "la marca ... de la bestia", se presenta en contraposición con el sello de Dios en el libro del Apocalipsis. (Véase Apocalipsis 14: 9, 10, y el estudio de la página 333.)

¿Qué medios se emplearán para obligar a todos a recibir esta marca?

"Y que ninguno pudiese comprar ni vender, sino el que tuviese la marca o el nombre de la bestia, o el número de su nombre" (vers. 17).

Nota.—Es decir, que todo el que rehúse recibir esta marca será boicoteado, o se le negarán los derechos y privilegios de negociar y comerciar, o los medios comunes de ganarse la vida.

¿Qué se sostiene como la marca de la autoridad papal?

El haber puesto de lado el día de reposo dado por Dios —el séptimo día, o sábado— prescrito en el cuarto mandamiento, y el haberlo sustituido por el domingo por la autoridad de la Iglesia Católica. (Véanse las páginas 334, 335.)

Nota.—"Pregunta: ¿Cómo prueba Ud. que la Iglesia [Católica Romana] tiene autoridad para ordenar fiestas y días de guardar?

"Respuesta: Por el mismo hecho de haber cambiado el día de reposo al domingo, cambio que los protestantes aceptan; de aquí que de buen grado se contradigan, guardando estrictamente el domingo y quebrantando la mayoría de las otras fiestas ordenadas por la misma iglesia" (Henry Tuberville, An Abridgment of the Christian Doctrine [Un compendio de la doctrina cristiana], reimpreso en 1833, pág. 58).

En consecuencia, la marca del poder papal —o sea la bestia (véase el estudio de las págs. 203 a 205)— es el falso día de reposo en oposición al verdadero sábado de Dios.

Siendo que el reposo dominical surgió con el poder romano (la primera bestia), ¿a quién rendirán homenaje los hombres cuando, conociendo los hechos, escojan observar el domingo, en lugar del sábado bíblico, por respeto a las leyes dominicales obligatorias?

"¿No sabéis que si os sometéis a alguien como esclavos para obedecerle, sois esclavos de aquel a quien obedecéis?" (Romanos 6: 16).

Nota.—"La observancia del domingo por los protestantes es un homenaje que tributan, a pesar de ellos mismos, a la autoridad de la iglesia [Católica]" (Luis Segur, Plain Talk About the Protestantism of Today [Plática sencilla acerca del protestantismo de hoy], ed. 1868, pág. 213).

Cuando una persona no conoce la verdad bíblica acerca del sábado, su concienzuda observancia del domingo como día de reposo ha sido aceptada sin duda por Dios como observancia del sábado. Unicamente cuando se tiene conocimiento se imputa el pecado (S. Juan 9: 41; 15: 22; Hechos 17: 30).

¿Qué dice Cristo acerca de nuestro deber para con el Estado?

"Dad, pues, a César lo que es de César, y a Dios lo que es de Dios" (S. Mateo 22: 21).

Para representar la otra "bestia" que Juan vio surgir de la tierra (Apocalipsis 13: 11), el artista se ha valido del bisonte nativo de América, el cual simboliza adecuadamente a los Estados Unidos de Norteamérica.

J. PADGETT

Nota.—El sábado pertenece a Dios. Su observancia, por lo tanto, debe rendirse solamente a él.

¿Qué milagro especial ha de obrarse finalmente para engañar a los hombres y confirmarlos en la impostura?

"También hace grandes señales, de tal manera que aun *hace descender fuego del cielo a la tierra delante de los hombres*" (Apocalipsis 13: 13).

Nota.—En el tiempo de Elías, en la controversia sobre el culto a Baal, el hacer descender fuego del cielo fue la prueba de quién era el Dios verdadero (1 Reyes 18: 24). Ahora, en la última hora del mundo, como impostura de aquella prueba se hará descender fuego del cielo para confirmar a los hombres en el culto falso.

¿Hasta dónde se irá en el esfuerzo por imponer la adoración de la imagen de la bestia?

"Y se le permitió infundir aliento a la imagen de la bestia, para que la imagen hablase e *hiciese matar* a todo el que no la adorase" (vers. 15).

LA LIBERACION DEL PUEBLO DE DIOS

¿Qué liberación ofrecerá finalmente Dios a su pueblo en este conflicto?

"Vi también como un mar de vidrio mezclado con fuego; y a *los que habían alcanzado la victoria sobre la bestia y su imagen, y su marca y el número de su nombre,* en pie sobre el mar de vidrio, con las arpas de Dios" (Apocalipsis 15: 2).

¿Qué cántico cantarán?

"Y cantan el *cántico de Moisés* siervo de Dios, y *el cántico del Cordero*" (vers. 3).

¿Cuál era el cántico de Moisés?

Un cántico de liberación de la opresión. (Véase Exodo 15.)

La libertad religiosa está enraizada en el carácter sagrado e inviolable de la conciencia humana. El hombre tiene derechos jurídicos porque posee ciertos derechos morales inalienables como persona. Debemos reconocer cada vez en mayor medida el papel esencial de la libertad religiosa como elemento básico de todos los demás derechos humanos. Bien se ha dicho que la "libertad religiosa es la condición y garantía de toda verdadera libertad".

ESTUDIO 60

Una Historia Profética de la Iglesia

SE CONOCE o interpreta mucho mejor la historia de la iglesia cristiana cuando se la estudia con el auxilio inestimable de las profecías del libro del Apocalipsis; sobre todo cuando se comprende que en ellas Cristo define o califica a su iglesia en sus diversos momentos o estados a través de la era cristiana, y la amonesta con autoridad y sentido práctico. Sus palabras, inspiradas por su omnisciencia y amor infinito, iluminan, orientan y animan.

EL MENSAJE DE APOCALIPSIS

¿Qué título se da al último libro de la Biblia?

"La revelación de Jesucristo" (Apocalipsis 1: 1).

> Nota.—La palabra "Apocalipsis" es la transcripción de un término griego que significa revelación.

¿A quiénes pertenecen las cosas reveladas?

"Las cosas secretas pertenecen a Jehová nuestro Dios; mas las reveladas *nos pertenecen a nosotros y a nuestros hijos para siempre*" (Deuteronomio 29: 29, VM).

¿Con qué propósito se dio el Apocalipsis?

"La revelación de Jesucristo, que Dios le dio, *para manifestar a sus siervos las cosas que deben suceder pronto*" (Apocalipsis 1: 1).

¿Qué gran acontecimiento es inminente, de acuerdo con este libro?

"*He aquí que viene con las nubes*, y todo ojo le verá, y los que le traspasaron; y todos los linajes de la tierra harán lamentación por él" (vers. 7).

> Nota.—Este libro no sólo comienza y termina con el asunto de la segunda venida de Cristo, sino que sus diversas profecías se extienden hasta este gran acontecimiento culminante para la iglesia y el mundo.

¿Cómo se estimula el estudio de este libro?

"*Bienaventurado el que lee, y los que oyen* las palabras de esta profecía, *y guardan* las cosas en ella escritas; porque el tiempo está cerca" (vers. 3).

LAS SIETE IGLESIAS

¿A quiénes se dedica el libro?

"A las siete iglesias que están en Asia" (vers. 4).

¿Cuáles eran los nombres de esas siete iglesias?

"Escribe en un libro lo que ves, y envíalo a las siete iglesias que están en Asia: a *Efeso, Esmirna, Pérgamo, Tiatira, Sardis, Filadelfia* y *Laodicea*" (vers. 11).

> Nota.—Las cartas de Juan a "las siete iglesias que están en Asia" fueron dirigidas a grupos reales de creyentes cristianos de la provincia romana de Asia. Esos mensajes describen condiciones existentes en esas iglesias en los días de Juan y proporcionan consejo apropiado para sus necesidades particulares. Pero por cuanto había realmente más iglesias en "Asia" que las siete nombradas, y por cuanto el número siete se repite muchas veces en el Apocalipsis —evidentemente con sentido simbólico—, estas siete iglesias en particular deben tomarse como representativas de la iglesia como un todo, y los mensajes dirigidos a ellas como mensajes aplicables también a siete períodos o estados de la iglesia que se extienden desde el primero hasta el segundo advenimiento de Cristo. A través de las Escrituras, el número siete, cuando se lo usa simbólicamente, se lo entiende en general como que indica totalidad,

plenitud, perfección. Un estudio de la historia revela que estos mensajes son en realidad aplicables de una manera especial a siete períodos sucesivos que cubren la historia entera de la iglesia cristiana.

Tomás Newton, aunque sin sostener él mismo este punto de vista, nos dice que "muchos afirman, y entre ellos hombres cultos como More y Vitringa, que las siete epístolas son proféticas de otros tantos períodos o estados sucesivos de la iglesia desde el principio hasta el fin de todo" (*Dissertations on the Prophecies* [Disertaciones sobre las profecías], ed. 1804, tomo 2, pág. 167).

¿Con qué título se distingue el primer estado de la iglesia?

"Escribe al ángel de la iglesia en *Efeso*" (Apocalipsis 2: 1).

Nota.—Efeso simboliza adecuadamente el carácter y la condición de la iglesia en su primer estado, cuando sus miembros recibieron la doctrina de Cristo en su pureza, y gozaban los beneficios y bendiciones de los dones del Espíritu Santo. Este mensaje puede pensarse como aplicado al primer siglo, o aproximadamente al tiempo de la vida de los apóstoles. (Véase Urías Smith, *Las profecías de Daniel y del Apocalipsis*, tomo 2, págs. 30-37.)

Después de elogiar a esta iglesia por sus buenas obras, ¿de qué la acusa el Señor?

"Pero tengo contra ti, que *has dejado tu primer amor. Recuerda, por tanto, de dónde has caído, y arrepiéntete, y haz las primeras obras*" (vers. 4, 5).

Nota.—El "primer amor" es el amor de la verdad, y el deseo de hacerla conocer a otros. Las "primeras obras" son los frutos de este amor.

¿Qué nombre se da al segundo estado de la iglesia?

"Y escribe al ángel de la iglesia en *Esmirna*" (vers. 8).

Nota.—Algunos piensan que *Esmirna* significa *mirra*, o *incienso aromático.* Puede considerarse que el mensaje dirigido a Esmirna se aplica al período cuando muchos de los santos de Dios sufrieron el martirio bajo la Roma pagana durante los siglos segundo y tercero y la primera parte del cuarto.

¿Cómo se hace referencia al período final de tribulación de la iglesia durante este tiempo?

"No temas en nada lo que vas a padecer. He aquí, el diablo echará a algunos de vosotros en la cárcel, para que seáis probados, y tendréis tribu-lación por diez días. Sé fiel hasta la muerte, y yo te daré la corona de la vida" (vers. 10).

Nota.—La más severa de las persecuciones bajo la Roma pagana se experimentó bajo el emperador Diocleciano, desde 303 a 313 DC.

¿Qué nombre se da al tercer estado de la iglesia?

"Y escribe al ángel de la iglesia en *Pérgamo*" (vers. 12).

Nota.—Pérgamo, que fue edificada sobre una elevada colina, representa adecuadamente el período que siguió a la conversión de Constantino hasta el surgimiento del papado con su silla de autoridad en Roma. Durante este período la iglesia, que anteriormente "no tenía donde reclinar su cabeza, se eleva a la soberana autoridad del Estado, participa de las prerrogativas del sacerdocio pagano, se torna rica y poderosa". Pero al mismo tiempo "recibe en su seno vastos depósitos de material extraño procedentes del mundo y del paganismo" (Philip Schaff, *History of the Christian Church* [Historia de la Iglesia cristiana], Scribners, ed. 1902, tomo 3, pág. 5).

Entre los ritos y ceremonias paganos introducidos previamente en la religión cristiana estaba el festival pagano representado por la observancia del llamado *Día del Sol* (domingo), establecido entonces por la ley. Con ello se colocaba el primer día de la semana en lugar del séptimo o sábado de la Biblia.

¿Cómo se elogia la fidelidad de esta iglesia?

"Yo conozco tus obras, y dónde moras, donde está el trono de Satanás; pero *retienes mi nombre, y no has negado mi fe,* ni aun en los días en que Antipas mi testigo fiel fue muerto entre vosotros, donde mora Satanás" (vers. 13).

Nota.—Hay buena razón para creer que "Antipas" se refiere más bien a una clase de personas que a un individuo, puesto que no se halla ahora información digna de confianza concerniente a una persona tal en ninguna historia auténtica de la iglesia de aquel tiempo.

¿Qué título se le da al cuarto estado de la iglesia?

"Y escribe al ángel de la iglesia en *Tiatira*" (vers. 18).

Nota.—Tiatira simboliza la condición del pueblo de Dios durante el largo y oscuro período de la supremacía y persecución del papado, relacionado con la profecía de los 1.260 años. Durante ese período millones de los santos de Dios fueron muertos de la manera más cruel. En su maravillosa profecía registrada en San Mateo 24, Cristo se refirió a ese tiempo con las siguientes palabras: "Porque habrá

"Venid a mí" es la bondadosa invitación de Cristo, y nos añade esta maravillosa promesa: "Al que venciere, le daré que se siente conmigo en mi trono... El que tiene oído, oiga" (Apocalipsis 3: 20-21).

R. HARLAN

gran tribulación, cual no la ha habido desde el principio del mundo hasta ahora, ni la habrá. Y si aquellos días no fuesen acortados, nadie sería salvo; mas por causa de los escogidos, aquellos días serán acortados". La tribulación de los 1.260 años fue acortada por la influencia de la Reforma.

¿Qué promesa dejó Dios para los perseguidos?

"Pero lo que tenéis, retenedlo hasta que yo venga. Al que venciere y guardare mis obras hasta el fin, *yo le daré autoridad sobre las naciones*, y las regirá con vara de hierro, y serán quebradas como vaso de alfarero; como yo también la he recibido de mi Padre" (vers. 25-27).

¿Qué nombre se le da al quinto estado de la iglesia?

"Escribe al ángel de la iglesia en *Sardis*" (Apocalipsis 3: 1).

Nota.—A Sardis se la amonestó: "Sé vigilante, y corrobora las cosas que aún quedan" (vers. 2, VM). En ese tiempo la gran tribulación del pueblo de Dios estaba terminando, pero sólo como resultado de la Reforma se logró que *quedaran* algunos del pueblo de Dios. (Véase S. Mateo 24: 21, 22, y la nota correspondiente a Tiatira.) La iglesia de Sardis puede ser considerada como representante de las iglesias reformadas durante el tiempo de la Reforma, y de allí en adelante.

¿Qué cariñoso título se da a la sexta iglesia?

"Escribe al ángel de la iglesia en *Filadelfia*" (vers. 7).

Nota.—Filadelfia significa *amor hermanable o fraternal*. Puede considerarse que el mensaje que se le dirige se aplica a la iglesia durante el despertar adventista, desde la última parte del siglo XVIII hasta el comienzo de "la hora de su juicio" en 1844.

¿Qué palabras dirigidas a esta iglesia muestran la proximidad del segundo advenimiento de Cristo?

"*He aquí, yo vengo pronto;* retén lo que tienes, para que ninguno tome tu corona" (vers. 11).

¿Cuál es el mensaje de Cristo a la última iglesia?

"Y escribe al ángel de la iglesia en *Laodicea:* ... Yo conozco tus obras, que ni eres frío ni caliente... Porque tú dices: Yo soy rico, y me he enriquecido, y de ninguna cosa tengo necesidad... Yo te aconsejo que de mí compres oro refinado en fuego, para que seas rico, y vestiduras blancas para vestirte... Yo reprendo y castigo a todos los que amo; sé, pues, celoso, y arrepiéntete" (vers. 14-15; 17-19).

Nota.—Algunos piensan que la palabra Laodicea significa *el juicio del pueblo,* o, de acuerdo con Cruden, un *pueblo justo.* Esta iglesia existe durante el tiempo del juicio y de la proclamación de los mensajes finales de amonestación que preceden a la segunda venida de Cristo. (Véase Apocalipsis 14: 6-16, y léanse las págs. 195, 196.) Este es un tiempo de elevada profesión religiosa, pero con poca piedad vital y verdadera santidad.

LA INVITACION DEL SALVADOR

¿Qué estímulo se da a prestar atención a este mensaje?

"He aquí, yo estoy a la puerta y llamo; si alguno oye mi voz y abre la puerta, entraré a él, y cenaré con él, y él conmigo" (vers. 20).

Nota.—Los directos y escrutadores mensajes a las siete iglesias contienen las más importantes lecciones de reconvención, aliento y amonestación para todos los cristianos de todos los siglos. Las siete promesas al vencedor que se encuentran en esta serie de profecías (Apocalipsis 2: 7, 11, 17, 26-28; 3: 5, 12, 21), con la promesa octava o universal registrada en Apocalipsis 21: 7, forman una constelación de las promesas más preciosas, confortantes e inspiradoras que se hallan en las Escrituras. (Véanse las páginas 410 y 550.)

El Libro con Siete Sellos

NINGUNA época pasada nos interesa y absorbe tanto como la actual. Pero nos ubicamos mucho más acertadamente en el tiempo presente cuando conocemos su relación con el pasado y su proyección en el porvenir. El estudio de este capítulo puede proporcionarnos ese beneficio; sobre todo, el conocimiento del sexto sello.

EL LIBRO SELLADO

¿Qué vio Juan el revelador en la mano derecha del que estaba sentado en el trono?

"Y vi en la mano derecha del que estaba sentado en el trono un *libro escrito* por dentro y por fuera, *sellado con siete sellos*" (Apocalipsis 5: 1).

¿Qué hizo el Cordero con ese libro?

"Y vino, y tomó el libro de la mano derecha del que estaba sentado en el trono" (vers. 7).

¿Por qué Cristo fue declarado digno de abrir esos sellos?

"Digno eres de tomar el libro y de abrir sus sellos; *porque tú fuiste inmolado, y con tu sangre nos has redimido para Dios*, de todo linaje y lengua y pueblo y nación" (vers. 9).

LA APERTURA DE LOS SELLOS

¿Qué se vio cuando fue abierto el primer sello?

"Vi cuando el Cordero abrió uno de los sellos ... un *caballo blanco*; y el que lo montaba tenía un arco; y le fue dada una corona, y salió venciendo, y para vencer" (Apocalipsis 6: 1, 2).

Nota.—Los siete sellos delinean las vicisitudes por las cuales la iglesia había de pasar desde el comienzo de la era cristiana hasta la segunda venida de Cristo. El caballo blanco, con su jinete saliendo para conquistar, representa adecuadamente a la iglesia cristiana primitiva en su pureza, yendo a todo el mundo con el mensaje del Evangelio de salvación, un digno emblema de la iglesia triunfante del primer siglo.

¿Qué apareció al abrirse el segundo sello?

"Cuando abrió el segundo sello ... salió *otro caballo, bermejo; y al que lo montaba le fue dado poder de quitar de la tierra la paz, y que se matasen unos a otros; y se le dio una gran espada*" (vers. 3, 4).

Nota.—Como el color blanco del primer caballo denotaba la pureza del Evangelio que su jinete propagaba, el color de este segundo caballo quiere mostrar la corrupción que había comenzado a introducirse furtivamente en el tiempo cubierto por este símbolo. Tal estado de cosas siguió al período de la iglesia apostólica. Hablando del segundo siglo, Jaime Wharey dice: "La cristiandad comenzó ya a llevar las vestiduras del paganismo. Las semillas de la mayoría de los errores que más tarde infestaron enteramente la iglesia, echaron a perder su belleza y empañaron su gloria, estaban comenzando ya a echar raíces" (*Sketches of Church History* [Esbozos de historia eclesiástica], ed. 1840, pág. 39).

"La poderosa Iglesia Católica era poco menos que el Imperio Romano bautizado. Roma fue transformada tanto como convertida... El cristianismo no podía extenderse a través de la civilización y el paganismo romanos, de cualquier modo, sin ser a su vez coloreado e influido por los ritos, las festividades y las ceremonias del antiguo politeísmo. No sólo el cristianismo conquistó a Roma, sino que también Roma conquistó al cristianismo. No es muy sorprendente, por lo tanto, descubrir que desde el primero al cuarto siglo la iglesia había sufrido muchos cambios" (A. C. Flick, *The Rise of the Mediaeval Church*, ed. de Putnam, 1909, págs. 148, 149).

¿Cuál era el color del símbolo bajo el tercer sello?

"Cuando abrió el tercer sello, oí al tercer ser viviente, que decía: Ven y mira. Y miré, y he aquí un *caballo negro*; y el que lo montaba tenía una balanza en la mano" (vers. 5).

Nota.—El caballo "negro" representa adecuadamente las tinieblas y la degeneración espiritual que caracterizaron a la iglesia desde el tiempo de Constantino hasta el establecimiento de la supremacía papal en 538 DC. Acerca de la condición de las cosas en el siglo cuarto, Felipe Schaff dice: "Pero la elevación del cristianismo a la posición de religión del Estado ofrece a nuestra contemplación también un

223

aspecto adverso. Implicaba gran riesgo de degeneración de la Iglesia... La masa del Imperio Romano fue bautizada solamente con agua, no con el espíritu y fuego del Evangelio, y eso introdujo de contrabando maneras y prácticas paganas en el santuario con un nuevo nombre" (History of the *Christian Church*, Scribner, ed. 1902, tomo 3, pág. 93).

¿Cuáles eran el color y la naturaleza del cuarto símbolo?

"Cuando abrió el cuarto sello ... he aquí un *caballo amarillo*, y el que lo montaba tenía por nombre *Muerte*, y el *Hades* [del griego: lugar de los muertos, o sepulcro] *le seguía; y le fue dada potestad sobre la cuarta parte de la tierra, para matar con espada, con hambre, con mortandad, y con las fieras de la tierra*" (vers. 7, 8).

Nota.—El original denota el color pálido o amarillento de las plantas marchitas, un color contranatural en un caballo. El símbolo se refiere evidentemente a la obra de persecución y muerte realizada por la Iglesia Romana contra el pueblo de Dios desde cerca del comienzo de la supremacía papal, en 538 DC, hasta la Reforma.

Al abrirse el quinto sello, ¿qué se vio bajo el altar?

"Cuando abrió el quinto sello, vi bajo el altar *las almas de los que habían sido muertos por causa de la palabra de Dios y por el testimonio que tenían*" (vers. 9).

Nota.—Este es un cuadro de los mártires de la persecución papal desde el siglo sexto hasta el tiempo cuando el poder perseguidor del papado fue reprimido.

¿Qué estaban haciendo esos mártires, según se los representa?

"*Y clamaban a gran voz*, diciendo: ¿Hasta cuándo, Señor, santo y verdadero, no juzgas y vengas nuestra sangre en los que moran en la tierra?" (vers. 10).

Nota.—Su cruel maltrato clamaba por venganza, como la sangre de Abel clamaba a Dios desde la tierra. (Génesis 4: 10.) No estaban en el cielo, sino bajo el altar, donde habían sido muertos. Acerca de esto dice Adam Clarke: "El altar está en la tierra, no en el cielo". Véase la siguiente nota.

¿Qué se les dio a los mártires?

"*Y se les dieron vestiduras blancas*, y se les dijo que descansasen todavía un poco de tiempo, hasta que se completara el número de sus consiervos y sus hermanos, que también habían de ser muertos como ellos" (vers. 11).

Nota.—Estos habían sido muertos durante los siglos abarcados por el sello anterior. Sus perseguidores, la mayoría de ellos por lo menos, habían muerto. Y si a éstos al morir se les había aplicado su castigo, como algunos suponen, ¿por qué los mártires habrían de exigir todavía que se los castigara? En ésta, como en otras partes de la Biblia, se usa la figura de personificación, en la cual se representan los objetos inanimados como si estuviesen vivos y hablasen, y las cosas que no existen como si existieran. (Véase Jueces 9: 8-15.) Estos mártires habían muerto como herejes bajo las tinieblas y la superstición del sello precedente, cubiertos de ignominia y vergüenza. Ahora, a la luz de la Reforma, se pone de manifiesto su verdadero carácter, se ve que eran justos, y se los viste de "vestiduras blancas". "El lino fino blanco [vestiduras blancas] es la perfecta justicia de los santos" (Apocalipsis 19: 8, VM). Se les imputa la justicia; y luego de descansar todavía un poco de tiempo allí donde están —bajo el altar—, y que los otros que habrían de morir por su fe los hayan seguido, entonces todos ellos serán resucitados y revestidos de inmortalidad.

Debería notarse, además, que los seis primeros sellos describen acontecimientos que se producen en la tierra, no en el cielo. El altar bajo el cual yacen las almas de estos mártires es el altar sobre el cual fueron sacrificados por su fe. Basta señalar que ellos fueron muertos en la tierra, no en el cielo, y que no hay altar de sacrificios en el cielo.

¿Qué se vio cuando se abrió el sexto sello?

"Miré cuando abrió el sexto sello, y he aquí hubo *un gran terremoto*" (vers. 12, p.p.).

Nota.—Después de los acontecimientos del quinto sello, y antes de las señales que se mencionan a continuación, se produce un gran terremoto, comúnmente identificado como el terremoto de Lisboa. "El terremoto de Lisboa, que ocurrió el 1.° de noviembre de 1755, es el más notable de la historia" (*Nelson's New Loose-leaf Encyclopedia* [Industrias productoras de libros], art. "Terremoto"). Sir Carlos Lyell dice: "Una violenta conmoción derribó la mayor parte de la ciudad. En el curso de unos seis minutos, perecieron 60.000 personas. El mar primeramente se retiró dejando seca la playa; y luego volvió violentamente, elevándose a unos 15 metros por encima de su nivel común... El área sobre la cual se extendió esta convulsión es muy notable" (*Principles of Geology*, ed. 11a., 1972, t. 2, pp. 147, 148).

La *Enciclopedia Británica* (1945) estima en una cifra más baja las muertes, pero dice que los efectos del temblor fueron sentidos desde Escocia hasta el Asia Menor y que el rasgo distintivo del terremoto de Lisboa fue la agitación de lagos y ríos de tierra adentro más allá del área afectada: Italia, Suiza, Gran Bretaña, Suecia y Noruega (arts. "Lisboa" y "Terremoto").

¿Qué habría de seguir al gran terremoto?

"Y el sol se puso negro como tela de cilicio, y la luna se volvió toda como sangre" (vers. 12, ú.p.).

Nota.—El 19 de mayo de 1780 se conoce en la historia como "el día oscuro". La oscuridad se extendió, en diversos grados, sobre Nueva Inglaterra y Nueva York. Los diarios dijeron que se había observado durante varios días una niebla humosa procedente de prolongados incendios de bosques, combinada con espesas nubes para producir una inexplicable oscuridad desde las 11:00 a.m. hasta pasada medianoche, después de lo cual reaparecieron la luna y las estrellas. "A mediodía parecía medianoche", y por la noche, aunque había luna llena, "quizá nunca hubo mayor oscuridad desde que los hijos de Israel dejaron la tierra de la esclavitud". En relación con este fenómeno extraordinario se informó que la luna parecía roja. Se discutió la causa, porque parecía insuficiente el incendio de bosques para explicar una oscuridad tan extensa, y nunca se ha establecido la causa exacta.

¿Qué otro acontecimiento se menciona en este sello?

"Y las estrellas del cielo cayeron sobre la tierra, como la higuera deja caer sus higos cuando es sacudida por un fuerte viento" (vers. 13). Nota.—Cuando las Escrituras mencionan *la caída de estrellas,* evidentemente quieren decir lo que aun un astrónomo menciona como *"caída de estrellas",* o meteoritos. Alrededor de medio siglo después del más notable oscurecimiento del sol y de la luna, se produjo una lluvia de estrellas fugaces. "Probablemente la más notable de todas las lluvias de meteoritos que jamás ocurriera, fue la de las Leónidas, el 12 de noviembre [12-13] de 1833" (Carlos A. Young, *Manual of Astronomy,* ed. 1902, sec. 521), cuando "una tempestad de *estrellas fugaces* se desató sobre la tierra. América del Norte soportó su caída más intensa" (Agnes M. Clerke, *A Popular History of Astronomy in the Nineteenth Century* [Una historia popular de astronomía del siglo diecinueve], ed. 1885, pág. 369).

Un testigo presencial informó: "Este lenguaje del profeta ha sido siempre recibido como metafórico. Ayer se cumplió literalmente... como ningún hombre antes del día de ayer había concebido que se pudiera cumplir... Si yo buscara en la naturaleza un símil, no encontraría nada mejor para ilustrar la apariencia del cielo que el que usa San Juan en la profecía... Era lo que el mundo entiende con el nombre de 'caída de estrellas'... Las estrellas fugaces no venían como si procedieran de *varios* árboles sacudidos, sino de uno: las que aparecían en el este caían hacia el este; las que aparecían en el norte caían hacia el norte; las que aparecían en el oeste caían hacia el oeste; las que aparecían en el sur (porque yo salí de mi casa al parque), caían hacia el sur; y caían no como cae la fruta *madura.* Lejos de eso. *Volaban, eran arrojadas,* como la fruta verde, que se resiste a dejar la rama y, cuando suelta su asidero, vuela velozmente, y desciende, y de la multitud que cae, algunas cruzan la estela de otras, según sean arrojadas con más o menos fuerza". (Las palabras precedentes, de un testigo presencial, aparecieron en el *New York Journal of Commerce,* tomo 8, No. 534, sábado 16 de noviembre, 1833. Véase págs. 232, 234.)

¿Cuál es el siguiente acontecimiento mencionado en la profecía?

"Y el cielo se desvaneció como un pergamino que se enrolla; y todo monte y toda isla se removió de su lugar" (vers. 14).

Nota.—Este evento es futuro todavía, y tendrá lugar en conexión con la segunda venida de Cristo. Nosotros estamos situados ahora entre dos acontecimientos: la última de las señales en los cielos, y el desvanecimiento de los cielos y la remoción, de sus lugares, de las cosas de la tierra. Las grandes señales mencionadas aquí que revelan la proximidad de la segunda venida de Cristo y la disolución de todas las cosas terrenales, están todas en el pasado, y el mundo aguarda el sonido de la última trompeta como la escena final del drama de la tierra.

¿Cómo afectará al mundo este gran acontecimiento?

"Y los reyes de la tierra, y los grandes, los ricos, los capitanes, los poderosos, y todo siervo y todo libre, se escondieron en las cuevas y entre las peñas de los montes; y decían a los montes y a las peñas: Caed sobre nosotros, y escondednos del rostro de aquel que está sentado sobre el trono, y de la ira del Cordero; porque el gran día de su ira ha llegado; y ¿quién podrá sostenerse en pie?" (vers. 15-17).

Después de la obra del sellamiento de Apocalipsis 7, que se realiza bajo el sexto sello, ¿cómo se introduce el séptimo sello?

"Cuando abrió el séptimo sello, *se hizo silencio en el cielo* como por media hora" (Apocalipsis 8: 1).

Nota.—El sexto sello introdujo los acontecimientos relacionados con la segunda venida de Cristo. El séptimo sello debe referirse, por lo tanto, a este acontecimiento o a alguno de sus resultados. Cuando Cristo venga todos los santos lo acompañarán (S. Mateo 25: 31): habrá silencio en el cielo durante su ausencia. Media hora de tiempo profético equivale a casi siete días. Los siete sellos nos llevan, pues, hasta la segunda venida de Cristo.

Las Siete Postreras Plagas

LAS plagas que azotan la tierra y ponen la vida en peligro aumentan con el correr de los años, a pesar del esfuerzo humano por prevenirlas o superarlas. ¿Son fenómenos naturales? ¿Tienen relación solamente con las leyes que rigen el orden de los fenómenos físicos y biológicos, o también con la conducta moral del hombre? La Biblia habla de las diez plagas de Egipto, y anuncia siete plagas de características y efectos excepcionales. Quienes las conozcan y no tomen en cuenta su significado con anticipación, no podrán verse libres de ellas.

LA AMONESTACION DE DIOS Y SU IRA SIN MEZCLA DE MISERICORDIA

¿Cuál es la advertencia final de Dios contra el culto falso?

"¡Si alguno adora a la bestia y a su imagen, y recibe su marca en su frente, o en su mano, *él también beberá del vino de la ira de Dios, que está preparado sin mezcla alguna en el cáliz de su ira;* y será atormentado con fuego y azufre, en la presencia de los santos ángeles, y en la presencia del Cordero!" (Apocalipsis 14: 9, 10, VM).

Nota.—Durante el tiempo de gracia la ira de Dios está siempre mitigada o mezclada con misericordia. Así el profeta Habacuc ora: "En la ira acuérdate de la misericordia" (Habacuc 3: 2). El castigo de la ira de Dios sin mezcla de misericordia vendrá solamente después que la misericordia haya hecho su obra final y los impíos hayan colmado la medida, de modo que ya no haya remedio (véase Génesis 6: 3; 15: 16; 19: 12, 13; 2 Crónicas 36: 16; S. Mateo 23: 37, 38; S. Lucas 19: 42-44; 2 S. Pedro 2: 6; Judas 7).

¿De qué manera se colma la ira de Dios?

"Vi en el cielo otra señal, grande y admirable: siete ángeles que tenían *las siete plagas postreras; porque en ellas se consumaba la ira de Dios*" (Apocalipsis 15: 1).

¿Cómo describe Joel el día del Señor?

"'¡Ay del día! porque cercano está el día de Jehová, y vendrá como destrucción por el Todopoderoso". "Porque grande es el día de Jehová, y muy terrible; ¿quién podrá soportarlo?" (Joel 1: 15; 2: 11).

¿Qué dijo Daniel acerca de ese tiempo?

"Y será tiempo de angustia, cual nunca fue desde que hubo gente hasta entonces; pero en aquel tiempo será libertado tu pueblo, todos los que se hallen escritos en el libro" (Daniel 12: 1. Véase Ezequiel 7: 15-19).

Nota.—Las siete postreras plagas serán el más terrible azote jamás aplicado al hombre. Como Acab acusó a Elías de ser el causante de las calamidades de Israel (1 Reyes 18: 17, 18), así, en este nuevo tiempo de aflicción llamado en la Biblia el "tiempo de angustia", los impíos y los que se hayan apartado de Dios se enfurecerán contra los justos, los acusarán de ser los causantes de las plagas y tratarán de destruirlos como Amán a los judíos (véase Ester 3: 8-14). Pero Dios librará milagrosamente a su pueblo en esta ocasión, como lo hizo entonces.

¿Qué decreto será emitido por Dios justamente antes de las "siete plagas postreras"?

"El que es injusto, sea injusto todavía; y el que es inmundo, sea inmundo todavía; y el que es justo, practique la justicia todavía; y el que es santo, santifíquese todavía. He aquí yo vengo pronto, y mi galardón conmigo, para recompen-

226

sar a cada uno según sea su obra" (Apocalipsis 22: 11, 12).

"Congregaos y meditad, oh nación sin pudor, *antes que tenga efecto el decreto*, y el día se pase como el tamo; antes que venga sobre vosotros el furor de la ira de Jehová, antes que el día de la ira de Jehová venga sobre vosotros" (Sofonías 2: 1, 2).

Nota.—Apocalipsis 15: 8 revela que ningún hombre puede entrar en el santuario celestial mientras se derraman las plagas. Para entonces habrá cesado toda mediación por el pecado. Apocalipsis 16: 11 muestra que nadie se arrepentirá después del fin del tiempo de gracia. El derramamiento de las plagas es el comienzo del castigo de Dios a los impíos (véase Apocalipsis 18: 7, 8; 16: 5, 6). Las plagas son derramadas sin mezcla de misericordia (Apocalipsis 14: 10). Son la expresión de la justicia de Dios con los impenitentes (Apocalipsis 16: 5-7).

EL ORDEN DE LAS SIETE PLAGAS

¿Cuál será la primera plaga, y sobre quiénes caerá?

"Fue el primero, y derramó su copa sobre la tierra, y *vino una úlcera maligna y pestilente sobre los hombres que tenían la marca de la bestia, y que adoraban su imagen*" (Apocalipsis 16: 2).

¿En qué consistirá la segunda plaga?

"El segundo ángel derramó su copa sobre *el mar*, y éste *se convirtió en sangre como de muerto; y murió todo ser vivo que había en el mar*" (vers. 3).

¿Cuál será la tercera plaga?

"El tercer ángel derramó su copa sobre *los ríos*, y sobre *las fuentes de las aguas, y se convirtieron en sangre*" (vers. 4).

Nota.—La segunda plaga afecta el mar, la tercera plaga se acerca más a las moradas de los hombres, y afecta la tierra. La provisión de agua se contamina.

¿Por qué, bajo estas plagas, Dios les da a beber sangre a los hombres?

"*Por cuanto derramaron la sangre de los santos y de los profetas*, también tú les has dado a beber sangre; pues lo merecen" (vers. 6).

Nota.—En esto se manifiesta el aborrecimiento de Dios por la opresión y la persecución. Las plagas son reproches de Dios por esas formas descomunales de pecado.

¿Cuál será la cuarta plaga?

"El cuarto ángel derramó su copa sobre *el sol*, al cual *fue dado quemar a los hombres con fuego*" (vers. 8. Véase Joel 1: 16-20).

Nota.—El culto al sol es una forma muy antigua y extendida de idolatría. En esta plaga Dios manifiesta su desaprobación de esta forma de idolatría. Lo que los hombres han adorado como dios, llega a ser una plaga y su tormento. Eso sucedió con las plagas de Egipto. Las cosas que los egipcios habían adorado llegaron a ser castigos severos para ellos en lugar de benefactores y bendiciones.

¿Guiará al arrepentimiento a los hombres este terrible castigo?

"Y los hombres se quemaron con el gran calor, y *blasfemaron el nombre de Dios*, que tiene poder sobre estas plagas, y *no se arrepintieron para darle gloria*" (vers. 9).

¿Cuál será la quinta plaga?

"El quinto ángel derramó su copa sobre *el trono de la bestia; y su reino se cubrió de tinieblas*, y mordían de dolor sus lenguas" (vers. 10).

Nota.—Esta plaga golpea el trono mismo de la gran apostasía de los últimos días, el papado. Indudablemente será similar en su manifestación a la misma plaga de Egipto, la cual consistió en tinieblas tan densas que se podían palpar (Exodo 10: 21-23). Por esta plaga ese inicuo, arrogante y apóstata despotismo espiritual que se ha atribuido la posesión de la verdad, y se ha considerado la luz del mundo, queda envuelto en tinieblas de medianoche.

¿Qué sucede bajo la sexta plaga?

"El sexto ángel derramó su copa sobre el gran río *Eufrates; y el agua de éste se secó*, para que estuviese preparado el camino a los reyes del oriente" (vers. 12).

¿Quiénes reúnen a las naciones para la batalla del Armagedón?

"Y vi salir de la boca del dragón, y de la boca de la bestia, y de la boca del falso profeta, *tres espíritus inmundos a manera de ranas*; pues son *espíritus de demonios, que hacen señales*, y van a los reyes de la tierra en todo el mundo, para reunirlos a la batalla de aquel gran día del Dios Todopoderoso... Y los reunió en el lugar que en hebreo se llama Armagedón" (vers. 13-14, 16).

Nota.—Las Escrituras muestran que es el espíritu de Satanás el que incita a los hombres a la guerra. El dragón representa al paganismo; la bestia, al papado; y el falso profeta, al protestantismo apóstata, es decir las tres grandes apostasías religiosas que existen en nuestros días.

¿Qué acontecimiento será entonces inminente?

"*He aquí, yo vengo como ladrón.* Bienaventurado el que vela, y guarda sus ropas, para que no ande desnudo, y vean su vergüenza" (vers. 15).

¿Qué sucede bajo la séptima plaga?

"El séptimo ángel derramó su copa por el aire... Entonces *hubo relámpagos y voces y truenos,* y *un gran temblor de tierra, un terremoto* tan grande, cual no lo hubo jamás desde que los hombres han estado sobre la tierra. Y la gran ciudad fue dividida en tres partes, *y las ciudades de las naciones cayeron*" (vers. 17-19).

¿Qué acompaña al terremoto?

"*Y cayó del cielo* sobre los hombres *un enorme granizo* como del peso de un talento; y los hombres blasfemaron contra Dios por la plaga del granizo; porque su plaga fue sobremanera grande" (vers. 21. Véase Job 38: 22, 23; Salmo 7: 11-13).

¿Qué será el Señor para su pueblo en ese tiempo?

"Y Jehová rugirá desde Sion, y dará su voz desde Jerusalén, y temblarán los cielos y la tierra; pero *Jehová será la esperanza de su pueblo, y la fortaleza de los hijos de Israel*" (Joel 3: 16. Véase Jeremías 25: 30, 31; Hageo 2: 21; Hebreos 12: 26; Salmo 91: 5-10).

Nota.—A fin de preparar a su pueblo y al mundo para estos terribles juicios, el Señor envía un mensaje de amonestación a toda nación, tribu, lengua y pueblo, como amonestó al mundo por medio de Noé (véase Apocalipsis 14: 6-10).

Precisamente antes de derramar las plagas, ¿qué amonestación envía Dios a su pueblo que todavía está en Babilonia?

"Y oí otra voz del cielo, que decía: *Salid de ella, pueblo mío, para que no seáis partícipes de sus pecados, ni recibáis parte de sus plagas;* por-

que sus pecados han llegado hasta el cielo, y Dios se ha acordado de sus maldades" (Apocalipsis 18: 4, 5. Véase Génesis 19: 12-17; Jeremías 51: 6; y la pág. 198).

¿Cuán repentinamente vendrán las plagas sobre la moderna Babilonia?

"Por lo cual *en un solo día* vendrán sus plagas; muerte, llanto y hambre, y será quemada con fuego; porque poderoso es Dios el Señor, que la juzga... ¡Porque *en una hora* vino tu juicio!" (Apocalipsis 18: 8, 10).

EL HAMBRE Y EL FIN

¿Qué hambre sufrirán entonces los que hayan rechazado los mensajes de misericordia de Dios?

"He aquí vienen días, dice Jehová el Señor, en los cuales *enviaré hambre a la tierra, no hambre de pan, ni sed de agua, sino de oír la palabra de Jehová.* E irán errantes de mar a mar; desde el norte hasta el oriente discurrirán buscando palabra de Jehová, y no la hallarán" (Amós 8: 11, 12. Véase S. Lucas 13: 25; Proverbios 1: 24-26; Hebreos 12: 15-17).

¿Qué se anuncia bajo la séptima plaga?

"Y salió una gran voz del templo del cielo, del trono, diciendo: *Hecho está*" (Apocalipsis 16: 17).

Nota.—Dios hizo al hombre para bendecirlo (Génesis 1: 28). Cuando abusaron de sus bendiciones, él las retrajo, para que los hombres comprendieran el origen y el debido uso de ellas (Hageo 1: 7-11). Se envían juicios a los hombres para que aprendan justicia (Isaías 26: 9; 1 Reyes 17: 1). El hecho de que los hombres no se arrepientan bajo las plagas no es evidencia de que Dios haya dejado de ser misericordioso y perdonador. Simplemente demuestra que todos han determinado su destino, y que ni aun los más severos juicios de Dios inducirán a los impíos e impenitentes al arrepentimiento.

¿Qué salmos resultarán particularmente reconfortantes y animadores para el pueblo de Dios durante el tiempo de las siete plagas postreras?

Salmos 46 y 91. (Véase Isaías 33: 13-17.)

ACONTECIMIENTOS VENIDEROS Y SEÑALES DE LOS TIEMPOS

ESTUDIO 63

La Gran Profecía de Nuestro Señor

CRISTO es el príncipe de los profetas, y de sus profecías, la que comentamos en este capítulo es la de mayor significación y trascendencia para los hombres y mujeres del siglo XX. Se la registra en San Mateo, capítulos 24 y 25, en San Marcos, capítulo 13 y en San Lucas 21. Ella predice las señales de su segunda venida y del fin del mundo, y describe nuestros días con pasmosa claridad. Es de vital importancia para nosotros conocerla.

LA DESTRUCCION DE JERUSALEN Y SU SIGNIFICADO

¿Qué sentía Cristo concerniente a Jerusalén?

"Y cuando llegó cerca de la ciudad, al verla, *lloró sobre ella,* diciendo: ¡Oh, si también tú conocieses, a lo menos en este tu día, lo que es para tu paz! Mas ahora está encubierto de tus ojos" (S. Lucas 19: 41, 42).

¿Con qué palabras predijo él su destrucción?

"Porque vendrán días sobre ti, cuando tus enemigos te rodearán con vallado, y te sitiarán, y por todas partes te estrecharán, y te derribarán a tierra, y a tus hijos dentro de ti, y no dejarán en ti piedra sobre piedra, por cuanto no conociste el tiempo de tu visitación" (vers. 43, 44).

¿Qué misericordioso llamamiento le hizo a la ciudad impenitente?

"¡Jerusalén, Jerusalén, que matas a los profetas, y apedreas a los que te son enviados! ¡Cuántas veces quise juntar a tus hijos, como la gallina junta sus polluelos debajo de las alas, y no quisiste!" (S. Mateo 23: 37).

Cuando estaba por alejarse del templo, ¿qué dijo él?

"He aquí vuestra casa os es dejada *desierta"* (vers. 38).

Nota.—Los judíos llenaron la copa de su iniquidad al rechazar y crucificar finalmente a Cristo, y al perseguir a sus discípulos después de que él resucitó (véase S. Mateo 23: 29-35; S. Juan 19: 15; Hechos 4-8).

Al oír estas palabras, ¿qué preguntas hicieron los discípulos?

"Dinos, ¿cuándo serán estas cosas, y qué señal habrá de tu venida, y del fin del siglo?" (S. Mateo 24: 3).

Nota.—La ruina de Jerusalén y de la nación judía es un símbolo de la destrucción final de todas las ciudades del mundo, y de todas las naciones. Las descripciones de los dos acontecimientos parecen mezclarse. Las palabras proféticas de Cristo se extendían más allá de la destrucción de Jerusalén, hasta la conflagración final; fueron dichas no sólo para los primeros discípulos, sino también para los que habrían de vivir durante las escenas finales de la historia del mundo. Cristo dio señales definidas, tanto de la destrucción de Jerusalén como de su segunda venida.

¿Indicó Cristo que cualquiera de esos eventos era inminente?

"Respondiendo Jesús, les dijo: *Mirad que nadie os engañe.* Porque vendrán muchos en mi nombre, diciendo: Yo soy el Cristo; y a muchos engañarán. Y oiréis de guerras y rumores de guerras; mirad que no os turbéis, *porque es necesario que todo esto acontezca; pero aún no es el fin"* (vers. 4-6).

230

¿Qué dijo Cristo acerca de las guerras, hambres, pestilencias y terremotos que precederían a esos acontecimientos?

"Y todo esto será *principio de dolores*" (vers. 8).

Nota.—Estas cosas habrían de preceder y culminar en la ruina, primeramente de Jerusalén, y finalmente del mundo entero; porque, como se notó ya, la profecía tiene una doble aplicación, primero a Jerusalén y a la nación judía, y en segundo lugar, al mundo entero. La destrucción de Jerusalén por haber rechazado a Cristo en su primera venida era una figura de la destrucción del mundo al fin por su rechazamiento de Cristo al negarse a prestar atención al mensaje final de amonestación enviado por Dios para preparar al mundo para el segundo advenimiento de Cristo.

¿Quiénes dijo él que serían salvos?

"Mas *el que persevere hasta el fin*, éste será salvo" (vers. 13).

¿Cuándo dijo Jesús que vendría el fin?

"Y *será predicado este evangelio del reino en todo el mundo, para testimonio a todas las naciones; y entonces vendrá el fin*" (vers. 14).

Nota.—Antes de la caída de Jerusalén, San Pablo llevó el Evangelio a Roma, entonces la capital del mundo. El escribió acerca de los santos "de la casa de César" (Filipenses 4: 22), y además dijo que el Evangelio había "sido predicado a toda criatura debajo del cielo" (Colosenses 1: 23, VM).

Así fue en relación con el fin de la nación judía, y así será con el fin del mundo como un todo. Cuando el Evangelio, o las buenas nuevas, del reino venidero de Cristo haya sido predicado en todo el mundo para testimonio a todas las naciones, entonces vendrá el fin. Como el fin de la nación judía vino con abrumadora destrucción, así vendrá el fin del mundo (véase la pág. 225).

¿Cuál sería una señal de la caída de Jerusalén?

"*Cuando viereis a Jerusalén rodeada de ejércitos, sabed entonces que su destrucción ha llegado*" (S. Lucas 21: 20).

¿Qué debían hacer los discípulos cuando apareciera la señal?

"Por tanto, cuando veáis en el lugar santo la abominación desoladora de que habló el profeta Daniel (el que lee, entienda), entonces los que estén en Judea, *huyan a los montes*" (S. Mateo 24: 15, 16).

Nota.—En el año 66 DC, cuando Cestio vino contra la ciudad pero realizó una inexplicable retirada, los cristianos discernieron en esto la señal predicha por Cristo, y huyeron (Eusebio, *Historia Eclesiástica*, lib. III, cap. 5), mientras que, según se dice, 1.100.000 judíos fueron muertos en el terrible asedio en el año 70 DC. Esta es una llamativa lección acerca de la importancia de estudiar las profecías y prestar atención a las señales de los tiempos. Los que creyeron a Cristo y esperaban la señal que él había predicho, se salvaron, mientras que los incrédulos perecieron. Así al fin del mundo los que vigilen y crean, serán librados, mientras que los descuidados e incrédulos serán entrampados y prendidos (véase S. Mateo 24: 36-44; S. Lucas 21: 34-36; 1 Tesalonicenses 5: 1-6).

Cuado la señal apareciera, ¿cuán repentinamente debían ellos huir?

"El que esté en la azotea, no descienda para tomar algo de su casa; y el que esté en el campo, no vuelva atrás para tomar su capa" (vers. 17, 18).

¿Cómo manifestó Cristo además su cuidado por sus discípulos?

"Orad, pues, que no sea vuestra huida en invierno, ni en día de sábado" (vers. 20, VM).

Nota.—El huir en invierno podría ocasionar incomodidad y privaciones; un intento de huir en sábado, el día de reposo bíblico observado por los judíos, indudablemente tropezaría con dificultades. Las oraciones de los seguidores de Cristo fueron oídas. Los eventos fueron regidos de tal manera que ni los judíos ni los romanos impidieran su huida. Cuando Cestio se retiró, los judíos persiguieron su ejército, y los cristianos tuvieron así una oportunidad para abandonar la ciudad. El país estaba libre de enemigos, porque en ocasión del sitio los judíos se habían reunido en Jerusalén para celebrar la fiesta de los tabernáculos. Así los cristianos de Judea pudieron escapar sin ser molestados, y en el otoño, que era el tiempo más favorable para huir.

¿Qué experiencia angustiosa predijo entonces Cristo?

"Porque habrá entonces gran tribulación, cual no la ha habido desde el principio del mundo hasta ahora, ni la habrá" (vers. 21).

Nota.—En el sitio de Jerusalén se cumplió literalmente una profecía de Moisés: "Y comerás el fruto de tu vientre, la carne de tus hijos y de tus hijas ... en el sitio y en el apuro con que te angustiará tu enemigo" (Deuteronomio 28: 53. Respecto al cumplimiento de esa profecía, véase lo escrito por Josefo en su *Guerras judías*, lib. VI, págs. 143-231).

Después de la destrucción de Jerusalén sobrevino la persecución de los cristianos bajo los emperadores paganos durante los primeros tres siglos de la era cristiana. Más tarde se desencadenó la persecución mayor y más terrible, durante los largos siglos de supremacía papal, predicha en Daniel 7: 25 y Apocalipsis 12: 6. Estas tres tribulaciones ocurrieron bajo la Roma pagana o la papal.

¿Por causa de quiénes sería acortado ese período?

"Y si aquellos días no fuesen acortados, nadie sería salvo; mas *por causa de los escogidos, aquellos días serán acortados*" (vers. 22).

Nota.—Gracias a la influencia de la Reforma, y de los movimientos que surgieron de ella, se debilitó gradualmente el poder del papado de poner en vigor decretos contra aquellos que consideraba herejes, hasta que la persecución general cedió casi completamente a mediados del siglo XVIII, antes del fin de los 1.260 años.

¿Contra qué engaños nos puso en guardia Cristo entonces?

"Entonces, si alguno os dijere: Mirad, aquí está el Cristo, o mirad, allí está, no lo creáis. Porque se levantarán falsos Cristos, y falsos profetas, y harán grandes señales y prodigios, de tal manera que engañarán, si fuere posible, aun a los escogidos" (vers. 23, 24).

SEÑALES EN EL SOL, LA LUNA Y LAS ESTRELLAS

¿Qué señales del fin habrían de verse en los cielos?

"Entonces *habrá señales en el sol, en la luna y en las estrellas*" (S. Lucas 21: 25).

¿Cuándo habría de aparecer la primera de estas señales?

"*E inmediatamente después de la tribulación de aquellos días, el sol se oscurecerá, y la luna no dará su resplandor, y las estrellas caerán del cielo*" (S. Mateo 24: 29).

"*Pero en aquellos días, después de aquella tribulación, el sol se oscurecerá, y la luna no dará su resplandor, y las estrellas caerán del cielo, y las potencias que están en los cielos serán conmovidas*" (S. Marcos 13: 24, 25. Compárese con Joel 2: 30, 31; 3: 15; Isaías 13: 10; Amós 8: 9).

Nota.—Dentro de los 1.260 años, pero después de la persecución (más o menos a mediados del siglo XVIII), comenzaron a aparecer las señales de la venida de Cristo.

1. *Una asombrosa oscuridad del sol y de la luna* (véanse las págs. 224, 225). Samuel Williams, de la Universidad de Harvard, describe el notable día oscuro del 19 de mayo de 1780. El profesor relata que la oscuridad se aproximó con las nubes desde el sudoeste "entre las diez y las once de la mañana y continuó hasta la medianoche siguiente", variando de grado y duración en diferentes localidades. En algunos lugares "las personas no podían ver para leer la letra común de imprenta al aire libre, durante varias horas", aunque "no era este generalmente el caso". "Se encendieron velas en las casas; las aves cantaron sus cantos nocturnos, desaparecieron, y guardaron silencio; las aves domésticas fueron a dormir en sus sitios habituales; los gallos cantaban como al amanecer; los objetos no podían distinguirse sino a muy corta distancia; y todas las cosas tenían la apariencia y lobreguez de la noche" (véase *Memoirs of the American Academy of Arts and Sciences* [Memorias de la Academia Americana de Artes y Ciencias], de 1783, tomo 1, págs. 234, 235).

Siendo la luna, llena la noche anterior, estaba del lado opuesto de la tierra, no se trataba de un eclipse de sol, ni podía un eclipse durar tanto. Las causas que se le atribuyeron parecen inadecuadas para explicar el área cubierta.

"La oscuridad de *la noche siguiente* era probablemente la más densa que jamás se haya observado desde que la orden del Todopoderoso dio origen a la luz. Sólo faltaba que pudiera palparse para que fuese tan extraordinaria como las tinieblas que cubrieron la tierra de Egipto en los días de Moisés... Si todos los cuerpos luminosos del universo hubieran sido envueltos en sombras impenetrables, o hubiesen desaparecido, la oscuridad no habría podido ser más completa. Una hoja de papel blanco mantenida a pocas pulgadas de los ojos era tan invisible como el más negro terciopelo" (Carta de Samuel Tenney, 1785, en *Collections of the Massachusetts Historical Society* [Colecciones de la Sociedad de Historia de Massachusetts], parte 1, tomo 1, ed. 1792, págs. 97, 98).

Timoteo Dwight, rector de la Universidad de Yale, recordaba que "prevaleció una opinión, muy generalizada, de que el día del juicio había llegado. La Cámara de Representantes [de Connecticut], por no poder seguir deliberando levantó la sesión", pero el Concejo encendió velas, prefiriendo, como dijo uno de sus miembros, que, si el juicio se acercaba, los hallase trabajando (véase Juan W. Barber, *Connecticut Historical Collections*, 2da. ed., 1836, pág. 403).

Los escritores corrientes no estaban de acuerdo respecto a la causa de estas tinieblas sin paralelo,

La vasta lluvia de estrellas fugaces presenciada en la noche del 13 de noviembre de 1833, fue por lejos el espectáculo de este tipo más grandioso que jamás haya visto el hombre.

J. STEEL

pero había pleno acuerdo sobre su naturaleza extraordinaria. Cualquier causa o causas naturales a las cuales pudieran atribuirse las tinieblas, no pueden en modo alguno militar contra el significado del fenómeno. Dieciséis siglos y medio antes de que ocurriera, el Salvador había predicho definidamente esta doble señal, diciendo: "En aquellos días, después de aquella tribulación, el sol se oscurecerá, y la luna no dará su resplandor" (S. Marcos 13: 24). Estas señales ocurrieron exactamente como fueron predichas, y en el tiempo indicado con tanta anticipación. Es este hecho, y no la causa de las tinieblas, lo significativo en este caso. Cuando el Señor iba a abrirle un camino a su pueblo a través del mar, lo hizo "por recio viento oriental" (Exodo 14: 21). ¿Fue por esta razón menos milagroso? Cuando fueron endulzadas las aguas amargas (Exodo 15: 23-25), ¿fue menos real la intervención divina porque se usaron ciertos medios naturales, que tuvieron alguna parte, bajo la dirección divina, para tornar potable el agua? De la misma manera, aun cuando la ciencia pudiera explicar la notable oscuridad del 1.º de mayo de 1780, en lugar de hilvanar meras especulaciones al respecto debiera este acontecimiento ser considerado como una misericordiosa señal de la proximidad del fin del tiempo de gracia.

2. *Notable despliegue de estrellas fugaces* (véase también la pág. 225). "La mañana del 13 de noviembre de 1833 —dice un testigo ocular, un astrónomo de Yale— fue memorable por la exhibición de un fenómeno de estrellas fugaces, probablemente más extenso e imponente que cualquier otro semejante que hasta ahora se haya registrado... Probablemente ningún fenómeno celeste ha ocurrido jamás en este país, desde su primera colonización, que haya sido visto con tanta admiración y deleite por una clase de espectadores, o con tanto asombro y temor por otra clase" (Denison Olmsted en *The American Journal of Science and Arts*, tomo 25, año 1834, págs. 363, 364).

"Desde el golfo de México hasta Halifax, hasta que la luz del día puso fin con alguna dificultad a la exhibición, el cielo se ve cruzado en todas direcciones por resplandecientes estelas e iluminado por majestuosas bolas de fuego. En Boston se calculó que la frecuencia de los meteoros equivalía a la mitad de los copos de nieve de una nevada de mediana intensidad... Al seguirlas en sentido retrógrado, se descubría que sus trayectorias convergían invariablemente en un punto de la constelación de León" (Agnes M. Clerke, *A Popular History of Astronomy* [Una historia popular de astronomía], ed. 1885, págs. 269, 370).

Federico Douglas, rememorando sus tempranos días de esclavitud, dice: "Yo fui testigo de este magnífico espectáculo, y estaba espantado. El aire parecía lleno de brillantes mensajeros que descendían del cielo... Yo no podía librarme de la impresión,

por momentos, de que eso pudiera ser *el presagio de la venida del Hijo del hombre*; y en mi estado de ánimo de entonces estaba preparado para aclamarlo como mi amigo y libertador. Yo había leído que 'las estrellas caerán del cielo', y ahora estaban cayendo" (*Life and Times of Frederick Douglas* [Vida y tiempos de Federico Douglas], ed. 1941, pág. 117).

LA CONDICION DEL MUNDO, Y LA PREPARACION

¿Qué señales de la venida de Cristo habría en la tierra?

"En la tierra *angustia de las gentes, confundidas a causa del bramido del mar y de las olas; desfalleciendo los hombres por el temor* y la expectación de las cosas que sobrevendrán en la tierra" (S. Lucas 21: 25, 26).

Nota.—Acerca de la condición del mundo véanse las págs. 236-248.

¿Cuál sería el próximo gran acontecimiento después de estas señales?

"*Entonces verán al Hijo del Hombre, que vendrá en una nube con poder y gran gloria*" (vers. 27. Véase S. Mateo 24: 30).

Cuando estas cosas comenzaran a suceder, ¿qué debía hacerse?

"Cuando estas cosas *comiencen a suceder, erguíos y levantad vuestra cabeza*, porque vuestra redención está cerca" (S. Lucas 21: 28).

¿Qué sabemos cuando brotan las hojas de los árboles?

"De la higuera aprended la parábola: Cuando ya su rama está tierna, y brotan las hojas, *sabéis que el verano está cerca*" (S. Mateo 24: 32).

¿Qué debemos también saber después que se vean estas señales?

"Así también vosotros, cuando veáis todas estas cosas, *conoced que está cerca, a las puertas*" (vers. 33). "Así también vosotros, cuando veáis que suceden estas cosas, *sabed que está cerca el reino de Dios*" (S. Lucas 21: 31).

¿Qué dijo Cristo en cuanto a la certidumbre de esta profecía?

"De cierto os digo, que no pasará esta generación hasta que todo esto acontezca. El cielo y la tierra pasarán, pero mis palabras no pasarán" (S. Mateo 24: 34, 35).

Nota.—Lo que Cristo predijo acerca de la destrucción de Jerusalén se cumplió al pie de la letra. De la misma manera podemos estar seguros de que lo que dijo en cuanto al fin del mundo se cumplirá tan cierta y literalmente.

¿Solamente quién conoce el día preciso de la venida de Cristo?

"Pero del día y la hora *nadie sabe*, ni aun los ángeles de los cielos, *sino sólo mi Padre*" (vers. 36).

¿Qué condiciones morales precederán al segundo advenimiento de Cristo?

"Mas como en los días de Noé, así será la venida del Hijo del Hombre. Porque como en los días antes del diluvio *estaban comiendo y bebiendo, casándose y dando en casamiento*, hasta el día en que Noé entró en el arca, y no entendieron hasta que vino el diluvio y se los llevó a todos, *así será también la venida del Hijo del Hombre*" (vers. 37-39).

¿Qué importante amonestación nos ha dado Cristo?

"Por tanto, *también vosotros estad preparados*; porque el Hijo del Hombre vendrá a la hora que no pensáis" (vers. 44).

¿Cuál será la suerte de aquellos que digan en su corazón que el Señor no va a venir pronto?

"Pero si aquel siervo malo dijere en su corazón: Mi señor tarda en venir; y comenzare a golpear a sus consiervos, y aun a comer y a beber con los borrachos, vendrá el señor de aquel siervo en día que éste no espera, y a la hora que no sabe, y lo castigará duramente, y pondrá su parte con los hipócritas; allí será el lloro y el crujir de dientes" (vers. 48-51).

Retorna, Maestro

Retorna, Maestro, te necesitamos;
esta vida nuestra no es vida sin ti.
Pon fin a este loco y audaz frenesí
que humilla y agosta lo que más amamos.

¿Qué vale la vida si no la vivimos,
desde que la matan pecado y dolor?
¿Qué vale esta tierra, desde que el horror
de todos los males en ella sufrimos?

Señor Jesucristo, tú lo has prometido
y no has fracasado en ninguna ocasión:
vuelve por aquellos a los que has querido

y de quienes eres única ilusión.
¡Vuelve ya, Maestro, te espera rendido
del amor más tierno nuestro corazón!

Braulio Pérez Marcio

ESTUDIO 64

El Aumento de la Ciencia

ES NOTABLE el aumento que ha experimentado en nuestros días el conocimiento en todos los órdenes de la vida, especialmente en el campo de las ciencias físicas y biológicas. ¿Se debe este fenómeno a un índice mayor de inteligencia del hombre moderno o contemporáneo que el de los griegos o romanos u otros pueblos del pasado? ¿Qué significado le atribuyen las Escrituras a este aumento del conocimiento, y qué incidencia puede tener en el desenlace de la historia?

AUMENTO DEL CONOCIMIENTO DE LAS PROFECIAS

¿Cuándo podría esperar el mundo un aumento del conocimiento?

"Pero tú, Daniel, cierra las palabras y sella el libro hasta *el tiempo del fin*. Muchos correrán de aquí para allá, y la ciencia [el conocimiento, según otras versiones] se aumentará" (Daniel 12: 4).

Nota.—El libro de Daniel no estaría cerrado *hasta el fin* —porque entonces no habría tiempo para cultivar o utilizar el conocimiento—, sino *"hasta el tiempo del fin"*, un período inmediatamente anterior al fin. Durante ese tiempo habría un gran aumento del conocimiento acerca de las profecías de Daniel.

¿Hasta cuándo serían perseguidos los santos bajo el poder romano?

"Por eso algunos de los sabios tropezarán, para que sean acrisolados, y purificados, y emblanquecidos, *hasta el tiempo del fin: porque todavía es para el tiempo determinado*" (Daniel 11: 35, VM).

Nota.—La conclusión del período asignado a esta persecución habría de señalar el comienzo del "tiempo del fin".

¿Cuánto tiempo habrían de estar ellos bajo el poder del cuerno pequeño, o Roma papal?

"Y hablará palabras contra el Altísimo, y a los santos del Altísimo quebrantará, y pensará en cambiar los tiempos y la ley; y serán entregados en su mano *hasta tiempo, y tiempos, y medio tiempo*" (Daniel 7: 25).

Nota.—Este versículo y el anterior muestran que el tiempo del fin comienza al terminar el período de "tiempo, y tiempos, y medio tiempo", o 1.260 años, del dominio del cuerno pequeño. Esto, entonces, coloca el comienzo del "tiempo del fin" en 1798, como se expone en las págs. 172, 173.

Después de 1798 ¿habría de quitarse el sello al libro que había sido sellado "hasta el tiempo del fin"?

Al finalizar los 1.260 años del cuerno pequeño en 1798, hubo un despertar del interés en el estudio de las profecías en general, y especialmente de Daniel; además, hubo una difusión sin precedentes de la Palabra de Dios hasta los lejanos rincones de la tierra.

Nota.—La Sociedad de Publicaciones Religiosas de Londres fue organizada en 1799, la Sociedad Bíblica Británica y Extranjera en 1804, la Sociedad Bíblica Americana en 1816, y la Sociedad Americana de Publicaciones en 1825. La Biblia ha sido traducida a más de 1.000 idiomas y dialectos. Han ido a todas partes del globo cientos de millones de ejemplares de las Escrituras, e incontables páginas de folletos y periódicos religiosos para diseminar el conocimiento de las verdades de la salvación. Era un tiempo cuando los cristianos protestantes iniciaron un gran despliegue de actividad misionera en el extranjero que ha llevado misioneros a todos los países del mundo. Así, en este "tiempo del fin" el Evangelio del reino se está proclamando en "toda nación, y tribu, y lengua, y pueblo".

EL PROGRESO DE LOS CONOCIMIENTOS CIENTIFICOS

¿Cómo ha aumentado el conocimiento de las ciencias a la par del conocimiento del libro de Daniel?

236

El progreso asombroso efectuado recientemente en la exploración espacial constituye un cumplimiento impresionante de la profecía de Daniel de que el conocimiento aumentaría en los últimos días.

"Las condiciones técnicas de la vida humana han cambiado más rápidamente *entre 1800 y 1919* que en los 2.000 años precedentes —quizá uno podría decir 3.000 años" (Lucien Price, "Between Two Wars" [Entre dos guerras], cap. 2, en *Religion in the Post-War World* [La religión en el mundo de posguerra], tomo 2, pág. 22. Cambridge, Mass. Imprenta de la Universidad Harvard, 1945. Publicado con permiso de los editores).

Nota.—"Repentinamente, con la utilización del vapor y la electricidad, se hicieron más cambios en la tecnología en dos generaciones que en todos los miles de años de la historia humana previa en conjunto. Las ruedas y máquinas dan vuelta tan rápidamente que el hombre puede cubrir mayores distancias en un día de lo que solía hacer en toda una vida" (Norman Cousins, *Modern Man Is Obsolete* [El hombre moderno es obsoleto], ed. 1945, págs. 15, 16. Publicado con permiso de Viking Press, Inc., Nueva York).

En 1798 las máquinas de vapor eran un invento reciente, la luz de gas y el arado de hierro colado o de fundición habían aparecido el año anterior, y la electricidad era un interesante experimento de laboratorio. A continuación se hallan algunos de los principales inventos y descubrimientos hechos desde 1798 (distintas autoridades difieren en cuanto a las fechas).

El primer barco de vapor, de Fulton, en 1803
La prensa movida por fuerza mecánica en 1811
La locomotora de vapor en 1825
La segadora mecánica en 1831
El telégrafo eléctrico en 1836
La vulcanización del caucho en 1839
La fotografía en 1839
La anestesia en 1846
La máquina de coser en 1846
La fundición Bessemer del acero en 1856
La ametralladora en 1861
El acorazado de guerra en 1862
La máquina de escribir en 1864
La teoría de los gérmenes, de Pasteur, en 1864
El teléfono en 1876
El fonógrafo en 1877
El tren eléctrico en 1879
La luz eléctrica incandescente en 1879
Los motores de gasolina en 1883
La turbina de vapor en 1884
La linotipo en 1885
El automóvil en 1892
Las películas movibles en 1893
Los rayos X en 1895
El teléfono inalámbrico en 1902
El primer aeroplano piloteado, en 1903
La transmisión radial en 1920

La insulina en 1922
La transmisión por televisión en 1936
El avión de retropopulsión en 1937
La penicilina en 1938
El radar en 1938
Las armas nucleares en 1945
Los satélites terrestres artificiales en 1957
Los satélites tripulados en 1961
El primer trasplante de corazón en 1967
El primer alunizaje, el 20 de julio de 1969
El laboratorio espacial o Skylab en 1973
El acoplamiento del Apolo y Soyuz en vuelo espacial a 223 kilómetros de la tierra, el 17 de julio de 1975

¿Cuáles son otros rasgos distintivos de una nueva era en el "tiempo del fin"?

La libertad política, religiosa e intelectual sin precedentes, la educación de las masas, los traslados de la población, la sustitución de las ideas antiguas.

Nota.—En torno al año 1798 había comenzado ya una serie de cambios revolucionarios "en la cultura occidental, que continuó en los siglos XIX y XX y que en parte barrió con todo el orden existente y dio lugar a una nueva era. La Revolución Francesa con sus profundas repercusiones en Europa, y la revolución en América del Norte, que la precedió, como también las otras ocurridas en el continente americano que sucedieron a ambas, introdujeron un nuevo orden político. Se fundaron repúblicas que aspiraban a ser democráticas y se exigió mayor representación popular en el gobierno de las monarquías restantes... La revolución industrial inauguró la era de las máquinas. La riqueza y la población aumentaron rápidamente. Crecieron ciudades rápidamente, casi de la noche a la mañana... El comercio de Occidente penetró en cada país habitado del globo" (Kenneth Scott Latourette, *The Christian Outlook* [El centinela cristiano], Nueva York: Harper y Hermanos, 1948, págs. 55, 56).

¿Para qué prepararon el camino todos estos cambios?

"*Y será predicado este evangelio del reino en todo el mundo, para testimonio a todas las naciones; y entonces vendrá el fin*" (S. Mateo 24: 14).

Nota.—"Como nunca antes es posible dar a conocer el Evangelio a los hombres en todo el mundo. Los muchos medios de comunicación —la radio y el avión, añadidos a las aparentemente más prosaicas contribuciones de tiempos anteriores, la página impresa, el ferrocarril, el barco de vapor y el automóvil— hacen físicamente factible el alcanzar a todos los hombres" (*Id.* págs. 200, 201).

ESTUDIO 65

La Lucha Entre el Capital y el Trabajo

LA LUCHA entre el capital y el trabajo es un rasgo característico de esta era industrial y mecanizada. Se intensifica de año en año. Yace a la base de algunas de las mayores transformaciones políticas y de las interpretaciones filosóficas de la historia. Pero en ningún lugar como en la Biblia se señalan sus raíces, su significado histórico y sus soluciones.

EL MENSAJE DE DIOS PARA LOS RICOS

¿Cuáles son algunos de los pecados de este día postrero de la época industrial?

"Habrá hombres *amadores de sí mismos, avaros,* vanagloriosos, soberbios, ... impíos" (2 Timoteo 3: 2).

¿Cuándo, de acuerdo con la profecía, habrían de amasar fortunas los hombres?

"¡Vamos ahora, *ricos!* Llorad y aullad por las miserias que os vendrán. Vuestras riquezas están podridas, y vuestras ropas están comidas de polilla. Vuestro oro y plata están enmohecidos; y su moho testificará contra vosotros, y devorará del todo vuestras carnes como fuego. *Habéis acumulado tesoros para los días postreros"* (Santiago 5: 1-3).

> Nota.—Esta época de las mayores adquisiciones intelectuales y materiales del hombre se caracteriza por una carrera desenfrenada tras el dinero, y por vastas acumulaciones de fortunas en contraste con la miseria y la pobreza. Nuestra época cumple de la manera más cabal la profecía.

¿Por qué reprobó Cristo en la parábola al hombre que escondió su talento y no le dio un buen uso?

"Siervo malo y negligente, ... *debías haber dado mi dinero a los banqueros, y al venir yo, hubiera recibido lo que es mío con los intereses"* (S. Mateo 25: 26, 27).

¿Qué le dijo Cristo al joven rico que hiciera?

"*Vende lo que tienes, y dalo a los pobres, y tendrás tesoro en el cielo; y ven y sígueme"* (S. Mateo 19: 21).

¿Qué le dijo Dios, en la parábola, al rico que pensaba edificar graneros mayores en los cuales almacenar sus bienes?

"Pero Dios le dijo: *Necio, esta noche vienen a pedirte tu alma; y lo que has provisto, ¿de quién será?* (S. Lucas 12: 20).

¿Quién da a los hombres el poder para adquirir las riquezas?

"Sino acuérdate de Jehová tu *Dios,* porque él *te da el poder para hacer las riquezas"* (Deuteronomio 8: 18).

¿Cómo condena Santiago la glotonería de los ricos?

"*Habéis vivido en deleites sobre la tierra, y sido disolutos;* habéis engordado vuestros corazones como en día de matanza. *Habéis condenado y dado muerte al justo,* y él no os hace resistencia" (Santiago 5: 5, 6).

> Nota.—Esto indica que ellos han vivido en el lujo y para los placeres, sin prestar atención a su responsabilidad para con Dios o para con sus semejantes. La voracidad cruel desconoce los derechos, el bienestar y aun la vida de las víctimas de sus inclementes designios e intrigas. Los justos, sin embargo, no ofrecen violenta resistencia a este trato injusto.

¿Cómo han defraudado los ricos a los obreros?

"He aquí, clama *el jornal de los obreros que han cosechado vuestras tierras, el cual por engaño no les ha sido pagado por vosotros;* y los clamores de los que habían segado han entrado en los oídos del Señor de los ejércitos" (vers. 4).

En procura de una remuneración razonable, ¿qué hacen los obreros?

Se agremian, hacen huelgas, boicoteos, etc.

Nota.—Estos recursos pueden mejorar temporariamente las condiciones, pero no pueden erradicar el mal profundamente arraigado; éste está en el corazón; y nada sino la conversión —un cambio del corazón— puede desarraigar el pecado del egoísmo, el no amar al prójimo como a uno mismo. La lucha entre el capital y el trabajo es inevitable mientras el pecado y el egoísmo estén en el mundo. Y al acercarse el fin, esta lucha adquiere mayor intensidad porque entonces el pecado llega a su plenitud.

EL MENSAJE DE DIOS PARA LOS OBREROS

¿Qué se le dice al pueblo de Dios que haga en este tiempo?

"Por tanto, hermanos, *tened paciencia hasta la venida del Señor.* Mirad cómo el labrador espera el precioso fruto de la tierra, aguardando con paciencia hasta que reciba la lluvia temprana y tardía. Tened también vosotros paciencia, y afirmad vuestros corazones; *porque la venida del Señor se acerca"* (vers. 7, 8).

El enfrentamiento entre los representantes del capital y del trabajo es un resultado inevitable del egoísmo que prevalece en el mundo, y constituye otra señal del pronto regreso de Cristo.

ESTUDIO 66

La Era Atómica.
¿Qué Habrá Después?

LAS primeras informaciones en cuanto a la bomba atómica fueron aterradoras. Ahora, después de treinta años, su peligrosidad es mil veces mayor, tanto por el inmenso aumento de su potencia como por su cantidad y difusión. Los hombres de ciencia están alarmados. El pueblo común, en cambio, prefiere ignorar ese peligro. ¿Cuál debe ser la actitud del cristiano inteligente y responsable? ¿Confiar? ¿esperar? ¿actuar? Este capítulo es esclarecedor.

LAS SEÑALES DE LOS TIEMPOS

¿Por qué censuró Cristo a los fariseos y los saduceos?

"¡Hipócritas! sabéis discernir la faz del cielo; mas no podéis discernir las señales de los tiempos" (S. Mateo 16: 3, VM).

¿Cuáles eran varias de las señales dadas por los profetas que identificaron a Cristo, en su primera venida, como el Mesías?

"Por tanto, el Señor mismo os dará señal: He aquí que la virgen concebirá, y dará a luz un hijo, y llamará su nombre Emanuel" (Isaías 7: 14. Véase el cumplimiento en S. Mateo 1: 22, 23).

"Pero tú, Belén Efrata, pequeña para estar entre las familias de Judá, de ti me saldrá el que será Señor en Israel; y sus salidas son desde el principio, desde los días de la eternidad" (Miqueas 5: 2. Véase el cumplimiento en S. Mateo 2: 1).

"Alégrate mucho, hija de Sion; da voces de júbilo, hija de Jerusalén; he aquí tu rey vendrá a ti, justo y salvador, *humilde, y cabalgando sobre un asno, sobre un pollino hijo de asna*" (Zacarías 9: 9. Véase el cumplimiento en S. Mateo 21: 4, 5).

¿Qué preguntaron los discípulos acerca de la segunda venida de Cristo?

"Y estando él sentado en el monte de los Olivos, los discípulos se le acercaron aparte, diciendo: Dinos, ¿cuándo serán estas cosas, y *qué señal habrá de tu venida, y del fin del siglo?*" (S. Mateo 24: 3).

¿Cuáles habrían de ser algunas señales de la venida de Cristo?

"Y habrá ... sobre la tierra *angustia de naciones, en perplejidad*, a causa de los bramidos del mar y la agitación de las ondas; *desfalleciendo los hombres de temor, y en expectativa de las cosas que han de venir sobre la tierra habitada; porque los poderes de los cielos serán conmovidos*" (S. Lucas 21: 25, 26, VM).

ANGUSTIA, PERPLEJIDAD, TEMOR

¿Qué crítica situación caracterizaría a las naciones?

"Angustia de naciones, en perplejidad" (vers. 25).

Nota.—Detengámonos unos pocos minutos para reflexionar seriamente. Miremos las naciones de la tierra hoy. Están todas angustiadas; aun las vencedoras en la Segunda Guerra Mundial han estado sin saber qué hacer con los males del mundo. "Con invitación o sin invitación, la bomba atómica está presente en todos los concilios de las naciones; a la luz de ella todos los otros problemas de las relaciones internacionales se empequeñecen" (Henry L. Stimson, anteriormente Secretario de Guerra de los Estados Unidos, en *Harper's Magazine*, marzo, 1946, pág. 204).

James S. Stewart habla de "esta hora inmensamente crítica cuando millones de corazones humanos están *acosados por crueles perplejidades*; cuando tantos sólidos hitos del espíritu se esfuman, antiguos valores se destrozan, maneras y hábitos, planes y conceptos familiares se proscriben para siempre" *(Heralds of God* [Heraldos de Dios], Nueva York, Carlos Scribner's Sons, 1946, pág. 12.)

Tres años después del fin de la Segunda Guerra Mundial, la comisión de las Naciones Unidas que trabajaba en el control internacional de la energía atómica abandonó sus frustrados esfuerzos, y la or-

241

ganización de la ONU parece estar todavía unida en una cosa, a saber en la angustia y perplejidad por su incapacidad de unirse en nada.

¿Qué actitud se manifiesta entre los hombres hoy?

"Desfalleciendo los hombres de *temor*" (vers. 26). *Nota.*—En adición a los acumulados temores provocados por la guerra, la destrucción, los problemas económicos y las revoluciones sociales, la humanidad está ahora abrumada por el nuevo temor del poder atómico. Con frecuencia oímos hablar de "las amenazas que corre la civilización misma, las cuales los dirigentes de nuestros días contemplan con *paralizante y fútil temor*" (Latourette, *The Christian Outlook*, Harper, 2a. ed., 1948, pág. 200). Leemos en otras publicaciones: "*La desesperación se está apoderando gradualmente de nosotros*" (editorial de *The Christian Century* [El siglo cristiano], 19 de noviembre, 1947, pág. 1391. Reimpreso con permiso). Vivimos en "un tiempo de confusión y *profunda ansiedad sin paralelo en nuestra experiencia*", en que se coloca "casi psicopático *énfasis en la idea de la seguridad*" (Virgil Jordan, *Manifesto for the Atomic Age* [Manifiesto para la edad atómica], ed. 1946, pág. 15).

"Hoy el mundo está enfermo de ... un *temor multidimensional*", expresó una notable redactora científica en el primer año de la Edad Atómica. Y continuó: "En la superficie hallamos el temor de los antiguos miembros del ejército: que algún otro consiga una bomba atómica antes que nosotros podamos crear nuestra propia defensa. *Pero contra la bomba atómica no hay defensa*. Inmediatamente debajo de la superficie se esconde el temor de los diplomáticos; si revelamos el secreto del poder atómico perderemos poder en las negociaciones. *Pero no hay secreto del poder atómico*. Otra vez, ... el temor de los industriales: ¿Trastornará esta nueva fuente de poder la estructura económica del país y mi propia fuente de ingresos? *Este nuevo poder es un descubrimiento tan grande por lo menos como el descubrimiento del fuego por el hombre. ¿Quién puede predecir lo que saldrá de él?* ... Para el hombre de ciencia, ... el más sombrío temor es que no se permita investigar la verdad, dondequiera ella lo guíe... La muerte de la ciencia ... significa la muerte de nuestra gran civilización, cuyo fundamento es el conocimiento y cuya meta es la libertad" (Helen M. Davis, editorial aparecido en *Chemistry* [Química], noviembre, 1945).

"Cuando los hombres de ciencia han salido de sus laboratorios para predecir nuestra extinción a menos que enmendemos nuestros incorregibles modos de obrar, y los redactores se han transformado en otros tantos Jeremías, ¿cómo un hombre que sabe leer puede disputar por un dólar, jugar a los naipes, o contemplar con satisfacción a sus hijos

o a los de otros? Pero el hombre vive de la esperanza y es por naturaleza optimista" (Harrison Smith, editorial, *The Saturday Review of Literature* [La revista de literatura del sábado], 21 de agosto, 1948, pág. 20).

Un especialista en ciencia atómica, Harold C. Urey, dijo: "Soy un hombre aterrorizado. Todos los hombres de ciencia que conozco están aterrorizados, aterrorizados por *sus propias* vidas, y aterrorizados por *vuestras* vidas" ("Yo soy un hombre aterrorizado", *The Saturday Review of Literature*, 7 de agosto, 1948).

¿Qué temen los hombres?

"Desfalleciendo los hombres por ... *la expectación de las cosas que sobrevendrán en la tierra*" (S. Lucas 21: 26).

Nota.—La profecía especifica el *temor por el futuro*. "La devastación que podría ser hecha por una guerra atómica es demasiado espantosa para ser plenamente comprendida. La visión aturde nuestra imaginación. Pero si las presentes tendencias continúan, será sólo cuestión de tiempo el estallido de semejante guerra". El tiempo es corto. Al mirar la destrucción ya efectuada, el materialismo en aumento por doquiera, la creciente amargura e intranquilidad a través del mundo o el tremendo poder de nuestras armas más recientes, una mente realista puede bien llegar a la conclusión de que muchos de los que vivimos ahora veremos el estallido de una guerra que terminará en la más oscura de las edades" (Carlos A. Lindbergh en *Reader's Digest* [en español, Selecciones], septiembre, 1948, págs. 134, 138).

El redactor del *Christian Century* observó: "La desesperación nos está sobrecogiendo gradualmente, más que todo a los mejores de entre nosotros. Las estrellas de la promesa han desaparecido todas de nuestro cielo. Estamos en un callejón que conduce a la destrucción, y la destrucción es el final" (19 de noviembre, 1947, pág. 1391. Usado con permiso).

¿Qué declaración de Jeremías concerniente a los planes y predicciones de muchos de los grandes hombres de sus días describe adecuadamente la situación actual?

"Los sabios se avergonzaron, se espantaron y fueron consternados; he aquí que aborrecieron la palabra de Jehová; ¿y qué sabiduría tienen?" (Jeremías 8: 9).

Nota.—"No queda mucho de la teoría del progreso automático... La fisión del átomo ... también aniquiló la última de las nociones del siglo diecinueve, de un milenio inevitable" (*Fortune*, octubre, 1948, pág. 112).

Las arenas del tiempo que en el reloj divino marcan la duración de este viejo mundo agobiado por el pecado, están deslizándose rápidamente. Casi todas las profecías de la Biblia ya se han cumplido.

C. PROVONSHA

"La torre de Babel —dice James S. Stewart— se derrumbó estrepitosamente, y el mundo está en el desorden de los despojos de la desilusión" (*Heralds of God* [Heraldos de Dios], Scribners, pág. 12).

¿Qué señala la Biblia como la causa del peligro del mundo?

"También debes saber esto: que en los postreros días vendrán tiempos peligrosos. Porque *habrá hombres amadores de sí mismos, avaros,* vanagloriosos, *soberbios,* blasfemos, desobedientes a los padres, ingratos, impíos, sin afecto natural, *implacables, calumniadores,* intemperantes, *crueles,* aborrecedores de lo bueno, traidores, impetuosos, infatuados, amadores de los deleites más que de Dios, que tendrán apariencia de piedad, pero negarán la eficacia de ella" (2 Timoteo 3: 1-5).

Nota.—El problema está en *el hombre mismo.* "No son tanto las armas como *los seres humanos que pueden desear usarlas, lo que constituye un peligro real",* agregó Fosdick (*Id.,* pág. 29). "La aparición de la bomba atómica requiere un desarrollo de las normas éticas y morales mucho mayor y más inmediato del que la raza humana parece, en este momento, capaz de realizar".

Y un editorial de *Fortune* señala que el problema de la fisión del átomo es un problema espiritual; el remedio de "la fisión existe en la mente y el corazón de los hombres" (Enero, 1946, págs. 97, 98).

"Los hombres de ciencia proclaman ahora que su ciencia ha alcanzado un grado de desarrollo que torna imperativo *hacer alguna cosa en cuanto al hombre.* Ellos predicen la destrucción final a menos que se preste atención a su advertencia...

"Cuando hablamos de la naturaleza del hombre, nos colocamos en un terreno que ha sido desocupado previamente por el cristianismo. En este terreno ahora la ciencia y el cristianismo se encuentran frente a frente. A una voz declaran que el futuro es precario, y a una voz declaran que es precario *por causa del hombre.* El cristianismo coloca su dedo sobre la naturaleza del hombre, que la ciencia teme seriamente que pueda causar su destrucción y la destrucción de la tierra con él. La ciencia y el cristianismo están ahora mirando la misma cosa en el hombre. La ciencia no tiene palabras con que definirla, pero el cristianismo sí la tiene. Esa palabra es *pecado...*

"El pecado, dice el cristianismo, es inherente a la naturaleza del hombre. A menos que se haga alguna cosa para destruir el poder del pecado en el corazón del hombre, su existencia en un mundo científico permanecerá siempre bajo la sombra de una inminente destrucción de sí mismo" (Carlos Clayton Morrison en *The Christian Century,* 13 de marzo, 1946, págs. 330-332. Usado con permiso).

¿De qué es todo esto una evidencia?

De la proximidad de un gran cambio; "quizás el fin".

Nota.—Al principio de la segunda Guerra Mundial, Pierre van Paassen declaró que una civilización estaba pasando (*Days of Our Years,* ed. rev. 1940, pág. 557), y Pitirim A. Sorokin, profesor de Harvard, vio un memorable punto decisivo de la historia del mundo (*The Crisis of Our Age* [La crisis de nuestro siglo], 1941, pág. 22).

El día de la capitulación del Japón, el Gral. Douglas A. MacArthur pronunció estas alarmantes palabras: "Una nueva era está ante nosotros... Hemos tenido nuestra última oportunidad. Si no ideamos ahora algún sistema mayor y más equilibrado, el Armagedón estará a nuestras puertas" (*The New York Times,* 2 de septiembre, 1945, pág. 3).

El Presidente Harry Truman de los Estados Unidos, en un discurso pronunciado ante el Concilio Federal de las Iglesias de Cristo en América, que se hallaba en sesión en Columbus, Ohio, el 6 de marzo de 1946, hizo la siguiente advertencia: "*Si el mundo desea sobrevivir,* el gigantesco poder que el hombre ha adquirido mediante la energía atómica debe ser equilibrado por una fuerza espiritual de la mayor magnitud. Toda la humanidad está ahora en el portal de la destrucción, o sobre el umbral de la mayor época de la historia" (*Biennial Report* [Informe bienal], 1946, págs. 108, 109).

Un profesor del Seminario Teológico Andover Newton escribió un artículo sobre "El Apocalipsis Atómico", en el cual dijo: "Quizá los pocos próximos veranos puedan prolongarse en unos pocos veranos más de oportunidad. Por otra parte, nadie puede decirlo. Pero escudriñen los hombres las Escrituras y examinen los hechos de la ciencia, los caprichos del mundo de la política, la condición económica, emocional e industrial de los pueblos, condiciones que señalan vívidamente *el fin,* pronto o un poco más tarde" (Wesner Fallow en *The Christian Century,* 25 de septiembre, 1946, pág. 1148. Usado con permiso).

¿Qué mensaje profético de la Escritura una vez ignorado se destaca ahora y lo citan los hombres del mundo?

"Pero el día del Señor vendrá como ladrón en la noche; en el cual los cielos pasarán con grande estruendo, y los elementos ardiendo serán deshechos, y la tierra y las obras que en ella hay serán quemadas ..., los cielos, encendiéndose, serán deshechos, y los elementos, siendo quemados, se fundirán" (2 S. Pedro 3: 10, 12. Véase también Isaías 13: 6-11).

Nota.—"En las páginas del Nuevo Testamento —dice Winthrop S. Hudson—, uno siempre tropieza con pasajes, largo tiempo ignorados, que de repente hablan directamente el lenguaje de la hora. De su total falta de aplicación, pasan a ser radiantes de significado. Las líneas finales de 2 San Pedro [3: 10-13] son un caso ilustrativo. Hace un año eran completamente extrañas a nuestro pensamiento, pero ¡escúcheselas ahora!'' (*The Christian Century*, 9 de enero, 1946, pág. 46. Usado con permiso).

"Sir Richard Gregory, en una reciente reunión de la Asociación Británica para la Promoción de la Ciencia, citó [del mismo pasaje de la Escritura]... En este país también hay especialistas en la ciencia atómica que consideran la destrucción de toda vida de este planeta, por reacción atómica en cadena, como teóricamente posible...

"El creyente en la providencia, sin embargo, no enfrenta en principio ninguna cosa nueva. El fin de la existencia humana en la tierra era considerado cercano, a las puertas por los primeros cristianos; por los cristianos modernos, lejano en el futuro... Lo nuevo de la presente situación no es la posibilidad de una última generación sino la posibilidad —serenamente lo admito— de que *¡la nuestra pueda ser la última generación!*" (Ernesto Fremont Tittle en *The Christian Century*, 1.° de mayo, 1946, pág. 556. Usado con permiso).

"Estamos en camino a la remoción de la última barrera que impide que el hombre convierta la tierra en un crematorio planetario" (Norman Cousins, editorial publicado en *The Saturday Review of Literature*, 7 de agosto, 148, págs. 7, 8).

Los redactores de este libro *no* dicen que la energía atómica producida por el hombre iniciará una reacción en cadena en la atmósfera y consumirá al hombre y todas sus obras. La energía atómica nunca puede ser usada en un conflicto mundial para destruir una gran parte de la población del globo. La Biblia indica que Dios, no el hombre, destruirá la tierra, y que él lo hará a su manera.

Sin embargo, cuando los científicos, los hombres del mundo, los líderes modernos están de acuerdo en que la aniquilación del mundo actual se producirá muy pronto a menos que se les dé a los hombres un nuevo corazón, el cristiano ve en esto una demostración de ciertas declaraciones bíblicas que hasta hace poco eran objeto de burla, y como señal de la proximidad del tiempo cuando Dios intervendrá "para destruir a los que destruyen la tierra".

¿Qué significan todas estas advertencias y amonestaciones para Ud. y para mí?

"Siendo así pues que estas cosas todas han de ser de esta manera disueltas, *¡qué manera de personas debéis ser vosotros, en toda forma de santo comportamiento y piedad*, esperando y apresurando el advenimiento del día de Dios, con ocasión del cual los cielos, estando encendidos, serán disueltos, y los elementos se derretirán con ardiente calor! (2 S. Pedro 3: 11, 12, VM).

¿Qué podemos esperar después de esta destrucción?

"Pero nosotros esperamos, según sus promesas, *cielos nuevos y tierra nueva*, en los cuales mora la justicia. Por lo cual, oh amados, estando en espera de estas cosas, procurad con diligencia *ser hallados por él sin mancha e irreprensibles, en paz*" (2 S. Pedro 3: 13, 14).

Nota.—"Un cielo nuevo y una tierra nueva, cuando todas las cosas que existen desaparezcan y las cosas viejas sean hechas nuevas, son factibles solamente después del fin del mundo. Cómo será ese fin no puede decirlo ningún hombre.

"Los cristianos normalmente creen en la escatología [la doctrina de las cosas finales]. Era una anomalía cristiana el ignorar por tanto tiempo la escatología. Pero el 6 de agosto de 1946 devolvió la normalidad; sin embargo muchos cristianos pueden sumirse en el temor de los incrédulos. La normalidad que la explosión atómica sobre el Japón recuperó para los cristianos consiste en la justicia, la corrección, no sólo de la contemplación sino también de la *expectativa* del fin del mundo" (Wesner Fallaw en *The Christian Century*, 25 de septiembre, 1946, pág. 1148. Usado con permiso).

¿Qué están esperando muchos cristianos en esta edad atómica?

La segunda venida de Cristo.

Nota.—"En la eventualidad de que este período turbulento se prolongue, conservando con buen éxito las naciones su débil soberanía, haremos frente a crecientes tensiones, temores y ceguera espiritual hasta ser aguijoneados más de lo tolerable... Otros fuera de los cristianos también comenzarán a clamar: '¡Oh, Señor, ven pronto!' " (*Ibíd.*, pág. 1147).

"Tres años después de la Segunda Guerra Mundial, el desarrollo de los acontecimientos políticos y económicos ha convencido a un gran número de personas de que el destino de la humanidad está sellado... A las advertencias del resultado fatal de una guerra atómica y biológica se añadió el toque a muerte de los profetas del hambre o la inanición del hombre" (Harrison Smith en *The Saturday Review of Literature*, 21 de agosto, 1948, pág. 20).

Los editores de este libro están tratando, en estas páginas, tanto como en muchas otras de sus publicaciones, de hacer esto mismo: proclamar las profecías de las Escrituras y su cumplimiento que indican la proximidad de la venida de Cristo para poner fin a este siglo de perplejidades y luchas, y también para inaugurar el eterno y glorioso reino de Dios.

ESTUDIO 67

La Conversión del Mundo

LOS hombres de ciencia y los gobernantes que saben cuán desastrosa sería una guerra mundial en esta era atómica, consideran que la única alternativa, la única tabla de salvación, sería la transformación previa de la naturaleza moral del hombre, la conversión del mundo. ¿Se producirá esa conversión, o debemos confiar en el pronto y oportuno regreso de Cristo?

TREMENDA ENCRUCIJADA

¿Qué alternativas se prevén en el futuro de nuestro mundo atómico?

La regeneración moral o el Armagedón.

Nota.—"La tremenda coyuntura planteada por la bomba atómica, de la cual pende el destino de la vida en este planeta, no da lugar a la salvación del orgullo del hombre. *La única alternativa del Armagedón es el arrepentimiento y la regeneración...* La energía atómica puede liberar de la pobreza a incontables millones... Solamente si el hombre tiene un nuevo espíritu puede entrar en esa Tierra Prometida. ¡La Edad Atómica habrá de ser extremadamente corta y brutal! A menos que los hombres sean inducidos por doquiera a confesar su propia insuficiencia, y a tratar de seguir la voluntad de Dios en lugar de la de ellos mismos, ninguna otra estrategia puede salvarnos... *La conversión del hombre... ha llegado a ser repentinamente un asunto de vida o muerte,* no sólo para los individuos, sino para la especie humana" (Richard M. Fagley, secretario de la comisión de paz del Concilio Federal de Iglesias, en *The chaplain* [El capellán], noviembre, 1945, págs. 5-7).

Tanto el Presidente Truman como el Gral. MacArthur dijeron, en relación con las declaraciones citadas en el capítulo anterior (pág. 241 y siguientes), que el evitar la destrucción era el problema espiritual del desarrollo moral de la humanidad. "Si los hombres y las naciones —dijo el Presiden-

te—, quisieran tan sólo vivir de acuerdo con los preceptos de los antiguos profetas y las enseñanzas del Sermón del Monte, los problemas que ahora parecen tan difíciles desaparecerían pronto... A menos que hagamos esto, nos encaminaremos al desastre que mereceríamos" (Concilio Federal de Iglesias, *Biennial Report* [Informe bienal], 1946, pág. 109).

"Como hombre de ciencia, os digo: *nunca debe haber otra guerra*" (Harold C. Urey, 'I'm a Frightened Man' [Soy un hombre aterrorizado], *The Saturday Review of Literature,* 7 de agosto, 1948. Véase también *One World or None* [Un mundo o ninguno], por diecisiete colaboradores y la Federación de científicos [atómicos] americanos, McGraw-Hill Book Co., Inc., 1946).

¿Qué dijo Jesús acerca de las condiciones que precederían a su venida?

"Como fue en los días de Noé, así también será en los días del Hijo del Hombre" (S. Lucas 17: 26. Véanse también los vers. 27-30, y S. Mateo 24: 37-39).

En los días de Noé, "vio Jehová que *la maldad de los hombres era mucha en la tierra, y que todo designio de los pensamientos del corazón de ellos era de continuo solamente el mal... Y estaba la tierra llena de violencia"* (Génesis 6: 5, 11).

Nota.—Los hombres por doquiera reconocen la maldad prevaleciente de nuestros tiempos. La ebriedad, el vicio, la drogadicción, el crimen y la corrupción han aumentado en forma alarmante. El egoísmo y el orgullo llenan el corazón de los hombres hasta excluir la justicia. La civilización está repitiendo hoy los pecados de los días de Noé.

De acuerdo con la parábola del trigo y la cizaña, ¿por cuánto tiempo los buenos y los malos estarán juntos?

"El campo es el mundo; la buena semilla son los hijos del reino, y la cizaña son los hijos del malo. El enemigo que la sembró es el diablo ... *Dejad crecer juntamente lo uno y lo otro hasta la siega;* y al tiempo de la siega yo diré a los segadores: Recoged primero la cizaña, y atadla en manojos para quemarla; pero recoged el trigo en mi granero" (S. Mateo 13: 38, 39, 30).

"La siega es *el fin del mundo*" (vers. 39, TA).

Nota.—Así es claro que los malos (la cizaña) viven con los justos (el trigo) hasta el fin del mundo. No hay, entonces, antes de la venida de Cristo un tiempo de un estado sin pecado, durante el cual todos los hombres se convertirán y volverán a Dios.

¿Dijo Cristo que la predicación del Evangelio en todo el mundo tendrá como resultado la conversión del mundo?

"Y será predicado este evangelio del reino en todo el mundo, *para testimonio a todas las naciones;* y entonces vendrá el fin" (S. Mateo 24: 14).

Nota.—El no dijo que todos aceptarían el Evangelio, sino que el Evangelio sería *predicado* en todo el mundo *para testimonio* a todas las naciones, y que *entonces* vendría el fin.

"Ellos [Jesús y los escritores del Nuevo Testamento] no anunciaron la victoria completa del Evangelio en el curso de la historia. Jesús declaró francamente que la gran mayoría de la humanidad marcha hacia la destrucción. El habló del fin del mundo, y al describirlo anunció una tragedia, con la separación de los buenos de entre los malos, con llanto y fuego para los últimos. El trigo y la cizaña han de estar juntos hasta la siega... La naturaleza de ambos se torna más obvia al acercarse la siega... Los buenos y los malos marcharán juntos hasta que, por su intervención, Dios juzgue y triunfe" (Kenneth Scott Latourette, *The Christian Outlook,* Harper, ed. 1948, págs. 188, 189).

"Lejos de mencionar nada semejante a la progresiva mejora del mundo, Jesús, por lo contrario, previó *el fin del mismo,* precedido por un agravamiento del mal que ha de ser una señal que anunciará el regreso de Cristo. Y este es el verdadero objeto de la esperanza cristiana que corre a través de todas las páginas del Nuevo Testamento y que el Apocalipsis expone en una grandiosa pintura al fresco" (Traducción de Henri d'Espine, profesor protestante de Ginebra, entrevistado por la *Gazette de Lausanne,* 18 de febrero, 1944, pág. 3).

¿Cómo calificó San Pablo los últimos días?

"En los postreros días vendrán tiempos *peligrosos*" (2 Timoteo 3: 1. Véase la pág. 242).

"*Los malos hombres y los engañadores irán de mal en peor, engañando y siendo engañados*" (vers. 13).

Nota.—Comentando la invención de la bomba atómica, E. A. Hooton, antropólogo de la Universidad de Harvard, dijo: "El nivel actual de la conducta humana es tan bajo, que el hombre es más apto para aprovechar las ilimitadas fuerzas naturales para destrucción que para fines constructivos... Los artefactos y máquinas son cada vez mejores, y el hombre es cada vez peor" (Despacho de la UP en el *Times-Herald,* de Washington, 10 de agosto, 1945).

"El hombre moderno, producto final de todas las influencias humanizantes de sesenta siglos", ve en el espejo la imagen, no de un ser que desarrolló la bondad y la tolerancia con el correr de los años, sino de uno cuyas emociones primitivas yacen justamente debajo de la superficie, y que es fácilmente capaz de descartar los principios labrados en el Sinaí y en el Areópago cuando quiera le obstruyan el paso. La caracterización que J. A. Hobson hace del hombre del siglo XX no parece a primera vista demasiado inexacta: 'Un polinesio desnudo, desfilando con sombrero de copa y botines de paño' " (Raymond B. Fosdick, *The New York Times Magazine,* 30 de diciembre, 1945, pág. 27).

PAZ Y SEGURIDAD

¿Qué mensaje indica la condición de las relaciones internacionales?

"*Proclamad esto entre las naciones, proclamad guerra, despertad a los valientes, acérquense, vengan todos los hombres de guerra. Forjad espadas de vuestros azadones, lanzas de vuestras hoces; diga el débil: Fuerte soy*" (Joel 3: 9, 10).

¿Qué declaración de Jeremías concerniente a las condiciones que reinaban en sus días se aplica también a nuestro tiempo?

"Y curan la herida de mi pueblo con liviandad, *diciendo: Paz, paz; y no hay paz*" (Jeremías 6: 14).

Nota.—Una de las anomalías de nuestro tiempo es que los hombres han estado *hablando* de paz y al mismo tiempo están *preparándose* para la guerra. A pesar de una serie de tratados de desarme y de compromisos de renunciar a la guerra, las grandes potencias participaron en el conflicto más destructivo de todos los tiempos. Menos de un año después de su finalización, podría decirse que la suposición de que las naciones se mantendrían "unidas para siempre para conservar un singular orden mundial de paz, se está manifestando como una ilusión. Las oportunidades para salvar de la desintegración total el concepto de un mundo, se están tornando más y más y más pequeñas" (Editorial de *The Christian Century*, del 29 de mayo, 1946, pág. 679. La cursiva es nuestra).

Después de tres años de lanzada la primera bomba atómica, ¿cómo quedaron las perspectivas para lograr el control internacional de la energía atómica?

"El hecho liso y llano es que estamos mucho peor como mundo de lo que estábamos hace tres años. Mucho peor *porque hemos dejado de pensar en el problema en conjunto.* Porque algunas de las fechas tope imaginarias fijadas en 1945 han pasado y nada ha sucedido, y las gentes han empezado a decir que este terremoto de hechura humana no es tan malo después de todo. Créaseme, *es malo*" (David Lilienthal, presidente de la Comisión de Energía Atómica de los Estados Unidos, citado en *Life*, del 27 de septiembre, 1948, pág. 115).

¿Creará una falsa seguridad el hablar de paz mundial?

"*En los postreros días vendrán burladores, andando según sus propias concupiscencias, y diciendo: ¿Dónde está la promesa de su advenimiento?* Porque desde el día en que los padres durmieron, todas las cosas permanecen así como desde el principio de la creación*" (2 S. Pedro 3: 3, 4).

'Porque vosotros sabéis perfectamente que el día del Señor vendrá así *como ladrón en la noche; que cuando digan: Paz y seguridad,* entonces vendrá sobre ellos destrucción repentina... *Mas vosotros, hermanos, no estáis en tinieblas,* para que aquel día os sorprenda como ladrón" (1 Tesalonicenses 5: 2-4).

Nota.—Los que se hallan en tinieblas están esperando un tiempo de paz y seguridad, y los que no se hallan en tinieblas están esperando el día del Señor, un día de destrucción, el fin del mundo y la venida de Cristo (véase Jeremías 7: 1-19; Daniel 12: 1; Joel 2: 1-11; Sofonías 1; S. Mateo 25: 31-46; Gálatas 5: 16-21).

Los que no presten atención a las señales de los tiempos y a las amonestaciones de la Palabra de Dios y de los acontecimientos del mundo, no estarán preparados para hacer frente al día del Señor. Como un ladrón en la noche ese día sorprenderá a todos los que no estén esperando, velando, y aguardando el regreso de su Señor. En lugar de esperar la conversión del mundo, debemos esperar la venida de Cristo.

"Si, como creen muchos cristianos, el regreso de nuestro Señor es inminente —dice Latourette—, es corto el tiempo en el cual deben prepararse sus seguidores para ese acontecimiento" *(The Christian Outlook* [El centinela cristiano], pág. 200).

¿Qué actitud que el profeta Isaías aconsejó a los fieles de su tiempo debería ser también la reacción de los cristianos frente a las condiciones de los últimos días?

"No ... temáis lo que ellos temen, ni tengáis miedo" (Isaías 8: 12. Véase 1 S. Pedro 3: 14).

"Cuando estas cosas comiencen a suceder, erguíos y levantad vuestra cabeza, porque vuestra redención está cerca" (S. Lucas 21: 28).

Nota.—Los cristianos del primer siglo, dice Wesner Fallaw, esperaban el fin del mundo en sus días. Ellos "se preparaban para la vida en el nuevo mundo. El gozo en el Señor del cielo y de la tierra dominaba completamente la ansiedad en cuanto a la cesación de una clase de vida y el comienzo de otra.

"El hecho de que esos cristianos estaban equivocados al creer que algunos de ellos estarían vivos todavía cuando finalizaran todas las cosas, carece de importancia. Lo que es de primera importancia para nosotros es el hecho de que ellos se fortalecían mutuamente en la fe, de modo que pudieran regocijarse en la certidumbre de que el mundo estaba llegando a su fin. Y no menos importante para nosotros es el estado de ánimo que su conducta les proporcionaba. Al aguardar el fin que consideraban como un nuevo comienzo, eran constructivamente activos en su servicio al prójimo, colocaban las necesidades humanas en primer lugar y las propiedades muy abajo en la escala de valores...

"El cristiano no tiene ansiedad en cuanto al mañana —para los hombres de ciencia, el día del fin del mundo—; en cambio, se goza en la expectativa de la nueva era de Dios en la cual habrá más justicia que la que sean capaces de lograr los hombres más abnegados" *(The Christian Century,* 25 de septiembre, 1946. Usado con permiso).

La Segunda Venida de Cristo

LA SEGUNDA venida de Cristo es la esperanza bienaventurada del cristiano, como la llama el apóstol Pablo. Las Sagradas Escrituras la exponen, directa o indirectamente, más de trescientas veces. Figura en el credo de católicos y protestantes. Las profecías que anticiparon el levantamiento y la caída de los grandes imperios o naciones a través de los siglos la anuncian como el acontecimiento culminante de la historia. Su enorme importancia merece nuestra más detenida consideración.

CRISTO PREDICE SU REGRESO

¿Qué promesa hizo Cristo concerniente a su venida?

"No se turbe vuestro corazón; creéis en Dios, creed también en mí. En la casa de mi Padre muchas moradas hay; si así no fuera, yo os lo hubiera dicho; voy, pues, a preparar lugar para vosotros. Y si me fuere y os preparare lugar, *vendré otra vez*, y os tomaré a mí mismo, para que donde yo estoy, vosotros también estéis" (S. Juan 14: 1-3).

¿Qué sigue a las señales de la venida de Cristo?

"Entonces *verán al Hijo del Hombre, que vendrá en una nube con poder y gran gloria*" (S. Lucas 21: 27).

LOS ANGELES Y LOS APOSTOLES LA PROCLAMARON

Al ascender Cristo, ¿cómo se prometió su regreso?

"Y estando ellos con los ojos puestos en el cielo, entre tanto que él se iba, he aquí se pusieron junto a ellos dos varones con vestiduras blancas, los cuales también les dijeron: Varones galileos, ¿por qué estáis mirando al cielo? *Este mismo Jesús, que ha sido tomado de vosotros al cielo, así vendrá como le habéis visto ir al cielo*" (Hechos 1: 10, 11).

¿Cómo expresó San Pablo esta esperanza?

"Aguardando la esperanza bienaventurada y la manifestación gloriosa de nuestro gran Dios y Salvador Jesucristo" (Tito 2: 13).

¿Cuál es el testimonio de San Pedro respecto a la venida de Cristo?

"Porque no os hemos dado a conocer el poder y la venida de nuestro Señor Jesucristo siguiendo fábulas artificiosas, sino como habiendo visto con nuestros propios ojos su majestad" (2 S. Pedro 1: 16).

LOS DESPREVENIDOS

¿Estarán preparados los habitantes de la tierra en conjunto para recibir a Cristo?

"Entonces aparecerá la señal del Hijo del Hombre en el cielo; y *entonces lamentarán todas las tribus de la tierra*, y verán al Hijo del Hombre viniendo sobre las nubes del cielo, con poder y gran gloria" (S. Mateo 24: 30). "He aquí que viene con las nubes, y todo ojo le verá, y los que le traspasaron; y *todos los linajes de la tierra harán lamentación por él*" (Apocalipsis 1: 7).

¿Por qué muchos no estarán preparados para este acontecimiento?

"Pero si aquel siervo malo dijere en su corazón: *Mi señor tarda en venir*; y comenzare a golpear a sus consiervos, y aun a comer y a beber con los borrachos, vendrá el señor de aquel siervo en día que éste no espera, y a la hora que no sabe, y lo castigará duramente, y pondrá su parte con los hipócritas; allí será el lloro y el crujir de dientes" (S. Mateo 24: 48-51).

¿Qué estará haciendo el mundo cuando venga Cristo?

"Mas como en los días de Noé, así será la venida del Hijo del Hombre. Porque como en los días antes del diluvio estaban *comiendo y bebiendo, casándose y dando en casamiento*, hasta el día en que Noé entró en el arca, y no entendieron hasta que vino el diluvio y se los llevó a todos, así será también la venida del Hijo del Hombre" (vers. 37-39). "Asimismo como sucedió en los días de Lot; *comían, bebían, compraban, vendían, plantaban, edificaban*; mas el día en que Lot salió de Sodoma, llovió del cielo fuego y azufre, y los destruyó a todos. Así será el día en que el Hijo del Hombre se manifieste" (S. Lucas 17: 28-30).

Nota.—Estos pasajes no enseñan que sea malo en sí mismo el comer, beber, casarse, comprar, vender, plantar o edificar, sino que las mentes de los hombres estarán tan absorbidas por estas cosas que le darán poca atención, o ninguna, a la vida futura, y no harán planes ni preparación para encontrarse con Jesús cuando él venga.

¿Quién ciega a los hombres para que no capten ni aprecien el Evangelio de Cristo?

"En los cuales *el dios de este siglo* [Satanás] cegó el entendimiento de los incrédulos, para que no les resplandezca la luz del evangelio de la gloria de Cristo, el cual es la imagen de Dios" (2 Corintios 4: 4).

Nota.—"Para mi mente esta preciosa doctrina —porque así debo llamarla— del regreso del Señor a esta tierra se enseña en el Nuevo Testamento tan claramente como cualquier otra; sin embargo yo estuve en la iglesia quince o dieciséis años antes de haber oído un sermón acerca de ella. Difícilmente haya una iglesia que no considere el bautismo como un gran asunto, pero en todas las epístolas de San Pablo creo que el bautismo se menciona solamente trece veces, mientras hablan acerca del regreso de nuestro Señor cincuenta veces; y sin embargo la iglesia ha tenido poco que decir al respecto. Ahora bien, yo puedo descubrir una razón para esto; el diablo no quiere que nosotros comprendamos esta verdad, porque nada despertaría tanto a la iglesia. El momento en que un hombre comprende la verdad

de que Cristo está por regresar otra vez para recibir consigo a sus seguidores, este mundo pierde su dominio sobre él. Sus acciones en compañías de petróleo y de agua, y de bancos y de empresas ferroviarias, son de mucho menos importancia entonces para él. Su corazón está libre, y él espera la bienaventurada aparición de su Señor, quien, a su regreso, lo introducirá en su reino de gloria" (D. L. Moody, *The Second Coming of Christ* [La segunda venida de Cristo], Revell, págs. 6, 7).

" 'Este mismo Jesús, que ha sido tomado de vosotros al cielo, *así vendrá como le habéis visto ir al cielo*', es la promesa de despedida de Jesús para sus discípulos transmitida por medio de dos hombres con vestiduras blancas, mientras lo recibía una nube que lo ocultó de sus ojos. Cuando después de estar más de cincuenta años en la gloria rompe Jesús el silencio y habla una vez más en el Apocalipsis o Revelación que dio a su siervo Juan, el Evangelio posterior a su ascensión que él envía, comienza con las palabras: 'He aquí que viene con las nubes', y termina con 'Ciertamente vengo en breve'. Considerando el solemne énfasis puesto en esta doctrina, y considerando la gran preeminencia que se le da a través de las enseñanzas de nuestro Señor y de sus apóstoles, ¿cómo ha sido posible que durante los primeros cinco años de mi vida pastoral no haya tenido en absoluto ningún lugar en mi predicación? Indudablemente la razón yace en la falta de instrucción previa. De todos los sermones oídos desde mi infancia, no recuerdo haber escuchado uno solo sobre este asunto" (A. J. Gordon, *How Christ Came to Church* [Cómo vino Cristo a la iglesia], págs. 44, 45).

PREPARADOS PARA SU VENIDA

¿Cuándo han de ser los salvos semejantes a Jesús?

"Amados, ahora somos hijos de Dios, y aún no se ha manifestado lo que hemos de ser; pero sabemos que *cuando él se manifieste, seremos semejantes a él*, porque le veremos tal como él es" (1 S. Juan 3: 2).

¿Dará Cristo la recompensa cuando venga?

"Porque el Hijo del Hombre vendrá en la gloria de su Padre con sus ángeles, y *entonces pagará a cada uno conforme a sus obras*" (S. Mateo 16: 27). "He aquí yo vengo pronto, *y mi galardón conmigo, para recompensar a cada uno según sea su obra*" (Apocalipsis 22: 12).

¿A quiénes se promete salvación al aparecimiento de Cristo?

Cuando Cristo ascendió al cielo, dos ángeles consolaron a los entristecidos discípulos con esta segura promesa: "Este mismo Jesús, que ha sido tomado de vosotros al cielo, así vendrá como le habéis visto ir al cielo" (Hechos 1: 11).

"Así también Cristo fue ofrecido una sola vez para llevar los pecados de muchos; y aparecerá por segunda vez, sin relación con el pecado, para salvar *a los que le esperan*" (Hebreos 9: 28).

¿Qué influencia tiene esta esperanza en la vida?

"Sabemos que cuando él se manifieste, seremos semejantes a él, porque le veremos tal como él es. Y *todo aquel que tiene esta esperanza en él, se purifica a sí mismo, así como él es puro*" (1 S. Juan 3: 2, 3).

¿A quiénes se promete una corona de justicia?

"Porque yo ya estoy para ser sacrificado, y el tiempo de mi partida está cercano. He peleado la buena batalla, he acabado la carrera, he guardado la fe. Por lo demás, me está guardada la corona de justicia, la cual me dará el Señor, juez justo, en aquel día; y no sólo a mí, sino también a *todos los que aman su venida*" (2 Timoteo 4: 6-8).

¿Qué dirán los que le esperen, cuando Jesús venga?

"Y se dirá en aquel día: He aquí, éste es nuestro Dios, le hemos esperado, y nos salvará; éste es Jehová a quien hemos esperado, nos gozaremos y nos alegraremos en su salvación" (Isaías 25: 9).

¿Ha sido revelado el tiempo exacto de la venida de Cristo?

"Pero del día y la hora *nadie sabe*, ni aun los ángeles de los cielos, sino sólo mi Padre" (S. Mateo 24: 36).

En vista de este hecho, ¿qué nos dice Cristo que hagamos?

"*Velad*, pues, porque no sabéis a qué hora ha de venir vuestro Señor" (vers. 42).

Nota.—"Para los tranquilos y descuidados él vendrá como ladrón en la noche; para los suyos, como su Señor" (Henry Alford, *The New Testament for English Readers* [El Nuevo Testamento para los lectores de habla inglesa], tomo 1, pág. 170).

"La actitud correcta de un cristiano es estar siempre esperando el regreso de su Señor" (D. L. Moody, *The Second Coming of Christ*, Revell, pág. 9).

¿Qué amonestación ha dado Cristo para que ese gran acontecimiento no nos tome de sorpresa?

"Mirad también por vosotros mismos, que vuestros corazones no se carguen de glotonería y embriaguez y de los afanes de esta vida, y venga de repente sobre vosotros aquel día. Porque como un lazo vendrá sobre todos los que habitan sobre la faz de toda la tierra. Velad, pues, en todo tiempo orando que seáis tenidos por dignos de escapar de todas estas cosas que vendrán, y de estar en pie delante del Hijo del Hombre" (S. Lucas 21: 34-36).

¿Qué gracia cristiana se nos exhorta a ejercer en nuestro expectante anhelo de ese evento?

"Por tanto, hermanos, tened *paciencia* hasta la venida del Señor. Mirad cómo el labrador espera el precioso fruto de la tierra, aguardando con paciencia hasta que reciba la lluvia temprana y la tardía. Tened también vosotros *paciencia*, y afirmad vuestros corazones; porque la venida del Señor se acerca" (Santiago 5: 7, 8).

¿Cuál ha sido la actitud general de los cristianos hacia la segunda venida de Cristo?

La creencia de la iglesia cristiana en la segunda venida de Cristo se echa de ver en la literatura cristiana desde el origen del así llamado Credo de los Apóstoles hasta nuestros días.

Nota.—Estas creencias pueden hallarse en la obra clásica *The Creeds of Christendom* [Las creencias de la cristiandad], Harper, por el gran historiador de la iglesia Philip Schaff. Citamos de esa obra sólo dos ejemplos:

"El Credo de Nicea fue el primero que obtuvo autoridad universal. Se basa en modelos más antiguos usados en diferentes iglesias del Oriente, y ha sufrido de nuevo algunos cambios... El Credo de Nicea original data del primer Concilio ecuménico, que se tuvo en Nicea, en 325 DC" (tomo 1, págs. 24, 25). El texto del cual citamos es el texto original del año 325 DC:

"Creemos en ... un Señor, Jesucristo ..., quien sufrió,... y al tercer día resucitó, ascendió al cielo; de donde *vendrá* para juzgar a los vivos y a los muertos" (*Ibíd.*, págs. 28, 29).

La confesión Bautista de New Hampshire (1833), "ampliamente aceptada por los bautistas, especialmente en el norte y en el oeste de los Estados Unidos" (*Ibíd.*, tomo 3, pág. 742), dice:

"Creemos que se acerca el fin del mundo; que en el día postrero Cristo descenderá del cielo, y levantará del sepulcro a los muertos para darles la retribución final; que se producirá entonces una solemne separación; que los malos serán destinados al castigo eterno, y los justos al gozo eterno" (*Ibíd.*, pág. 748).

Cómo Vendrá Cristo

EL DESTINO del hombre no es un interrogante trazado en las tinieblas del futuro ignoto. Para los cristianos se halla iluminado por las ricas provisiones del plan de la redención, que culminará con el advenimiento en gloria de nuestro Señor Jesucristo. ¿Cuándo? Mucho antes de lo que supone la cristiandad. ¿Cómo? No necesitamos caer en errores al respecto, que podrían ser fatales. Las Sagradas Escrituras son muy explícitas; describen claramente ese magno acontecimiento y nos advierten contra las falsificaciones.

¿VIENE CRISTO EN OCASION DE LA MUERTE?

¿Vendrá Cristo otra vez?

"Vendré *otra vez*" (S. Juan 14: 3).

¿Cómo habla S. Pablo de esta venida?

"Aparecerá por *segunda vez*, sin relación con el pecado, para salvar a los que le esperan" (Hebreos 9: 28).

¿Pensaban los primeros discípulos que la muerte sería para el creyente la segunda venida de Cristo?

"Cuando Pedro le vio [a Juan], dijo a Jesús: Señor, ¿y qué de éste? Jesús le dijo: Si quiero que él quede *hasta que yo venga,* ¿qué a ti? Sígueme tú. Este dicho se extendió entonces entre los hermanos, que aquel discípulo *no moriría.* Pero Jesús no le dijo que no moriría, sino: Si quiero que él quede *hasta que yo venga,* ¿qué a ti?" (S. Juan 21: 21-23).

Nota.—Según este pasaje es evidente que los primeros discípulos consideraban que la muerte y la venida de Cristo eran dos eventos separados.

"Por tanto, también vosotros estad preparados; porque el Hijo del Hombre vendrá a la hora que no pensáis. Algunos dicen que eso [la venida de Cristo] significa la muerte; pero la Palabra de Dios no dice tal cosa. La muerte es nuestro enemigo, pero nuestro Señor tiene las llaves de la muerte; él ha vencido la muerte, el infierno y el sepulcro... Cristo es el Príncipe de la vida. No hay muerte donde él está; la muerte huye a su venida; los cuerpos muertos saltaban a la vida cuando él los tocaba o les hablaba. Su venida no es muerte; él es la resurrección y la vida; cuando él funde su reino no habrá muerte, sino vida eterna" (D. L. Moody, *The Second Coming of Christ,* Revell, págs. 10, 11).

CRISTO Y LOS ANGELES TESTIFICAN

Cuando Cristo ascendía, ¿cómo dijeron los ángeles que volvería?

"Y habiendo dicho estas cosas, viéndolo ellos, fue alzado, y *le recibió una nube que le ocultó de sus ojos.* Y estando ellos con los ojos puestos en el cielo, entre tanto que él se iba, he aquí se pusieron junto a ellos dos varones con vestiduras blancas, los cuales también les dijeron: Varones galileos, ¿por qué estáis mirando al cielo? Este mismo Jesús, que ha sido tomado de vosotros al cielo, *así vendrá como le habéis visto ir al cielo*" (Hechos 1: 9-11).

¿Cómo dijo Cristo mismo que él volvería?

"Porque el Hijo del Hombre vendrá *en la gloria de su Padre con sus ángeles*" (S. Mateo 16: 27). "Entonces lamentarán todas las tribus de la tierra, y verán al Hijo del Hombre viniendo *sobre las nubles del cielo,* con poder y gran gloria" (S. Mateo 24: 30).

HABLAN LOS APOSTOLES JUAN Y PABLO

¿Cuántos lo verán cuando él venga?

"He aquí que viene con las nubes, y *todo ojo le verá*, y los que le traspasaron" (Apocalipsis 1: 7).

Nota.—La segunda venida de Cristo será tan real como la primera, y tan visible como su ascensión, y mucho más gloriosa. El espiritualizar el regreso de nuestro Señor es pervertir el significado obvio de su promesa: "Vendré otra vez", y anular todo el plan de la redención; porque la recompensa de los fieles de todos los siglos ha de darse en ocasión de este acontecimiento, el más glorioso de todos.

¿Qué manifestación acompañará a su venida?

"Porque el mismo Señor descenderá del cielo *con voz de mando, con pregón de arcángel y con trompeta de Dios*, y los muertos en Cristo resucitarán primero" (1 Tesalonicenses 4: 16, VHA).

JESUS PREVIENE CONTRA EL ENGAÑO

¿Qué advertencia ha hecho Cristo concerniente a falsas apariciones?

"Entonces, si alguno os dijere: *Mirad, aquí está el Cristo, o mirad, allí está, no lo creáis.* Porque se levantarán falsos Cristos, y falsos profetas, y harán grandes señales y prodigios, de tal manera que engañarán, si fuere posible, aun a los escogidos. Ya os lo he dicho antes. Así que, si os dijeren: Mirad, está *en el desierto,* no salgáis; o mirad, está *en los aposentos,* no lo creáis" (S. Mateo 24: 23-26).

¿Cuán visible ha de ser su venida?

"Porque como el relámpago que sale del oriente y se muestra hasta el occidente, así será también la venida del Hijo del Hombre" (vers. 27).

¡Vuelve el Señor!

¡Vuelve el Señor! Lo afirman los albores
del triunfo de la luz sobre el pecado;
la claridad del día prefijado
que se anuncia con vivos resplandores.

Lo proclaman los bélicos rumores;
el torbellino de odios desatado;
lo dice el terremoto y el tornado;
de la angustia en los pueblos los clamores.

¡Viene el Señor!, promesa no ilusoria
indicios mil confírmanla a porfía;
señales que son cantos de victoria

a todo aquel que guarda en su memoria
la fiel palabra que dijera un día:
"¡Vendré otra vez en majestad y gloria!"

El clímax grandioso de toda la historia
será la aparición en gloria del Rey de reyes cuando vuelva a esta
tierra para redimir a sus hijos que lo esperan y lo aman.

C. PROVONSHA

ESTUDIO 70

El Propósito de la Venida de Cristo

TODAS las intervenciones de Dios en la marcha de la historia están destinadas a beneficiarnos. Pero sus efectos inmediatos y futuros dependen de nuestra avenencia con sus propósitos y planes. Podemos interesarnos en conocerlos y contribuir deliberadamente a su cumplimiento, o bien tratarlos con indiferencia, o rebelarnos contra ellos. Y los resultados variarán fundamentalmente. Así es como la segunda venida de Cristo cumplirá finalidades muy distintas, aunque su objeto primero sea la salvación de la humanidad.

CRISTO VIENE EN BUSCA DE SU PUEBLO

¿Con qué propósito dijo Cristo que vendría otra vez?

"Voy, pues, a preparar lugar para vosotros. Y si me fuere y os preparare lugar, *vendré otra vez, y os tomaré a mí mismo, para que donde yo estoy, vosotros también estéis*" (S. Juan 14: 2, 3).

¿Qué parte desempeñarán los ángeles en este acontecimiento?

"Y enviará sus ángeles con gran voz de trompeta, y *juntarán a sus escogidos*, de los cuatro vientos, desde un extremo del cielo hasta el otro" (S. Mateo 24: 31).

LOS MUERTOS Y LOS VIVOS

¿Qué sucede al toque de la trompeta?

"Porque el Señor mismo con voz de mando, con voz de arcángel, y con trompeta de Dios, descenderá del cielo; y *los muertos en Cristo resucitarán primero*" (1 Tesalonicenses 4: 16).

¿Qué ocurrirá con los justos que estén vivos a la venida de Cristo?

"Luego nosotros los que vivimos, los que hayamos quedado, *seremos arrebatados juntamente con ellos en las nubes* para recibir al Señor en el aire, y así estaremos siempre con el Señor" (1 Tesalonicenses 4: 17).

¿Qué cambio tendrá lugar entonces tanto en los santos vivos como en los que duerman?

"No todos dormiremos; pero *todos seremos transformados*, en un momento, en un abrir y cerrar de ojos, a la final trompeta; porque se tocará la trompeta, y los muertos serán resucitados *incorruptibles*, y nosotros seremos transformados. Porque es necesario que esto corruptible se vista de *incorrupción*, y esto mortal se vista de *inmortalidad*" (1 Corintios 15: 51-53).

¿Cuándo serán los santos semejantes a Jesús?

"Pero sabemos que *cuando él se manifieste, seremos semejantes a él*, porque le veremos tal como él es" (1 San Juan 3: 2).

EL TIEMPO DE LA RECOMPENSA

¿Cuántos recibirán la recompensa cuando Cristo venga?

"Pero sabemos que *cuando él se manifieste, seremos semejantes a él*, porque le veremos tal como él es" (1 S. Juan 3: 2).

¿Qué se promete a los que le esperan?

"Así también Cristo fue ofrecido una sola vez para llevar los pecados de muchos; y *aparecerá por segunda vez, sin relación con el pecado, para salvar a los que le esperan"* (Hebreos 9: 28).

¿Cuándo dijo Cristo que los justos serían recompensados?

"Te será recompensado *en la resurrección de los justos"* (S. Lucas 14: 14).

¿Han recibido su recompensa los justos de la antigüedad?

"Y todos éstos, aunque alcanzaron buen testimonio mediante la fe, *no recibieron lo prometido;* proveyendo Dios alguna cosa mejor para nosotros, *para que no fuesen ellos perfeccionados aparte de nosotros"* (Hebreos 11: 39, 40).

¿Cuándo dijo Pablo que esperaba recibir su corona?

"Por lo demás, me está guardada la corona de justicia, la cual me dará el Señor, juez justo, *en aquel día;* y no sólo a mí, sino también a todos los que aman su *venida"* (2 Timoteo 4: 8).

UN TIEMPO DE JUICIO

¿Será ése un tiempo de juicio?

"De éstos también profetizó Enoc, séptimo desde Adán, diciendo: He aquí, *vino el Señor con sus santas decenas de millares, para hacer juicio contra todos"* (Judas 14, 15).

¿Cómo se expresó David sobre este punto?

"Porque viene, sí, porque viene a juzgar la tierra ¡juzgará al mundo con justicia, y a los pueblos con su verdad! (Salmo 96: 13, VM).

¿Cuándo dijo Pablo que Cristo juzgaría a los vivos y a los muertos?

"Te encarezco delante de Dios y del Señor Jesucristo, que *juzgará a los vivos y a los muertos en su manifestación y en su reino"* (2 Timoteo 4: 1).

¿Qué gran separación tendrá lugar entonces?

"Cuando el Hijo del Hombre venga en su gloria, y todos los santos ángeles con él, entonces se sentará en su trono de gloria, y serán reunidas delante de él todas las naciones; y *apartará los unos de los otros, como aparta el pastor las ovejas de los cabritos"* (S. Mateo 25: 31, 32).

¿Qué les dirá a los que estarán a su derecha?

"Entonces el Rey dirá a los de su derecha: *Venid, benditos de mi Padre, heredad el reino preparado para vosotros desde la fundación del mundo"* (vers. 34).

¿Qué dirá a los que estén a su izquierda?

"Entonces dirá también a los de la izquierda: *Apartaos de mí, malditos, al fuego eterno preparado para el diablo y sus ángeles"* (vers. 41).

¡Pronto Vendrá!

Siervos de Dios, la trompeta tocad:
¡Cristo muy pronto vendrá!
A todo el mundo las nuevas llevad:
¡Cristo muy pronto vendrá!

Fieles de Cristo, doquier anunciad:
¡Cristo muy pronto vendrá!
Siempre alegres, contentos, cantad:
¡Cristo muy pronto vendrá!

La Resurrección de los Justos

LA VIDA es un milagro que nos hemos acostumbrado a tratar con la indiferencia con que miramos las cosas más vulgares. Pero sólo a la luz de la revelación podemos comprender su origen, naturaleza y finalidad, y hacer frente con serenidad y esperanza a su aflictiva cesación, la muerte. El Infinito, el Creador Omnipotente, la Causa primera y necesaria del universo y nuestra vida, puede devolver la vida a los seres que creó a su imagen, y ha prometido hacerlo a su debido tiempo.

LA ANTIGUA ESPERANZA DE LA RESURRECCION

¿Qué pregunta formuló y contestó Job?

"Si el hombre muriere, ¿volverá a vivir? Todos los días de mi edad esperaré, hasta que venga mi liberación. Entonces llamarás, y yo te responderé; tendrás afecto a la hechura de tus manos" (Job 14: 14, 15).

¿Por qué deseaba Job que sus palabras fuesen escritas en un libro, esculpidas con cincel de hierro en la roca para siempre?

"Yo sé que mi Redentor vive, y al fin se levantará sobre el polvo; y después de deshecha esta mi piel, en mi carne he de ver a Dios" (Job 19: 25, 26).

¿Cuándo dijo David que él estaría satisfecho?

"En cuanto a mí, veré tu rostro en justicia; estaré satisfecho cuando despierte a tu semejanza" (Salmo 17: 15).

¿Qué consoladora promesa ha hecho Dios concerniente a los santos que duermen?

"¡Del poder del sepulcro yo los rescataré, de la muerte los redimiré! ¿dónde están tus plagas, oh muerte? ¿dónde está tu destrucción, oh sepulcro?" (Oseas 13: 14, VM).

CRISTO Y LA ESPERANZA DE LA RESURRECCION

¿Como qué se proclamó Cristo a sí mismo?

"Yo soy la resurrección y la vida; el que cree en mí, aunque esté muerto, vivirá. Y todo aquel que vive y cree en mí, no morirá eternamente. ¿Crees esto?" (S. Juan 11: 25, 26). "Yo soy el Viviente; y yo estuve muerto, y he aquí que vivo por los siglos de los siglos; y tengo las llaves de la muerte y del sepulcro" (Apocalipsis 1: 18, VM).

Nota.—Cristo considera la muerte como un sueño. La muerte absoluta no conoce un despertar; pero por medio de Cristo todos los que han caído bajo el poder de la muerte serán resucitados, algunos para una vida sin fin, otros para muerte eterna.

¿En cuanto a qué dijo Cristo que no debíamos maravillarnos?

"No os maravilléis de esto; porque vendrá hora cuando todos los que están en los sepulcros oirán su voz; y los que hicieron lo bueno, saldrán a resurrección de vida; mas los que hicieron lo malo, a resurrección de condenación" (S. Juan 5: 28, 29).

¿Sobre qué solo hecho basa el apóstol Pablo la esperanza cristiana?

"Pero si se predica de Cristo que resucitó de los muertos, ¿cómo dicen algunos entre vosotros que no hay resurrección de muertos? Porque si no hay resurrección de muertos, tampoco Cristo re-

258

"Porque yo vivo —dijo Jesús—, vosotros también viviréis" (S. Juan 14: 19). ¡Qué gozo inexpresable sentiremos cuando se nos entreguen los seres queridos de quienes la muerte nos separó!

sucitó. Y si Cristo no resucitó, vana es entonces nuestra predicación, vana es también vuestra fe. Y somos hallados falsos testigos de Dios; porque hemos testificado de Dios que él resucitó a Cristo, al cual no resucitó, si en verdad los muertos no resucitan. Porque si los muertos no resucitan, tampoco Cristo resucitó; y si Cristo no resucitó, vuestra fe es vana; aún estáis en vuestros pecados. Entonces también los que durmieron en Cristo perecieron. Si en esta vida solamente esperamos en Cristo, somos los más dignos de conmiseración de todos los hombres" (1 Corintios 15: 12-19).

¿Qué positiva declaración hace entonces el apóstol?

"Mas ahora Cristo ha resucitado de los muertos; primicias de los que durmieron es hecho. Porque por cuanto la muerte entró por un hombre, también por un hombre la resurrección de los muertos. Porque así como en Adán todos mueren, también en Cristo todos serán vivificados" (vers. 20-22).

> Nota.—La resurrección de Cristo es en muchos sentidos el hecho más significativo de la historia. Es el grande e inexpugnable fundamento y esperanza de la iglesia cristiana. Todas las verdades fundamentales del cristianismo están implicadas en la resurrección de Cristo. Si ésta pudiera destruirse, todas las doctrinas esenciales del cristianismo quedarían invalidadas. La resurrección de Cristo es la garantía de nuestra resurrección y vida futura.

HECHOS ACERCA DE LA PRIMERA RESURRECCION

¿Qué cosa no deberíamos ignorar?

"Tampoco queremos, hermanos, que ignoréis acerca de los que duermen, para que no os entristezcáis como los otros que no tienen esperanza" (1 Tesalonicenses 4: 13).

¿Qué se establece como la base de la esperanza y el consuelo?

"Porque si creemos que Jesús murió y resucitó, así también traerá Dios con Jesús a los que durmieron en él" (vers. 14).

¿Qué se dice de los que participan en la primera resurrección?

"Bienaventurado y santo el que tiene parte en la primera resurrección; la segunda muerte no tiene potestad sobre éstos, sino que serán sacerdotes de Dios y de Cristo, y reinarán con él mil años" (Apocalipsis 20: 6).

¿Cuándo tendrá lugar esta resurrección de los santos?

"Por lo cual os decimos esto en palabra del Señor: que nosotros que vivimos, que habremos quedado hasta la venida del Señor, no precederemos a los que durmieron. Porque el Señor mismo con voz de mando, con voz de arcángel, y con trompeta de Dios, descenderá del cielo; y los muertos en Cristo resucitarán primero" (1 Tesalonicenses 4: 15, 16).

¿Qué sucederá entonces?

"Luego nosotros los que vivimos, los que hayamos quedado, seremos arrebatados juntamente con ellos en las nubes para recibir al Señor en el aire, y así estaremos siempre con el Señor" (vers. 17).

¿Cómo dice San Pablo que resucitarán los santos?

"He aquí, os digo un misterio: No todos dormiremos; pero todos seremos transformados, en un momento, en un abrir y cerrar de ojos, a la final trompeta; porque se tocará la trompeta, y los muertos serán resucitados incorruptibles" (1 Corintios 15: 51, 52).

¿Qué gran cambio experimentarán entonces sus cuerpos?

"Así también es la resurrección de los muertos. Se siembra en corrupción, resucitará en incorrupción. Se siembra en deshonra, resucitará en gloria; se siembra en debilidad, resucitará en poder. Se siembra cuerpo animal, resucitará cuerpo espiritual" (vers. 42-44).

¿Qué otra cosa él ha prometido hacer?

"Enjugará Dios toda lágrima de los ojos de ellos; y ya no habrá muerte, ni habrá más llanto, ni clamor, ni dolor; porque las primeras cosas pasaron" (Apocalipsis 21: 4. Véanse las págs. 262-263).

La Bienaventurada Esperanza

HERMANOS, no queremos que se queden sin saber lo que pasa con los muertos, para que Uds. no se pongan tristes como los otros, que no tienen esperanza. Así como creemos que Jesús murió y resucitó, de igual manera creemos que Dios va a resucitar con Jesús a los que murieron creyendo en él.

Por esto les decimos a Uds., como enseñanza del Señor, que nosotros los que quedamos vivos hasta la venida del Señor, no nos adelantaremos a los que murieron. Porque el Señor mismo va a bajar del cielo con voz de autoridad, con voz de arcángel y con la trompeta de Dios. Entonces los que murieron creyendo en Cristo resucitarán primero; después los que quedemos vivos seremos llevados juntamente con ellos entre las nubes para encontrarnos con el Señor en el aire. Así vamos a estar con el Señor para siempre. Por esto, anímense unos a otros con estas palabras.

SAN PABLO (1 Tesalonicenses 4: 13-18, Versión Popular)

ESTUDIO 72

La Reunión de Israel

ESTE capítulo no es un comentario indirecto de la creación o subsistencia del Estado de Israel, muy a menudo presente en las noticias de la actualidad. Es una exposición muy resumida de las declaraciones bíblicas acerca de la suerte del antiguo pueblo de Israel, y del pueblo que en los días finales de la historia habrá de ocupar el lugar y cumplir la misión que en la antigüedad debió haber cumplido esa nación.

LA DISPERSION DE ISRAEL

Por causa de la desobediencia, ¿qué le ocurrió a Israel?

"Os enviaré desparramados por todos los reinos de la tierra" (Jeremías 34: 17, TA. Véase Jeremías 25: 8-13).

¿Cómo había hablado Moisés de la dispersión de Israel?

"Jehová traerá contra ti una nación de lejos, del extremo de la tierra... Pondrá sitio a todas tus ciudades, hasta que caigan tus muros altos y fortificados en que tú confías... Y Jehová te esparcirá por todos los pueblos, desde un extremo de la tierra hasta el otro extremo" (Deuteronomio 28: 49, 52, 64).

¿Bajo qué símbolo impresionante fue predicho todo esto?

"Así dijo Jehová: Ve y compra una vasija de barro del alfarero, y ... quebrarás la vasija ... y les dirás ...: Así quebrantaré a este pueblo y a esta ciudad, como quien quiebra una vasija de barro, que no se puede restaurar más" (Jeremías 19: 1, 10, 11).

¿Con qué palabras se refiere Daniel al cautiverio babilónico como el cumplimiento de estas advertencias?

"Todo Israel traspasó tu ley apartándose para no obedecer tu voz; *por lo cual ha caído sobre nosotros la maldición y el juramento que está escrito en la ley de Moisés,* siervo de Dios; porque contra él pecamos. *Y él ha cumplido la palabra que habló contra nosotros* y contra nuestros jefes que nos gobernaron, *trayendo sobre nosotros tan grande mal;* pues nunca fue hecho debajo del cielo nada semejante a lo que se ha hecho contra Jerusalén" (Daniel 9: 11, 12).

¿Qué profecía hablaba de su regreso del cautiverio?

"Porque yo sé los pensamientos que tengo acerca de vosotros, dice Jehová, pensamientos de paz, y no de mal, para daros el fin que esperáis... Y me buscaréis y me hallaréis, porque me buscaréis de todo vuestro corazón. Y seré hallado por vosotros, dice Jehová, y *haré volver vuestra cautividad, y os reuniré de todas las naciones y de todos los lugares adonde os arrojé,* dice Jehová; y os haré volver al lugar de donde os hice llevar (Jeremías 29: 11, 13, 14. Véase también Jeremías 23: 3).

Nota.—La primera dispersión de los judíos ocurrió bajo el reinado de Nabucodonosor, rey de Babilonia. Bajo Ciro y Artajerjes, reyes de Persia, un gran número de judíos regresó a Palestina, su patria.

Después de la restauración de Jerusalén y de la venida del Mesías, ¿qué desolación adicional de la ciudad iba a producirse?

"Y después de las sesenta y dos semanas se quitará la vida al Mesías, mas no por sí; y el *pueblo de un príncipe que ha de venir destruirá la ciudad y el santuario"* (Daniel 9: 26).

¿Qué advertencia hizo el Señor respecto a un segundo cautiverio, o dispersión, y a una segunda desolación de Jerusalén?

"Y caerán a filo de espada, y serán llevados cautivos a todas las naciones; y Jerusalén será hollada por los gentiles, *hasta que los tiempos de los gentiles se cumplan"* (S. Lucas 21: 24. Compárese con S. Mateo 24: 15-20).

> *Nota.*—Cuando Jesús estaba en el Monte de los Olivos, llorando por Jerusalén con el triste lamento: "¡Cuántas veces quise juntar a tus hijos!", dijo en conclusión: "He aquí vuestra casa os es dejada desierta". En el año 70 DC, o sea unos treinta y nueve años más tarde, Jerusalén fue destruida por los ejércitos romanos bajo Tito, y los judíos fueron esparcidos por todo el mundo. El Evangelio fue predicado primeramente en Jerusalén y Judea, pero poco después los cristianos, a causa de la persecución, fueron dispersados en todas direcciones, predicando la Palabra (Hechos 8: 4). Pablo y Bernabé dijeron más tarde a los judíos en Antioquía: "A vosotros a la verdad es necesario que se os hablase primero la palabra de Dios; mas puesto que la desecháis, y no os juzgáis dignos de la vida eterna, he aquí, nos volvemos a los gentiles" (Hechos 13: 46). Con la crucifixión del Salvador y la persecución de sus discípulos, los judíos como nación llenaron la copa de su iniquidad. La muerte del mártir Esteban marcó la culminación del período concedido a la nación judía, y el comienzo del tiempo de los gentiles (véanse las págs. 182, 183).

¿Qué pondrá fin al "tiempo" concedido a los gentiles?

"Y será redicado este evangelio del reino en todo el mundo, para testimonio a todas las naciones; y *entonces vendrá el fin"* (S. Mateo 24: 14).

¿Para qué ha de predicarse el Evangelio a los gentiles?

"Simón ha contado cómo Dios visitó por primera vez a los gentiles, *para tomar de ellos pueblo para su nombre"* (Hechos 15: 14).

EL VERDADERO ISRAEL A JUICIO DE DIOS

¿Qué promesa le dio una vez Dios a Abrahán?

"Fue dada a Abraham o a su descendencia la promesa de que sería heredero del mundo" (Romanos 4: 13).

En vista del hecho de que esta promesa nunca se le cumplió a Abrahán, y de que su descendencia está ahora esparcida por todas las naciones, ¿cómo debemos entender nosotros la promesa de Dios a Abrahán?

"Ahora bien, a Abraham fueron hechas las promesas, y a su simiente. No dice: Y a las simientes, como si hablase de muchos, sino como de uno: y a tu simiente, la cual es Cristo" (Gálatas 3: 16).

¿Quiénes están incluidos con Cristo en esta promesa, como simiente de Abrahán?

"Si vosotros sois de Cristo, ciertamente linaje de Abraham sois, y herederos según la promesa" (vers. 29. Véase también Romanos 2: 28, 29).

> *Nota.*—Aquí está, entonces, la llave que abre el entendimiento, no solamente a uno, sino a muchos otros pasajes de las Sagradas Escrituras de otra manera misteriosos. La reunión de Israel en su propia tierra no es una reunión de la descendencia literal de Abrahán en la antigua Jerusalén, en la incredulidad, sino una reunión en la fe de la simiente espiritual, en la Nueva Jerusalén, "la ciudad [que Abrahán esperaba] que tiene fundamentos, cuyo arquitecto y constructor es Dios" (Hebreos 11: 8-10. Véase el cap. de la pág. 542).

¿Cuándo se cumplirá esta promesa hecha a la simiente de Abrahán?

"Cuando el Hijo del Hombre venga en su gloria, y todos los santos ángeles con él, entonces se sentará en su trono de gloria, y serán reunidas delante de él todas las naciones; y apartará los unos de los otros, como aparta el pastor las ovejas de los cabritos. Y pondrá las ovejas a su derecha, y los cabritos a su izquierda. Entonces el Rey dirá a los de su derecha: Venid, benditos de mi Padre, heredad el reino preparado para vosotros desde la fundación del mundo" (S. Mateo 25: 31-34).

ESTUDIO 73

El Milenio

EN DETERMINADOS círculos religiosos se ha formado la imagen de un futuro milenio paradisíaco en la tierra; pero un milenio humano, basado en un justo reordenamiento del orden actual. Se ha hablado extensamente acerca de él en libros, revistas y discursos. Se sostiene que las Sagradas Escrituras lo predicen. Y no son pocos los que acarician, en forma ya vaga, ya definida, esa esperanza. ¿Qué enseña en realidad la Biblia sobre el particular? Vale la pena saberlo.

EL MILENIO Y EL JUICIO

¿En qué pasaje de la Escritura se presenta definidamente el milenio?

"Y vi tronos, y se sentaron sobre ellos los que recibieron facultad de juzgar; ... *y vivieron y reinaron con Cristo mil años*" (Apocalipsis 20: 4).

Nota.—El griego puede también traducirse "revivieron y reinaron", como reza la Biblia de Jerusalén y otras versiones.

¿A quiénes dice San Pablo que han de juzgar los santos?

"¿Osa alguno de vosotros, cuando tiene algo contra otro, ir a juicio delante de los injustos, y no delante de los santos? ¿O no sabéis que los santos han de juzgar al mundo?... ¿O no sabéis que hemos de juzgar a los ángeles?" (1 Corintios 6: 1-3).

Nota.—De acuerdo con este texto de la Escritura, y el anterior, es claro que los santos de todos los siglos han de estar ocupados con Cristo en una obra de "juicio" durante el milenio, o sea el período de mil años predicho en Apocalipsis 20.

EL COMIENZO DEL MILENIO

¿Cuántas resurrecciones habrá?

"No os maravilléis de esto; porque vendrá hora cuando todos los que están en los sepulcros oirán su voz; y los que hicieron lo bueno, saldrán a *resurrección de vida*; mas los que hicieron lo malo, a *resurrección de condenación*" (S. Juan 5: 28, 29).

¿Solamente qué clase participará en la primera resurrección?

"*Bienaventurado y santo* el que tiene parte en la primera resurrección; la segunda muerte no tiene potestad sobre éstos" (Apocalipsis 20: 6).

¿Qué hará Cristo con los santos cuando venga?

"Vendré otra vez, y *os tomaré a mí mismo*, para que donde yo estoy, vosotros también estéis" (S. Juan 14: 3).

Nota.—En otras palabras, Cristo los llevará al cielo, para que allí vivan y reinen con él durante los mil años.

¿Dónde vio San Juan en visión a los santos?

"Después de esto miré, y he aquí una gran multitud, la cual nadie podía contar, de todas naciones y tribus y pueblos y lenguas, que *estaban delante del trono y en la presencia del Cordero*, vestidos de ropas blancas, y con palmas en las manos" (Apocalipsis 20: 9).

Nota.—Este pasaje de la Escritura muestra claramente que los justos han de ser llevados al cielo inmediatamente después de la primera resurrección (véase también 1 Tesalonicenses 4: 16-18). Esto concuerda con las palabras de Cristo registradas en San Juan 14: 2, 3, que dicen: "Voy, pues, a preparar lugar para vosotros. Y si me fuere y os preparare lugar, vendré otra vez, y *os tomaré a mí mismo, para que donde yo estoy, vosotros también estéis*". San Pedro deseaba acompañar a Cristo a esas mansiones; pero Jesús respondió: "A donde yo voy, no me puedes seguir ahora; *mas me seguirás después*" (S. Juan 13: 36). Esto indica claramente que cuando Cristo regrese a la tierra para recibir a sus fieles, los llevará a la casa del Padre en el cielo.

¿Qué sucederá con los impíos que estén vivos cuando Cristo venga?

"Como fue en los días de Noé, así también será en los días del Hijo del Hombre. Comían, bebían,

264

se casaban y se daban en casamiento, hasta el día en que entró Noé en el arca, y *vino el diluvio y los destruyó a todos. Asimismo como sucedió en los días de Lot; ... el día en que Lot salió de Sodoma, llovió del cielo fuego y azufre, y los destruyó a todos. Así será el día en que el Hijo del Hombre se manifieste*" (S. Lucas 17: 26-30).

¿Qué dice acerca de esto el apóstol Pablo?

"Cuando digan: Paz y seguridad, *entonces vendrá sobre ellos destrucción repentina,* ... y no escaparán" (1 Tesalonicenses 5: 3).

Nota.—Cuando Cristo venga, los justos serán librados y llevados al cielo, y todos los impíos que estén vivos serán destruidos repentinamente, como lo fueron en ocasión del diluvio (para más pruebas véase 2 Tesalonicenses 1: 7-9; Apocalipsis 6: 14-17; 19: 11-21; Jeremías 25: 30-33). No habrá resurrección general de los impíos hasta el fin de los mil años (véase también Apocalipsis 20: 5). Esto dejará la tierra desolada y sin ningún habitante humano, durante ese período.

¿Durante cuánto tiempo será aprisionado Satanás en esta tierra?

"Vi a un ángel que descendía del cielo, con la llave del abismo, y una gran cadena en la mano. Y prendió al dragón, la serpiente antigua, que es el diablo y Satanás, y *lo ató por mil años;* y lo arrojó al abismo, y lo encerró, y puso su sello sobre él, para que no engañase más a las naciones, hasta que fuesen cumplidos mil años" (Apocalipsis 20: 1-3).

Nota.—La palabra "abismo" es un término que se aplica a la tierra en su condición desolada, arruinada, caótica, oscura, inhabitada. En esta condición quedará durante los mil años. Será la triste prisión de Satanás durante este período. Aquí, en medio de los huesos convertidos en polvo, de los impíos, muertos a la venida de Cristo, de las ciudades derribadas y del destrozo y la ruina de toda la pompa y el poder de este mundo, Satanás tendrá la oportunidad de reflexionar sobre los resultados de su rebelión contra Dios.

EL FIN DEL MILENIO

Los justos muertos son resucitados en ocasión de la segunda venida de Cristo. ¿Cuándo serán resucitados los otros muertos, o sea los impíos?

"Pero los otros muertos no volvieron a vivir *hasta que se cumplieron mil años*" (vers. 5).

Nota.—Según esto, el comienzo y el fin del milenio, o el período de mil años, son señalados por dos resurrecciones.

El milenio cubre el tiempo durante el cual Satanás estará atado con una cadena de circunstancias y los impíos y los ángeles rebeldes serán juzgados. Este período será delimitado por distintos acontecimientos. Su comienzo está señalado por la terminación del tiempo de gracia, el derramamiento de las siete postreras plagas, la segunda venida de Cristo y la resurrección de los justos; y su conclusión, por la resurrección de los impíos y su destrucción final en el lago de fuego (ver diagrama págs. 266, 267).

¿Qué cambio se produce en la condición de Satanás al terminar los mil años?

"*Después de esto debe ser desatado por un poco de tiempo*" (vers. 3).

Nota.—Al finalizar los mil años, Cristo, acompañado por los santos, viene otra vez a la tierra, para ejecutar el castigo de los impíos, y para preparar la tierra, mediante una nueva creación, como la morada eterna de los justos. Entonces, en respuesta al requerimiento de Cristo, los impíos de todos los siglos reviven. Esta es la segunda resurrección, la resurrección para condenación. Los impíos se levantan con el mismo espíritu rebelde que los dominaba en vida. Satanás es suelto de su largo período de cautiverio e inactividad.

Tan pronto como los impíos resucitan, ¿qué hace de nuevo Satanás?

"Cuando los mil años se cumplan, Satanás será suelto de su prisión, *y saldrá a engañar a las naciones* que están en los cuatro ángulos de la tierra, a Gog y a Magog, *a fin de reunirlos para la batalla;* el número de los cuales es como la arena del mar" (vers. 7, 8).

¿Contra quiénes van a hacer guerra los impíos, y cuál es el desenlace?

"Y subieron sobre la anchura de la tierra, y *rodearon el campamento de los santos y la ciudad amada;* y de Dios descendió fuego del cielo, y los consumió" (vers. 9).

Nota.—Este es el último acto en el gran conflicto entre Cristo y Satanás. Toda la raza humana se encuentra aquí por primera y última vez. La separación eterna de los justos y los impíos se efectúa aquí. Entonces se ejecuta el juicio de Dios sobre los impíos en el lago de fuego. Esta es la muerte segunda. Todo esto pone fin a la gran rebelión contra Dios y su gobierno. Ahora se oye la voz de Dios cuando, sentado en su trono, hablando a los santos dice: "He aquí, yo hago nuevas todas las cosas"; y de las ruinas de la quemazón de la tierra envejecida surgen a la asombrada contemplación de los millones de redimidos "un cielo nuevo y una tierra nueva", en los cuales hallarán una herencia y una morada eternas.

1. El fin de las siete postreras plagas
2. La segunda venida de Cristo
3. Los justos muertos resucitan
4. Mueren los impíos Satanás encadenado
5. Los justos ascienden al cielo

PRIMERA RESURRECCION

EL M

1.000 AÑOS ENTRE L

EL FIN DEL MUNDO

LA TIERRA DESOLADA DU

CONDICIONES DURANTE EL MILENIO

¿Cómo describe el profeta Jeremías la condición de la tierra durante este período?

"Miré a la tierra, y he aquí estaba *asolada* y *vacía*; y a los cielos, y no había en ellos luz. Miré a los montes, y he aquí que temblaban, y todos los collados fueron destruidos. Miré, y *no había hombre*, y todas las aves del cielo se habían ido. Miré, y he aquí *el campo fértil era un desierto*, y *todas sus ciudades eran asoladas* delante de Jehová, delante del ardor de su ira" (Jeremías 4: 23-26).

Nota.—Cuando Cristo viene, la tierra queda reducida a una masa de ruinas. Los cielos se retraen como un rollo que se envuelve; las montañas son movidas de sus lugares; y la tierra se convierte en un vacío desolado, oscuro y deprimente (véase Isaías 24: 1-3; Apocalipsis 6: 14-17).

¿Qué dice Isaías respecto a cómo quedarán los impíos durante estos mil años?

"Acontecerá en aquel día, que Jehová castigará al ejército de los cielos en lo alto, y a los reyes de la tierra sobre la tierra. Y serán amontonados como se amontona a los encarcelados en mazmorra, y en *prisión quedarán encerrados*, y serán castigados después de muchos días" (Isaías 24: 21-22).

Nota.—El milenio es un gran sábado de descanso para la tierra y para el pueblo de Dios. Durante seis mil años la tierra y sus habitantes han estado sufriendo bajo la maldición del pecado. El milenio, el séptimo período de mil años, será un sábado de reposo y de liberación. Hablando de la tierra, el profeta dice que "todo el tiempo de su asolamiento reposó" (2 Crónicas 36: 21). "Por tanto, queda un reposo [u observancia de un reposo] para el pueblo de Dios" (Hebreos 4: 9). Este período de reposo prece-

ENIO
OS RESURRECCIONES

SEGUNDA RESURRECCION

TE 1.000 AÑOS

LA TIERRA NUEVA Y LA ETERNIDAD

1. Cristo y los santos descienden
2. Desciende la santa ciudad
3. Resucitan los impíos
4. Satanás es suelto
5. Los impíos son destruidos

de a la instauración de la Tierra Nueva.

El milenio es el período final de la gran semana del tiempo, un gran sábado de descanso para la tierra y para el pueblo de Dios.

Sigue a la conclusión de la era evangélica, y precede al establecimiento del reino eterno de Dios en la tierra.

Incluye lo que las Escrituras mencionan a menudo como "el día del Señor". Está delimitado en ambos extremos por una resurrección.

Su comienzo está señalado por el derramamiento de las siete postreras plagas, la segunda venida de Cristo, la resurrección de los justos que están muertos, el aprisionamiento de Satanás y el traslado de los santos al cielo; y su conclusión, por el descenso de la Nueva Jerusalén —desde el cielo con Cristo y los santos—, la resurrección de los impíos, la soltura de Satanás y la destrucción final de los impíos.

Durante los mil años la tierra está desolada; Satanás y sus ángeles están confinados aquí, y los santos participan con Cristo en el juicio de los impíos, de cuyo castigo final es preparatorio.

Luego resucitan los impíos; Satanás queda suelto por un poco de tiempo, y él con las huestes de los impíos rodean el campo de los santos y la Santa Ciudad. Entonces desciende de Dios fuego del cielo y los consume. La tierra es purificada por el mismo fuego que destruye a los impíos y, una vez renovada, se convierte en la morada eterna de los santos.

El milenio es uno de "los siglos [edades] venideros". Su conclusión señalará el comienzo del estado de la tierra nueva.

ESTUDIO 74

El Día del Señor

POR muchas y diversas razones, los hombres que conocen la historia, el estado actual de la civilización y del mundo y los factores que pueden determinar el futuro de la humanidad, consideran que se acerca un día decisivo, un desenlace fatal de los elementos de destrucción que ahora mismo están en operación, y que seguirán en creciente desarrollo a menos que se produzcan, a corto plazo, cambios revolucionarios en las relaciones mutuas de los hombres, o en sus relaciones con el ambiente. ¿Qué enseñan las Escrituras al respecto? ¿Se trata del "día del Señor"?

LA DESCRIPCION

¿Cuál es la naturaleza del "día del Señor"?

"¡Ay del día! ... vendrá *como destrucción* por el Todopoderoso" (Joel 1: 15).

"Día de tinieblas y de oscuridad, día de nube y de sombra" (Joel 2: 2).

"Grande es el día de Jehová, y muy terrible" (vers. 11).

"El día grande y espantoso de Jehová" (vers. 31).

"Día de ira aquel día, día de angustia y de aprieto, día de alboroto y de asolamiento, ... día de trompeta y de algazara sobre las ciudades fortificadas, y sobre las altas torres" (Sofonías 1: 15, 16. Véase también Jeremías 30: 7; Isaías 13: 6-13).

LA ADVERTENCIA

¿Cuán solemne es la advertencia respecto al "día del Señor"?

"¡Ay de los que desean el día de Jehová! ¿Para qué queréis este día de Jehová? Será de tinieblas, y no de luz" (Amós 5: 18. Véase también Joel 1: 14, 15; 2: 1; 3: 14).

EL TIEMPO

¿Da la Biblia alguna idea respecto al tiempo del "día del Señor"?

"Aullad, porque *cerca está* el día de Jehová; vendrá como asolamiento del Todopoderoso". "Por lo cual *las estrellas* de los cielos y sus luceros no darán su luz; y *el sol* se oscurecerá al nacer, y *la luna* no dará su resplandor" (Isaías 13: 6, 10).

"Y daré prodigios en el cielo y en la tierra, sangre, y fuego, y columnas de humo. *El sol* se convertirá en tinieblas, y *la luna* en sangre, antes que venga el día grande y espantoso de Jehová" (Joel 2: 30, 31. Véase también Joel 2: 10, 11; 3: 14-16; Sofonías 1: 14; S. Mateo 24: 29).

"Miré cuando abrió el sexto sello, y he aquí hubo *un gran terremoto*; y *el sol* se puso negro ... y *la luna* se volvió toda como sangre; y *las estrellas* del cielo cayeron sobre la tierra" (Apocalipsis 6: 12, 13).

LA REACCION DE LA GENTE

¿Cómo reacciona la gente frente al "día del Señor"?

"Porque el gran día de su ira ha llegado; ¿y quién podrá sostenerse en pie?" (Apocalipsis 6: 17).

"Porque grande es el día de Jehová, y muy terrible; ¿quién podrá soportarlo?" (Joel 2: 11).

Nota.—Una clase de gente —los que no están preparados— claman "a los montes y a las peñas: Caed sobre nosotros, y escondednos del rostro de aquel que está sentado sobre el trono, y de la ira del Cordero" (Apocalipsis 6: 16. Véase Sofonías 1: 14).

Otra clase de gente —los que estén preparados— dirán en aquel día: "He aquí, éste es nuestro Dios, le hemos esperado, y nos salvará; éste es Jehová a quien hemos esperado, nos gozaremos y nos alegraremos en su salvación'' (Isaías 25: 9).

LA AMONESTACION DE DIOS

¿A quién deberíamos dirigirnos en busca de ayuda en "el día del Señor"?

"Buscad a Jehová todos los humildes de la tierra ...; buscad justicia, buscad mansedumbre; quizás seréis guardados en el día del enojo de Jehová'' (Sofonías 2: 3).

"Confiad en Jehová perpetuamente, porque en Jehová el Señor está la fortaleza de los siglos'' (Isaías 26: 4. Véase también Joel 2: 12, 13, 32; 3: 16, 17; Isaías 26: 20).

¿Qué llamamiento personal nos dirige Dios?

"Puesto que todas estas cosas han de ser deshechas, ¡cómo no debéis vosotros andar en santa y piadosa manera de vivir, esperando y apresurándoos para la venida del día de Dios, en el cual los cielos, encendiéndose, serán deshechos, y los elementos, siendo quemados, se fundirán! Pero nosotros esperamos, según sus promesas, cielos nuevos y tierra nueva, en los cuales mora la justicia. Por lo cual, oh amados, estando en espera de estas cosas, procurad con diligencia ser hallados por él sin mancha e irreprensibles, en paz'' (2 Pedro 3: 11-14).

H. ANDERSON

Elías, el Profeta

EL PROFETA Elías es uno de los personajes sobresalientes de la historia sagrada. Cumplió en sus días una misión singular, de gran significación. Y las Escrituras predicen su reaparición en otros momentos cruciales de la vida humana. ¿Cómo debe entenderse esa profecía, y qué importancia tiene para nosotros?

¿Qué promete Dios concerniente a Elías?

"He aquí, yo os envío el profeta Elías, antes que venga el día de Jehová, grande y terrible" (Malaquías 4: 5).

¿Qué hará este profeta cuando venga?

"El hará volver el corazón de los padres hacia los hijos, y el corazón de los hijos hacia los padres" (vers. 6).

JUAN EL BAUTISTA Y ELIAS

¿A quién señaló Cristo como el cumplimiento de esta profecía?

"Respondiendo Jesús, les dijo: A la verdad, Elías viene primero, y restaurará todas las cosas. Mas os digo que *Elías ya vino,* y no le conocieron, sino que hicieron con él todo lo que quisieron; así también el Hijo del Hombre padecerá de ellos. Entonces los discípulos comprendieron que les había hablado de *Juan el Bautista*" (S. Mateo 17: 11-13).

Cuando se le preguntó si él era Elías, ¿qué dijo Juan?

"Dijo: *No soy*" (S. Juan 1: 21). "Dijo: *Yo soy la voz de uno que clama en el desierto:* Enderezad el camino del Señor, como dijo el profeta Isaías" (vers. 23).

¿En qué sentido Juan el Bautista era Elías?

"Y hará que muchos de los hijos de Israel se conviertan al Señor Dios de ellos. E irá delante de él [de Cristo] *con el espíritu y el poder de Elías,* para hacer volver los corazones de los padres a los hijos, y de los rebeldes a la prudencia de los justos, para preparar al Señor un pueblo bien dispuesto" (S. Lucas 1: 16, 17).

Nota.—Juan salió "con el espíritu y el poder de Elías", y, en la preparación de un pueblo para la primera venida de Cristo, hizo una obra similar a la que realizó el profeta Elías en Israel siglos antes (véase 1 Reyes 17 y 18). En este sentido, y solamente en éste, él fue el Elías de Malaquías 4: 5.

¿Cómo respondió Elías a la acusación del rey Acab?

"Cuando Acab vio a Elías, le dijo: ¿Eres tú el que turbas a Israel? Y él respondió: Yo no he turbado a Israel, sino tú y la casa de tu padre, dejando los mandamientos de Jehová, y siguiendo a los baales" (1 Reyes 18: 17, 18).

Nota.—Israel había olvidado a Dios y había ido en pos de la idolatría. Jezabel, la malvada e idólatra esposa de Acab, que mantenía a los profetas de Baal, había destruido "a los profetas de Jehová" (vers. 4), y estaba buscando a Elías para matarlo. Elías pidió en oración que hubiera hambre en la tierra, y dijo a Acab: "Vive Jehová Dios de Israel, en cuya presencia estoy, que no habrá lluvia ni rocío en estos años, sino por mi palabra" (1 Reyes 17: 1). El mensaje de Elías era un llamado al arrepentimiento y a la obediencia de los mandamientos de Dios.

¿Qué propuesta sencilla le hizo a todo Israel?

"Y acercándose Elías a todo el pueblo, dijo: ¿Hasta cuándo claudicaréis vosotros entre dos pensamientos? Si Jehová es Dios, seguidle; y si Baal, id en pos de él" (1 Reyes 18: 21).

El urgente mensaje de Dios llamando al arrepentimiento y a la reforma, que Elías y Juan el Bautista proclamaron a la gente de su tiempo, nuevamente se está dando con poder a todo el mundo.

LARS JUSTINEN

Nota.—Como resultado de la prueba del fuego que se concertó entre Elías y los profetas de Baal sobre el monte Carmelo (léase el relato de este capítulo), hubo un gran retorno a Dios. El pueblo dijo: "¡Jehová es el Dios!" (vers. 39).

¿Cuál era la nota tónica del mensaje de Juan el Bautista?

"*Arrepentíos,* porque el reino de los cielos se ha acercado". "*Haced,* pues, *frutos* dignos de arrepentimiento" (S. Mateo 3: 2, 8).

¿Cuál fue el resultado de este mensaje?

"Y salía a él Jerusalén, y toda Judea, y toda la provincia de alrededor del Jordán, *y eran bautizados por él en el Jordán, confesando sus pecados*" (vers. 5, 6).

Nota.—Muchos experimentaron un arrepentimiento y una reforma genuinos. Juan no se conformaba con una mera profesión de fe. El les decía a los fariseos y saduceos que venían a su bautismo que hicieran "frutos" equivalentes a una "enmienda de la vida". El deseaba ver la religión en la vida, el corazón y el hogar. Así preparó al pueblo para la primera venida de Cristo.

EL MENSAJE DE ELIAS HOY

¿Cuándo dijo la profecía que vendría Elías?

"Antes que venga el día de Jehová, grande y terrible" (Malaquías 4: 5).

¿Cómo se describe este día grande y terrible?

"Porque he aquí, viene el día ardiente como un horno, y todos los soberbios y todos los que hacen maldad serán estopa; aquel día que vendrá los abrasará, ha dicho Jehová de los ejércitos, y no les dejará ni raíz ni rama" (vers. 1).

Nota.—Este día está todavía en el futuro. Por lo tanto, la obra hecha por Juan el Bautista en ocasión del primer advenimiento de Cristo no puede ser toda la que se contempla en la profecía concerniente a la venida del profeta Elías. Debe haber otro cumplimiento, aún mayor, antes del *segundo advenimiento* de Cristo, a fin de preparar, o dejar listo, un pueblo para ese gran acontecimiento.

¿Cuál es el triple mensaje de Apocalipsis 14: 6-10?

"Temed a Dios, y dadle gloria, porque la hora de su juicio ha llegado; y adorad a aquel que hizo el cielo y la tierra, el mar y las fuentes de las aguas... Ha caído, ha caído Babilonia, la gran ciudad, porque ha hecho beber a todas las naciones del vino del furor de su fornicación... Si alguno adora a la bestia y a su imagen, y recibe la marca en su frente o en su mano, él también beberá del vino de la ira de Dios, que ha sido vaciado puro en el cáliz de su ira" (Apocalipsis 14: 7-10).

Nota.—Como los mensajes de Elías y de Juan, éste es un llamamiento al arrepentimiento y la reforma, a abandonar los cultos falsos o idólatras, y volver a Dios y adorar sólo a él. La primera parte del triple mensaje señala al Dios verdadero, al Creador, en un lenguaje similar al del cuarto mandamiento, o sábado. Este mensaje, oportuno hoy día para el mundo, se está proclamando actualmente en el mundo (véanse las págs. 195-205 de esta obra). Los que proclaman este mensaje constituyen el Elías de este tiempo, como lo fue Juan en ocasión del primer advenimiento de Cristo.

EL PUEBLO DEL MENSAJE

¿Cómo se describe al pueblo que surge en respuesta al triple mensaje antes mencionado?

"Aquí está la paciencia de los santos, los que guardan los mandamientos de Dios y la fe de Jesús" (vers. 12).